ANFADWAITH

LLŶR
TITUS
ANFADWAITH

Mae gen i waith diolch i ambell un. Yn gyntaf i Angharad Price am ei hanogaeth hefo drafft cynnar iawn o'r nofel, i Alun Jones am ei sylwadau yntau ac i Gareth am wrando arna i'n paldaruo.

Mae yna ddiolch mawr i Jenny hefyd, nid yn unig am ei gwybodaeth hanesyddol barod a'i hamynedd wrth i mi drafod plot yn ddiddiwedd, ond hefyd am ei chefnogaeth.

Diolch i bawb yn y Lolfa ond yn benodol i Meinir ar ddechrau'r broses, i Marged am bob dim ac i Robat Trefor, Sion Ilar ac Erin am eu gwaith.

Argraffiad cyntaf: 2023
© Hawlfraint Llŷr Titus a'r Lolfa Cyf., 2023

Llun y clawr: iStock/Jolygon
Cynllun y clawr: Sion Ilar

Rhif Llyfr Rhyngwladol: 978 1 80099 379 2

Dymuna'r cyhoeddwyr gydnabod cymorth ariannol
Cyngor Llyfrau Cymru

Cyhoeddwyd ac argraffwyd yng Nghymru
ar bapur o goedwigoedd cynaliadwy gan
Y Lolfa Cyf., Talybont, Ceredigion SY24 5HE
e-bost ylolfa@ylolfa.com
gwefan www.ylolfa.com
ffôn 01970 832 304

Pennod 1

BYDDAI'N RHAID IDDO fod yn sydyn. O'r gwrychoedd gallai Deiwyn weld tro'r lôn ac o ddal ei wynt a chlustfeinio roedd yr afon i'w chlywed. Honno oedd y ffin. Wedi gadael Ergyng byddai'n nheyrnas Seillwg ac oddi yno... pwy a ŵyr? Soniodd ei fam fod ganddi deulu yn Nunoding unwaith, byddai'n cymryd hydoedd i gyrraedd ond gwyddai'r ffordd yn fras. Roedd ganddo'i grefft – gallai drin ychain gyda'r gorau, ac os nad oedd galw am hynny yna gallai dorri mawn neu labro i gadw'r blaidd o'r drws am dymor neu ddau. Fyddai dim i'w atal, fyddai neb yn gwybod ei hanes.

Cafodd y blaen ar ei erlidwyr ddwy noson ynghynt. Tra'r oedden nhw'n sbydu sgubor yr oedd o'n llechu ynddi cymrodd y goes ac er i rywun weiddi, erbyn iddyn nhw estyn eu lampau roedd o wedi hen fynd. Aeth at y coed a tharodd ar geubren, wrth lwc, a chodi ei hun iddo. Cyrcydodd yno yn y pren pwdr gan geisio bod mor llonydd â'r rhisgl o'i gwmpas. Drwy'r nos gallai o'u clywed nhw'n rhegi'u ffordd drwy'r tywyllwch o'i gwmpas. Ond chafon nhw mohono fo. Diolch byth nad oedd ganddyn nhw gŵn.

Arhosodd yn ddigon hir i wneud yn siŵr nad oedd neb o gwmpas cyn dechrau arni eto gan gadw at gloddiau a choediach gymaint ag y gallai. Doedd o ddim wedi siarad hefo neb ar y ffordd, gallai'r hanes fod wedi magu traed ymhell ar y blaen iddo. Crafodd am gnau daear ac unrhyw beth arall o'r tir a cheisio gwneud i'r pwt o grystyn oedd ganddo fo ymestyn mor hir ag y gallai. Cysgodd gymaint ag y gwnaeth o yn ystod y dydd mewn llefydd o'r golwg ond hepian yn unig fyddai o, a'i glustiau'n effro.

A dyma fo wedi cyrraedd y ffin. Yr hen ffin gyda'r meini hir hynny'n sefyll bob ochr i'r lôn cyn cyrraedd yr afon, wedi eu gosod ymhell cyn i'r coed o'i chwmpas fwrw i'r pridd yn hadau. Doedd gan neb yr hawl i'w erlid dros ffiniau teyrnas ac roedd sôn fod y Gyfraith yn wahanol dan bob Brenin beth bynnag. Symudodd ei bwysau i ddeffro'i goesau ac estynnodd am ei sgrepan. Newydd wawrio oedd hi, roedd hi bellach wedi goleuo digon iddo weld nad oedd neb o gwmpas a thybiodd ei bod yn hen ddigon buan fel nad oedd neb am fod yn crwydro.

O'i lecyn ynghanol gwellt hir wrth fonyn coeden ddrain roedd popeth i'w weld yn glir. Gwenodd. Gallai roi ei draed yn y dŵr wedi iddo groesi, roedden nhw'n ddigon poenus ar ôl bron i wythnos o ffoi. Byddai hynny fel y troeon hynny aeth criw ohonyn nhw'n blant i gosi eog ar bnawn o wyliau neu Ŵyl Mabsant. Cododd gan daro'i law ar garn ei gyllell heb feddwl bron. Roedd hi'n dal yno. Heibio'r tro roedd y bont bridd – a rhyddid.

Wrth gerdded daeth llif yr afon yn haws i'w glywed. Teimlodd ei galon yn mynd yn ei lwnc. Yr agosaf oedd o'n mynd ar hyd y lôn, y mwyaf oedd y teimlad o fod eisiau rhedeg yn codi yn ei fol a'i goesau. Penderfynodd ganolbwyntio ar sut beth fyddai'r bont, roedd o wedi ei gweld hi unwaith, pont fwa lydan gydag ochrau cerrig oedd wedi tyfu'n las ar hyd ei chanol.

Dyna hi, y bont. A dacw rywun yn sefyll arni. Bu bron iddo dagu. Beth allai o wneud? Ond roedd hi'n rhy hwyr i droi am yn ôl, byddai hynny'n amheus. A sut bynnag, edrych ar y dŵr oedd y dyn gyda'i geffyl yn pori ochr draw y bont. Mae'n rhaid mai croesi i Ergyng oedd o, nid wedi croesi oddi yno. Byddai wedi clywed carnau ceffyl ar y lôn yn pasio o'i guddfan hyd yn oed tasa fo wedi cysgu neithiwr. A wnaeth o ddim beth bynnag, roedd o bron yn siŵr.

Hyd yn oed os oedd y dyn ar ei ôl o, byddai ei draed o'n rhydd cyn gynted ag y bydden nhw ar y bont ac roedd o'n ddigon chwim a chryf i sodro rhyw stwcyn byr fel hwnna beth bynnag. Rhedodd fysedd ei law chwith dros garn y gyllell eto heb feddwl. Roedd o'n siŵr o fod yn iawn, dim ond mymryn o hyder oedd isio.

Dim ond dal ati i gerdded.

Dyma fo wrth y bont a'r dyn heb gymryd arno ei fod yno o gwbl. Ddylai o ei gyfarch wrth basio? Doedd o ddim am dynnu sylw ato'i hun ond eto i gyd gallai'r dyn ei weld yn rhyfedd os na fyddai o'n torri gair. Ceisiodd arafu ei feddwl. Na, roedd digon o grwydrwyr blinedig ar y ffyrdd na fyddai'n dweud dim, heb sôn am bererinion tawel, rhai nad oedd yn cael dweud gair wrth neb. Calla' dawo felly. Cadwodd ei ben tuag at ochr arall y bont gan gymryd arno ei fod o'n sbio ar yr afon. Cyrhaeddodd ddarn uchaf y bwa lle safai'r dyn ac er na feddyliodd o wneud hynny, fe newidiodd fymryn ar ei gerddediad a cholli cam. Damia.

'Bore da i chi, wrda,' meddai'r dyn gan wylio'r dŵr a'r pysgod mân o hyd.

'A... ac i chitha.' Aeth yn ei flaen.

'Mae hi i weld fel tasa hi am wneud diwrnod poeth arall, mi fydd y pryfaid wedi codi mhen dim.'

'Ydi... byddan.' Aeth yn ei flaen eto, dim ond hanner troi i ateb wnaeth o. Roedd hynny'n ddigon naturiol, doedd?

'Ydach chi ar frys?' holodd y dyn eto. Oedodd, byddai dyn

di-euog hefo amser am sgwrs ac roedd o'n saff bellach beth bynnag. Trodd at y dyn yn iawn a cheisio gwenu.

'Ddim felly, mi fedrwn oedi am sbel.'

Cododd y dyn ac ymestyn, mae'n rhaid ei fod o wedi bod yn marchogaeth am yn hir. 'Dim ond eich bod chi wedi cychwyn arni yn fuan iawn, dyna oedd gen i.'

'O.' Sgrialodd drwy'i feddwl am ateb i'r dyn a oedd yn dal ati i droi ei ysgwyddau i geisio'u llacio nhw. 'Yn y bora ma'i dal hi, ynde?'

Gwenodd y dieithryn. 'Ia wir. Dwi ar fy nhrafals a wchi be, fyddai'm yn un am orweddian ar lawr os medra'i wneud rwbath o werth.'

'O, wel, ia, call iawn.'

'Maddeuwch i mi, yn paldaruo fel hyn. Tincar ydw i wrth fy ngwaith welwch chi, a chonsuriwr hefyd ac yn sgwrsiwr 'rioed! Ond dyna ddigon am hynny. Dwi am gael tamad o frecwast, mi ranna'i os ca'i gwmpeini?'

Roedd o heb fwyta ers deuddydd a heb fwyta yn iawn am ddyddiau cyn hynny ac roedd rhywbeth yn ffordd yr hen Dincer a oedd yn ei wneud o'n ddigon diniwed yr olwg. Peth naturiol oedd i'r ddau eistedd ar wal y bont i rannu darn o dorth a thalpyn o gaws caled yn hytrach nag eistedd ar y gwlith yr ochr arall. Aeth y ddau i hwyl wrth i'r Tincer fynd drwy ei sachyn; dacw lwy efydd i'w thrwsio, dacw'r rhaff yr oedd o'n gwneud iddi ddawnsio, dacw bowdwr hud bob lliw. Rhyfeddodd wrth i'r Tincer roi pinsiad ar ei groen ac i hwnnw godi gwawr felyn-oren ar ôl sbel. Poblogaidd iawn hefo plant o bob oed meddai'r Tincer gan chwerthin. Ac roedd o'n glên ac yn ffeind a buan y cymrodd Deiwyn ato.

Bron nad oedd o'n teimlo'n wirion am roi enw cogio iddo.

Mynd o flaen gofid oedd rhoi enw'r pentref drws nesaf fel un ei gartref hefyd ond roedd y Tincer yn lled-gyfarwydd hefo'r ardal yn ôl ei sgwrs, felly gwell oedd gwneud hynny rhag ofn. Soniodd ei fod yn chwilio am waith wrtho, nad oedd yn gelwydd i gyd, a'i fod o'n clywed fod porfeydd brasach tua Seillwg. Fedrai'r Tincer ddim cytuno hefo hynny, meddai, ond dymunodd bob hwyl iddo'r un fath.

'Drapia,' meddai'r Tincer wedi iddo ddadlapio'r caws a'i osod ar hances. Gwnaeth sioe fawr ei fod wedi colli ei gyllell, rhaid ei bod hi wedi llithro o'i gwain neithiwr wrth iddo gysgu.

'Ddyla mod i wedi trwsio honno ers hydoedd ond tlotaf esgid gwraig y crydd, de?' meddai a chwerthin. Eto i gyd roedd golwg boenus ar yr hen Dincer yn taro'i drowsus fel petai o'n disgwyl i'r gyllell redeg ato fel ci. Aeth y c'radur i'r fath helbul yn tyrchu drwy'i sachyn gan felltithio'i hun am fod mor flêr nes y cynigodd Deiwyn dorri'r caws iddo. Roedd ganddo gyllell yn doedd? Ac roedd y Tincer wedi bod yn glên iawn wrtho hyd yn hyn. Yn ddigon clên fel y gallai gynnig torri'r caws drosto, beth bynnag, ond nid rhoi'r gyllell iddo wneud hynny.

Cafodd frecwast digon derbyniol ond rhyw bigo oedd y Tincer ac yn cnoi'i grystyn heb falio fawr am y caws. Trafododd y ddau y brwydro, colledion lleol i anfadweithiau a'r tywydd a buan iawn aeth y sgwrs yn hesb ond roedd gwrando ar yr afon yn beth digon braf. Byddai'n well iddo ei throi hi toc, meddyliodd Deiwyn, ond roedd hi'n braf gallu sgwrsio. A chogio, am funud, fod popeth yn iawn.

'Peth annifyr ydi deud clwydda,' meddai'r Tincer o'r diwedd.

Teimlodd Deiwyn y caws yn sychu yn ei geg.

'Ia,' atebodd gan feddwl ei throi hi yr ennyd honno ond sut i wneud hynny heb fod yn anniolchgar ac yn amheus?

'Dwi'n ddi-fai am glywad celwydd,' meddai'r Tincer eto. 'A pheth rhyfedd ydi dyn sy'n deud celwydd am ei enw, ac o le y daw o, ond eto'n deud rhyw hannar gwir am le mae o'n mynd.'

Hyd yn oed os oedd y Tincer o gwmpas ei bethau, meddyliodd Deiwyn, doedd ganddo ddim rheswm o fath yn y byd i'w amau o fod yn fwy na chelwyddgi. Dim ond fel hyn wrth geisio llyncu gweddill y caws y gwnaeth o feddwl pam mai ceffyl ac nid mul oedd gan y Tincer a pham fod bwyell i'w gweld ar y cyfrwy erbyn hyn am fod hwnnw wedi troi wrth bori. Roedd ei choes hi'n denau a'r pen haearn yn un main gyda'r llafn yn agor yn lletach fel hanner lleuad, nid twlsyn trwswgl oedd hi, ac nid torri coed oedd hi i fod.

'Wyddoch chi be ydi gwawl?' Rhyw arwain at dric arall oedd hyn mae'n rhaid, meddyliodd Deiwyn ac atgoffodd ei hun ei fod o wedi croesi'n ddigon pell, waeth be oedd hanes y Tincer.

'Na wn i.' Ceisiodd swnio'n ddi-hid a cheisio llyncu'r caws.

Aeth y Tincer i'w sachyn gan estyn y botel powdwr pob lliw eto a tharodd ei fys ar y corcyn. 'Na finna, tydw i ddim yn offeiriad, na'n ddyn hysbys, na'n wrach, coeliwch ne beidio. Felly fedra i'm deud mod i'n dallt yn union be dio. Awra yn enw arall arni hi. Ond dwi'n gwbod fod gan bawb un ei hun hefo lliw nad oes gan neb arall, a fod gwawl rhywun yn aros ar betha ma' nhw'n eu cyffwrdd, petha sy pia nhw. Mi fedar rhywun sy'n dallt digon wneud powdwr i'w ddangos o, a mi fedar rhywun sy'n dallt digon ar liwia ddeud yn o sicr lliw pwy ydi pwy.'

'Felly fy ngwawl i welais i cyn brecwast?' holodd Deiwyn.

Roedd y gyllell ar wal y bont rhyngddyn nhw a fedrai o ddim estyn amdani'n hawdd heb i'r Tincer ei weld o'n gwneud.

Gwenodd y Tincer wên nad oedd, erbyn hyn, yn gallu cyrraedd ei lygaid.

'Rhyfeddol, de?'

Rhedodd y dŵr oddi tanyn nhw gan sibrwd rhwng y brwyn.

'Ia...'

'Mi fedar gwawl aros am sbelan go lew, dros wythnos beth bynnag. A w'chi be sy'n fwy rhyfeddol fyth i'm meddwl i ydi bod eich gwawl chi yn debyg ar y diawch i un sydd ar eiddo Deiwyn y gyrrwr ych o Bwll Crepach a chitha'n sôn mai Ilyn o Bant y Foel ydach chi.'

Cododd Deiwyn ar ei sefyll gan gymryd arno ei fod yn sgubo briwsion. Arhosodd y Tincer, os mai dyna oedd o, ar ei eistedd.

'Melyn ydi melyn, ia ddim?'

'Mi fedar y rhei sy'n dallt weld lliw o fewn lliw.'

Er ei fod o wedi gorffen sugbo briwsion arhosodd ar ei draed yn wynebu'r dyn. Dyma hwnnw'n mynd yn ei flaen. Cymrodd frathiad bach arall o'i grystyn gan edrych ar Deiwyn o hyd.

'Ond dyma i chi beth arall rhyfadd, mi oedd yna bowdwr yng nghwyr y caws acw. O ran myrath.' Trodd y Tincer ei ddarn caws ar yr hances i ddangos y toriad newydd. Sgleiniai ymyl y cwyr yn felyn ond roedd gwawr wyrddach iddo na'r melyn-oren a oedd yn prysur edwino ar law Deiwyn. 'Melyn, ia, chi bia'r gyllall, te, Deiwyn? Purion a chywir, ond ma'r gwyrdd acw yr un ffunud â gwawl Ieuaf, hogyn Melinydd Pwll Crepach.' Oedodd y dyn fel petai o'n gwrando ar rywun cyn cywiro'i hun, 'Gwawl ei gorff o'n hytrach.'

Teimlodd Deiwyn ei hun fel cwningen mewn croglath a'r

llinyn yn dechrau brathu. Ond gwenodd, daeth yn rhy bell i daflu'r drol ac ildio.

'Ond mi ddudoch chi y galla gwawl fod ar eiddo. Be wyddoch chi na chodi'r gyllell wnes i ac mai o oedd ei pia hi?'

Edrychodd y Tincer ar y gyllell a gwenu.

'Wel, ia. Digon teg. Mi wela'i, Deiwyn, bod gen ti rwbath yn dy ben. Ond dyma ni, 'li. Ddudon ni na fyddan nhw'n hir, os cofi di. Yn enwedig mewn lle fel hyn. Ma nhwytha am eu brecwast.'

Edrychodd Deiwyn ar y gyllell gan ddilyn llygaid y Tincer ac wedi ennyd glaniodd pry glas arni, ac yna bry chwythu. Yna un arall a'u 'mmm'-ian nhw'n sbeitlyd o uchel.

'Mae gan bry well llygad na chdi a ni, gwell trwyn hefyd. Waeth faint o ll'nau neith rhywun ar arf fel'ma, fedran nhw'm cael y gwaed i gyd oddi arno fo. Fel dwylo hefyd, digwydd bod.'

'Ni'? meddyliodd Deiwyn, oedd yna rywun arall yma? Edrychodd dros ei ysgwydd yn sydyn ac yna i lawr ar y gyllell eto a'i chael hi'n pistyllio gwaed a hwnnw'n llifo rhwng y cawodydd o bryfaid corff dros y cerrig i'r afon. Teimlodd ei ddwylo'n wlyb hefyd a gwelodd fod rheiny'n goch eto. Yn diferu. Yn union fel oedden nhw... Camodd yn ôl gan weiddi. Caeodd ei lygaid, yna sadiodd. Roedd y gyllell a'i ddwylo yn sych. Cafodd ddigon ar driciau'r Tincer.

Lol wirion! Doedd ganddo ddim prawf. Doedd neb, neb, wedi'i weld o. A hyd yn oed tasa ganddo fo ffordd o brofi pob dim, doedd o ddim yn ynad nac yn griw o ddynion o'r pentref hefo ffyn a rhaff. Roedd Deiwyn â'i draed yn rhydd. Croesodd y rhan fwyaf o'r bont bridd a gadawodd gyfraith Ergyng yn y llwch ar y pen arall. Doedd yna'r un dyn na dynas a allai ei lusgo fo'n ôl erbyn hyn.

Eto i gyd roedd arno ofn. Trodd y Tincer bach diniwed yn rhywbeth llawn oerach a chaletach. Newidiodd ei osgo a'i lais. Heb feddwl bron aeth llaw Deiwyn am y llafn a llwyddodd i gael gafael ynddo. Symudodd y dieithryn ar wal y bont ddim o gwbl.

'Mae hynny oll, a'r dwsin bron dyngodd lw fod gen ti achos i ladd Ieuaf yn ddigon yn ein meddwl ni fel dedfryd. Ond mae gen ti hawl i dy achos.'

A pha ots am ddedfryd hen ddyn ar bont heb gyllall i dorri caws? Wfftiodd Deiwyn.

'Mond ffraeo yn y tŷ potas fuon ni. Cwffas, mae pawb yn cael rheiny.'

'Dipyn o wahaniaeth mewn peltan rhwng pisiad a pheint, neu gwffio ddiwedd noson a sleifio i dŷ rhywun gefn nos a'u hagor nhw fel macrell, Deiwyn.'

'Dwni'm am be 'dach chi'n...'

'Wyt ti'n gwadu? Yn gwadu cynllwynio i ladd rhywun, ac i wneud hynny heb roi cyfle iddo amddiffyn ei hun?'

'Mi ddudodd o...' Teimlai Deiwyn yn well hefo'r carn yn dynn yn ei ddwrn, fedrai neb, yn gyw Melinydd neu'n Dincer gael y gorau arno hefo hon yn ei law.

'Fe ddywedwn ni wrthat ti' meddai'r dyn diarth, na allai Deiwyn feddwl amdano fel Tincer erbyn hyn, wrth godi, 'fod ein bygwth ni yn tynnu cosb go fawr am ben y rhai sy'n ddigon gwirion i wneud. Ddim cymaint â llofruddiaeth, chwaith, ond bydd modd gweithredu'r gosb fach cyn y fawr os oes rhaid.' Cododd y dyn diarth gan daflu cysgod llawn hirach nag y dylai o i feddwl Deiwyn. 'Gwll hi. Gad i ni drafod.'

Croesi'r bont oedd y peth callaf. Doedd gan y dyn diarth

ddim arf ei hun. Os byddai'n ddigon gwirion i ddod ar ei ôl, byddai'n rhoi diwedd arno.

'Tydach chi'n dallt uffar o ddim nacdach? Dwi'n ddyn rhydd cyn gyntad ag a'i drosodd yn iawn. Dwi'n rhydd yn barod hydnod!'

Cymrodd y dyn diarth wynt drwy'i drwyn a phoeri ar bridd y bont. Trodd Deiwyn a rhedeg, roedd o'n ddigon agos, fyddai o ddim o dro. Cyrhaeddodd ben draw wal y bont cyn sylwi o gongl ei lygaid ar rywbeth yn codi ar draws y ffordd. Cyn iddo allu gwneud dim aeth ar ei hyd a thaflwyd y gyllell o'i law. Yna teimlodd ei goes fel tasa hi'n llosgi. Y tu ôl iddo roedd rhaff a hoelion ei llond hi wedi ei thynnu ar draws y lôn ac roedd ei droed yn sownd arni. Sgrechiodd. Clywodd gamau y tu ôl iddo. Gwingodd fel genwair ar fachyn.

Ceisiodd bwyllo. Roedd y dyn yn cymryd ei amser a fyddai o ddim yn sownd go iawn ar hoelen. Daliodd ei wynt i fygu'r boen a llwyddodd i dynnu'i droed yn rhydd. Dechreuodd lusgo ei hun drwy'r llwch. Gallai fod wedi ceisio codi ond symud oedd yr unig beth ar flaen ei feddwl. Oedd o'n ddigon pell bellach? Oedd o wedi croesi digon? Oedd o ddigon yn Seillwg? Crafangiodd ei hun drwy'r baw a gweld y gyllell o'i flaen. Estynnodd amdani a daeth troed mewn sgidiau hoelion mawr a'i chicio o'i afael. Aeth hyrddiad arall o ofn drwyddo gan wneud iddo igian.

'"Y mae'r sawl a ymosoda, neu fentra ymosod, ar y cyfiawn yn rhwymedig i dalu galanas o gyfwerth y clwyf deirgwaith. Os creithir ef, telir galanas gyfwerth â dwywaith y graith os yw'n guddiedig a theirgwaith os yw'n anghuddiedig. Amddifader yr ymosodwr o'r aelod a ddefnyddiodd i ymosod yn ogystal". Mi ddywedem,' meddai'r dyn diarth gan gyrcydu 'mai craith anghuddiedig fyddem ni wedi'i chael tasat ti wedi mynd amdanom ni, ond bygwth wnest di. Bydd y gosb yn llai. Y llaw fydd hi. Y bysedd. Mae'n ddrwg gennym ni am hynny.'

Unwaith eto oedodd y dyn fel petai o'n gwrando. Roedd golwg bell arno a chymrodd Deiwyn ei gyfle gan daflu dwrn o dan glicied ei ên. Symudodd pen y dyn am i fyny ond heblaw am hynny arhosodd yn llonydd. Gallodd godi.

'A ninnau am fod yn glên,' meddai o'r diwedd. Cododd yntau. 'Sut ti am dalu?'

Tynnodd Deiwyn ei ddwrn yn ôl a cheisio eto. Symudodd y dyn diarth o'r ffordd heb brin symud o gwbl. Collodd Deiwyn ei draed a mynd ar ei hyd.

'Deiwyn. Cwyd.'

Codwyd o ar ei draed. Ceisiodd gicio'r dyn neu ei ddyrnu eto ond methodd. Cafodd ddwrn yn ei stumog ac aeth y gwynt ohono. Cariodd y dyn o yn ôl at y bont a'i roi i eistedd wrth y wal. Rhwng y rhegi a'r crio a'r gweiddi fedrai Deiwyn ond adrodd wrtho'i hun ei fod o wedi croesi, a'i fod o'n saff. Trodd y gwaed o'i droed y pridd o'i chwmpas yn ddu. Aeth y dyn diarth yn ôl am le oedden nhw wedi bwyta a thurio drwy'r sachyn. A dechreuodd Deiwyn am ei flaen eto.

'Dwi 'di dengyd,' meddai gan hencian. 'Dwi 'di dengyd.'

'Tria ddallt,' meddai llais o'r tu ôl iddo yn rhywle. 'Does yna'r un deyrnas, yr un drws na'r un clo na fedrwn ni gael mynd drwyddyn nhw. Mi wnest di gynllwyn fyddai'n dy gael di'n rhydd rhag dynion y pentra, neu ynad heddwch, hyd yn oed dynion y Brenin tasan nhw'n codi o'u gwlâu i ddŵad ond mi gollist ti rywrai, do?'

'Naddo!' criodd Deiwyn. Y gyllell, lle oedd y gyllell... ?

'Ty'd rŵan. "Tri pheth na ellir ei atal; y môr, amser a..."'

Teimlodd Deiwyn fel petai wedi disgyn i bydew. Aeth yn oer. Drwy'r niwl coch daeth enw i'w feddwl. Gwigyn. Aeth yn chwys rhynllyd er gwaetha poethni'r poen. Disgynnodd ar ei eistedd i'r llwch. Gwigyn.

Sobrodd. Chlywodd o ddim am y rheiny ers yr oedd o'n blentyn. Y creaduriaid hynny a fyddai'n dwyn plant ac yn gallu tynnu teyrnas i'r pridd. Y rhai a gosbai Uchelwyr, a gweision ac anfadweithiau fel ei gilydd. Nhw oedd y Gyfraith. Ymgnawdoliad o Lyfr Iorwerth a phob deddf rhwng ei gaeadau. Doedd yna unman i guddio rhag Gwigyn. Doedd ond un peth amdani. Gwrandodd ar y traed yn dod yn ôl.

Llwyddodd i godi, a synnodd hynny y Gwigyn, roedd o'n siŵr. Ceisiodd eu dyrnu ond camodd y Gwigyn o ffordd ei ddwrn gwyllt a gadael i bwysau Deiwyn ei hun ei daflu'n llegach i'r pridd. Aeth yn un cadach ar lawr eto. Llenwodd ei ben hefo mwy o niwl. Ond doedd y Gwigyn ddim yn flin nac yn filain. Drwy'r byd a oedd yn sigo i gyd, cafodd Deiwyn ei atgoffa o'i daid yn pladuro ceirch erstalwm. Heb symud gewyn yn fwy nag oedd rhaid, a grym arferiad yn llywio pob dim. A sŵn y llafn fel sibrwd... gwres ac ogla gwyrddni...

'Y Gosb Fach cyn y Fawr. Mae'n rhaid. Mae gan bob gweithred ganlyniad, dyna'r drefn,' meddai'r Gwigyn. Gafaelon nhw yn ei law ac er i Deiwyn geisio tynnu'n rhydd a'u colbio gyda'r llaw arall bu'n rhaid iddo aros yno wrth i'r Gwigyn roi plyg sydyn i bob bys a'u torri. Sgrechiodd Deiwyn eto wrth i'r boen ei droi'n wirion.

Cafodd ei lusgo'n ôl at ben y bont. Bob tro y byddai'n ceisio dianc byddai'n cael ei droi yn ôl at ei ffawd. Roedd o'n gry, roedd o wedi dianc ond roedd o fel doli glwt yn nwylo'r Gwigyn.

Fe'i gosodwyd o yn erbyn wal y bont.

'Wyt ti'n edifarhau?' daeth y llais fel petai'r afon yn ei gario fo.

Teimlodd Deiwyn ryw linyn yno'n torri.

'Dwi... dwi'm yn gwbod' meddai o'r diwedd.

Tawelwch wedyn, am sbel. A'r pryfaid a'r afon yn siarad hefo'i gilydd.

'Ti'n cofio ni'n sôn am dric cael y rhaff i ddawnsio?' holodd y llais yn ei glust. Crio wnaeth Deiwyn. Ond crio wnaeth tad a mam Ieuaf hefyd, meddyliodd y Gwigyn, crio wnaeth ei gariad a'r tri o frodyr. Doedd crio ddim yn ddigon i achub neb.

Rhoddwyd rhaff am wddw Deiwyn, gyrrwr yr ychain. Bywyd am fywyd yn ôl cyfraith Iorwerth. Roedd ei deulu wedi gwrthod talu'n iawn am ei bechod. Byddai hyn yn well i'r hogyn na'i adael o i'r criw i'w guro'n farw. Sut bynnag, doedd gan Wigyn o bawb ddim lle i ddadlau.

'Rhyw bum troedfedd a dwy lawfedd wyt ti, de?' holodd y Gwigyn wrth dynhau'r rhaff. ''Dan ni'n meddwl ein bod ni'n iawn.'

Rhoddwyd Deiwyn i eistedd ar wal y bont lle buodd y caws a'r bara a'r pryfaid ynghynt. Teimlodd ambell un yn glanio ar yr archoll ar ei ben.

Pesychodd y Gwigyn.

'''Os anghywir ydyw'r ddedfryd boed inni gael ein taro i lawr i arbed y di-euog.''' Fe oedon nhw am ennyd ac edrych o'u cwmpas. 'Anaml iawn bydd hynny'n digwydd, cofia,' medden nhw cyn rhoi hwyth ysgafn i Deiwyn dros ymyl y bont. Tynhaodd y rhaff drwyddi. Dawnsiodd.

Bron iawn, meddyliodd Ithel wrth edrych ar y llofrudd yn tagu. Mi oedd blaen ei draed o yn y dŵr fel tasa fo wedi mynd at yr afon i'w golchi nhw. Arhoson nhw i'r rhaff a'r pryfaid setlo. Byddai teulu'r Melinydd draw toc. Estynnon nhw am ddarn o gaws, roedd arnyn nhw eisiau bwyd.

Euog. Euog. Euog. Pylodd y lleisiau oddi mewn wrth i'r corff lonyddu.

Wrth orffen eu pryd gwelodd Ithel ymhell i lawr y dyffryn fod pladurwyr wedi dechrau ar eu gwaith mewn gweirglodd ger yr afon. Gwylion nhw'r criw yn torri'r gwair o'r clawdd at y canol gan adael sgwaryn heb ei dorri yn wyrdd tywyll yn erbyn gwyn gweddill y cae. Doedd o fawr o damaid i gyd. Mae'n rhaid fod ganddyn nhw ffydd yn y tywydd, er nad oedd Ithel mor siŵr. Trodd y cae a edrychai'n fyw wrth i'r gwair symud i gyd yn y gwynt yn rhesi taclus, llonydd wrth i'r gwaith pladuro fynd rhagddo. Yna estynnodd y dynion rwydi a phastwn bob un yn barod i ddal unrhyw anifail a aethai'n ddyfnach i'r gwair oedd heb ei dorri i guddio. Dau gynhaeaf. Tri, atgoffodd Ithel eu hunain wrth droi a gweld y rhaff yn dynn o hyd.

Byddai sefyll wrth ddŵr yn tawelu Gwigyn. Cael eu hatgoffa o'r lle ddaethon nhw mae'n debyg wrth i'r rhai oddi mewn setlo fel gwaddod. Pylodd y lleisiau eto. Doedd dim peryg i Wigyn fod yn unig byth gyda'r clytwaith o eneidiau y tu mewn iddyn nhw. Doedd o ddim yn fêl i gyd ond roedd manteision i'r fath gytundeb hefyd. Bu Rhun, un o'r rhai oddi mewn, yn bedlar ac roedd profiad y prynu a gwerthu a'r sgwrsio wedi cryfhau yr anterliwt rhyngddyn nhw a Deiwyn wedi iddi wawrio. Chafodd Ithel fawr o hwyl ar sgwrsio 'rioed.

Aethon nhw i newid. Roedd y crys llac a throwsus marchogaeth yn iawn i chwarae Tincer ond yn fawr o beth i grwydro'r ffyrdd ynddyn nhw. Rhoddon nhw eu crys haearn amdanynt a theimlo'n well. Byddai'r teulu yn disgwyl milwr o ran ei olwg a byddai criw mawr ohonyn nhw. Doedd paratoi ddim yn ddrwg o beth felly.

Gwisgon nhw eu menig lledr a llithro lawr y dorlan at lan yr afon. A hithau'n haf doedd dim gormod o lif ynddi er gwaetha'r glaw diweddar ac roedd modd mynd o garreg i garreg at y corff llonydd. Byddai'n rhaid ei farcio ddwywaith a gwell oedd gwneud y cyntaf heb neb o gwmpas. Estynnon nhw'r sêl; byddai'r llaw yn ddigon mawr. Gosodon nhw o ar y cledr a chanolbwyntio – poethodd y metel am ennyd gan wneud sŵn ffrio a chodi oglau llosgi. Teimlon nhw'u maneg yn cynhesu ac wedi oedi fe dynnon nhw'r metel oddi ar y cnawd. Roedd y marc yn ddigon eglur. Gyda gofal fe gawson nhw Deiwyn yn rhydd heb dorri'r rhaff a'i gario at y dorlan. Byddai'n haws cau llygaid y corff a'i olchi cystal ag y gallen nhw fel hyn. Roedd Deiwyn wedi talu am ei bechod a haeddai bob parch. Gosodon nhw berlysiau o dan ei ddillad yn ôl yr arfer a chlymu ei draed a'i freichiau gyda lliain gwyn.

Codon nhw'r corff a'i gario at y lôn a'i roi i orwedd yn y gwellt wrth din y clawdd, yna aeth Ithel ati i dwtio ei wallt a sythu ei ddillad. Eisteddon nhw gydag o. Wedi sbel daeth sŵn ar y lôn.

Daeth y criw at y bont yn tywys mul a lusgai gar llusg y tu ôl iddo. Gallai Ithel weld y Melinydd ar y blaen a phedwar arall gydag o, teulu Ieuaf i gyd heblaw am un. Cadwai hwnnw ei lygaid am i lawr ac roedd golwg go debyg i'r llofrudd arno, brawd mae'n debyg wedi dod i forol am y corff. Wedi dod i sicrhau fod y weithred wedi ei gwneud oedd y gweddill. Y Melinydd ddaeth draw, hefo fo fu Ithel yn trefnu'r rhan fwyaf o'r gwaith.

'Mae o wedi'i neud?' holodd y Melinydd. Roedd golwg heb gysgu arno.

'Do,' atebodd Ithel ac amneidio y dylai'r Melinydd fynd draw i weld y corff. Gwnaeth hynny gan gymryd y llwybr pellaf posib heibio'r Gwigyn. Safodd y Melinydd yno am sbel cyn chwifio'i freichiau ar y gweddill. Rhoddodd bwrs bach o arian ar wal y bont wrth basio yn ôl er nad oedd rhaid iddo dalu am wasanaeth Gwigyn, a dweud wrth y gwynt fwy na heb:

'Ieuaf oedd i fod i gymryd y felin ar f'ôl i a Mari. A'r briodas...'

Digon oeraidd oedd pawb a phan feddyliai nad oedd Ithel yn gallu'i weld, rhythai'r brawd yn flin arno er iddo a gweddill ei deulu gael digon o gyfle i dalu'r pris mewn arian neu eiddo am bechodau Deiwyn.

Ddylen ni ddim troi ein cefn ar hwn meddai swigen o lais yn rhywle y tu mewn. Torrodd Ithel y nodyn clust fel nad oedd modd i neb ddadlau nad y nhw ddaeth â'r llofrudd at ei gosb a llwythwyd y corff i'r car llusg. Cafodd y brawd ychydig o amser i dacluso'r corff ymhellach cyn i bawb fynd yn ôl at y mul a chychwyn y daith am adref. Dim gair o ddiolch, meddyliodd Ithel wrth iddyn nhw fynd heibio'r tro. Ond roedd y pwrs a sach fach o flawd wedi eu gadael.

Roedd y pladurwyr wedi gorffen eu gwaith. Casglodd Ithel eu pethau a chodi eu hunain i'r cyfrwy. O'u blaen oedd Seillwg a'r tir yn ymledu'n wastad o lan yr afon. Yn y pellter heibio'r coed a'r meini hirion roedd gweddillion delwau yn codi o'r ddaear fel cyrff cewri, yn sefyll fel hanner a chwarter dynion, hen Olion ar ôl dyddiau duach o'r hanner. Wrth iddyn nhw gychwyn dros y bont tarodd y dafnau tewion cyntaf o law y pridd o'u cwmpas.

Pennod 2

CAERODYN. YN GORON gam ar ben bryncyn a edrychai allan tua'r môr. Dyma dref oedd gan Ithel sawl cof amdani gan gynnwys pan oedd hi'n hendref cyn codi'r waliau cerrig. Trodd y lle yn gaer wedi hynny ond fuodd y muriau yn fawr o gymorth yn y Rhyfeloedd. Erbyn hyn doedd y lle ddim yn gaer fel y cyfryw heblaw fod yr waliau hynafol gystal â dim arall i gadw'r anfadweithiau – y creaduriaid a'r bwystfilod hynny a oedd yn crwydro'r wlad – draw ar ôl cau'r bylchau. Islaw wrth geg yr aber roedd y dociau, a rhwng y lan a'r copa roedd y 'ceffylau dall', fel oedd pobl yn eu galw nhw, yn dal ati ar eu taith oesol gan gario cargo a phobl ar eu cefnau. Gallai Ithel weld y tri o bell wrth farchogaeth ar hyd y ffordd wrth yr afon, yn llusgo eu ffordd mewn cylch o'r dref at yr arfordir, fel chwilod mawr.

Gadawodd Ithel i'w caseg fynd yn ôl ei phwysau ar y ffordd tuag at y dref wrth i'r bryn ddechrau codi'n fwy serth. Y tu ôl iddyn nhw daeth sŵn sgwrsio yn nes. Trodd Ithel i wylio'r ceffyl dall agosaf yn nesu; doedd o ddim byd tebyg i geffyl mewn difri, yn debycach i slabyn o graig, neu drol heb lorpiau nac olwynion na dim arall, ac yn symud dan ryw rym anweledig ond roedd yr enw wedi hen ennill ei blwyf. Llond llaw o sgotwyr oedd ar hwn ac wrth i Ithel gyd-farchogaeth gyda'r graig fe godon nhw sgwrs.

'Helfa iawn?' holodd Ithel wrth weld y basgedi gwiail yn gyforiog o bysgod.

'Heb fod rhy ddrwg!' atebodd un o'r pysgotwyr. Roedd y ceffyl yn llaith a gydag oglau'r môr arno, ac nid bai y pysgod yn unig oedd hynn. Ers i'r ceffylau ddechrau ar eu taith, roedd y môr yn nes ond doedd y ceffylau byth yn newid eu llwybr, byth yn newid cyflymder na byth yn oedi, a hynny ers cyn cof. Erbyn hyn felly roedden nhw'n picio o dan y tonnau am sbel cyn codi fel morfilod wedyn a thynnu eu hunain at dir sych.

Chwifiodd y sgotwyr ar griw oedd ar gefn ceffyl dall arall wrth iddyn nhw basio am i lawr gyda haearn wedi ei osod ar fad bach gwastad yn barod at y tonnau islaw. Fel llawer iawn o'r rhyfeddodau a'r erchyllterau oedd wedi eu gadael ar ôl y Derwyddon a'r Rhufenyddion doedd gan fawr o neb syniad sut oedd y ceffylau'n gweithio nac i ba bwrpas y crëwyd nhw o gwbl. Wyddai Ithel ddim pryd gyrhaeddodd nhw, dim ond darnau o gof oedd ganddyn nhw wedi'r cwbl. Ond roedd pobl wedi dysgu defnyddio rhai o'r hynodion at bwrpas newydd, fel plant yn chwarae hefo llwch llif gweithdy oedolyn.

Daeth y ceffyl at Caerodyn yn ei dro ac wrth iddo rygnu ei ffordd heibio llwyfan coed aeth y sgotwyr ati i ddadlwytho a throdd Ithel eu caseg drwy'r porth mawr a heibio'r adeiladau carreg, yn dai a siopau drwy'i gilydd. Roedd strydoedd Caerodyn yn llydan a llawer o'r hen dai crynion cerrig wedi eu cadw gyda rhai coed newydd sgwâr yn eu mysg nhw hefyd. Fel oedd yr enw'n awgrymu roedd hi'n dref llawn gofaint a diwydiant a chododd y gwynt diog oglau golosg, haearn, bara, a baw ceffyl drwy'i gilydd. Dyma dref oedd ar gylchdaith Ithel, roedd ganddyn nhw, fel pob Gwigyn lwybrau i'w dilyn drwy'r teyrnasoedd. Byddai siryfion, ynadon a thaeogion fel ei gilydd yn aros am ymweliad er mwyn rhannu unrhyw achosion neu ddirgelion na allen nhw eu datrys eu hunain. Byddai rhywbeth yn siŵr o ddod i law Ithel yma, gallen nhw deimlo hynny, ond roedd syched arnyn nhw, a'r daith rhwng y Bont Bridd a Chaerodyn wedi codi llwch i'w gwddw er gwaetha'r gawod.

Roedd tair tafarn yn perthyn i'r dref. Y gyntaf – Y Lintal Fawr – ar lan afon wrth y gwaith lledr a'r doc, dafliad carreg o lwybr y ceffylau dall. Byddai'n llenwi a gwagio gyda llanw lleol a phobl ddŵad er gwaetha'r oglau yn dod o'r tanws. Roedd eu brag nhw'n un da a'r crystiau heb fod yn rhy wydn. Dyna'r ail wedyn – Y Maen Melyn – adeilad wedi'i godi yng nghysgod craig fawr oedd yn gen i gyd, yn un fwy cyfforddus heb fod yn rhy bell o borth y dref. Tafarn a oedd yn garedicach ei thân a gyda stafelloedd heb chwain i fyny'r grisiau yn ôl pob tebyg, cig rhost i'r rhai a fynnai ddangos eu hunain, a digon o le i bawb. Y Fuwch Goch oedd y drydedd a doedd yna fawr i'w ddweud o blaid honno heblaw ei bod hi'n rhad a bod y drws yn agor a chau heb fawr o drafferth. Roedd hi tuag at ben arall Caerodyn, wrth y wal allanol a rhediad y tir yn golygu fod pobol, a sbwriel y strydoedd yn tueddu i lifo tuag ati o dan rym disgyrchiant yn fwy na dim arall.

Cododd perchennog Y Fuwch Goch ei phen o'i phlicio wrth glywed carnau yn arafu ac yna'n oedi heibio'r drws. Gwrandawodd ar draed yn glanio a rhywun yn symud yr hyrdlen i'r pwt lle byddai ceffylau, moch neu wyddau yn cael eu cadw gan borthmyn a theithwyr. Diolchodd fod y glaw wedi llenwi digon ar y cafn dŵr ddoe a neithiwr neu byddai disgwyl iddi fynd at y ffynnon i'w lenwi. Bu'r marchog sbel cyn dod i mewn, a chlywodd dincial penffrwyn a bagiau, rhaid ei fod am aros am ddipyn felly.

Daeth i mewn gyda'i fagiau dros ei ysgwydd a chyfrwy yn ei law. Roedd ganddo rywbeth hir wedi ei lapio o dan ei gesail hefyd, ei arf fwy na thebyg. Diolchodd y perchennog ei fod yn ddigon call i wneud hynny. Doedd dim rhaid i neb adael arf wrth y drws na'i dynnu chwaith ond byddai hynny'n gwneud unrhyw gwffio'n daclusach. Fel un a oedd wedi newid y brwyn i gyd – ac ar un achlysur blerach na'r lleill ddarnau o bridd y llawr – ar ôl pyliau gwaeth na'i gilydd o waedu roedd y perchennog yn cymryd at y rhai call. Eto roedd hwn, er yr ymddangosiad cyfeillgar, yn ddigon i yrru llaw'r perchennog at y pastwn o dan y cownter o flaen y cwpanau clai. Rhywbeth yn ei gylch o, mae'n rhaid.

'Cwrw bach,' meddai'r marchog a chafodd y perchennog fanylu arno. Edrychai'n ddigon di-nod a'i groen yn dangos ôl gweithio y tu allan. Yr unig beth rhyw fymryn yn anghyffredin oedd ei wallt o – yn goch, goch ac wedi ei dorri'n agos at y croen ar un ochr, wedyn yn hirach ar yr ochr arall a gyda chwlwm ynddo. Roedd hynny a'r lliw yn ei hatgoffa hi o rywun arall basiodd heibio rai dyddiau ynghynt. Mynaich ella, mi oedd gan y rheiny walltiau od, yn doedd? Neu rhyw do newydd o bererinion wedi newid eu ffasiwn?

Cafodd y marchog ei gwrw ac aeth i eistedd i gongl lle gallai weld y drws. Fuodd o ddim yn hir yn gorffen ei ddiod cyntaf wrth gadw golwg ar y fynedfa. Cododd ei gwpan ac aeth hithau draw hefo'r jwg. Meddyliodd godi sgwrs.

'Ydach chi'n disgwyl rhywun?' holodd.

''Dan ni'm yn rhyw saff iawn, falla'n bod ni. Be berodd i chi holi?'

'O, nes i'm meddwl bod yn ddigywilydd.'

Gwenodd y marchog yn sydyn.

''Dan ni ddim dicach. Tydan ni ddim yn ista a'n cefn at ddrws os medrwn ni beidio os mai dyna oedd gynnoch chi.'

'Hynny, a fod rhywun tebyg i chi wedi pasio heibio echddoe.'

'Dybad?'

Tapiodd Ithel eu bysedd ar y bwrdd gan feddwl. Doedd Gwigiaid ddim yn cael profi cyd-ddigwyddiadau yn aml. Cynghoron nhw wraig y tŷ i adael y jwg. Gwnaeth hithau hynny a mynd yn ôl at y maip. Holodd Ithel a fyddai sach o flawd yn dderbyniol fel tâl ac roedd hi'n fodlon iawn ar hynny, gallen nhw gael jygaid arall ac ychydig o botes maip i wneud yn iawn am sachaid gyfan. Gadawodd rhai a daeth eraill yn eu lle ac o ddipyn i beth diflannodd y llafnau gwyn o olau dydd rhwng styllod y drws wrth iddi dywyllu. Cadwyd y jwg heb ei chyffwrdd.

Roedd hi'n dywyll y tu allan ac Ithel yn dechrau cosi eisiau mynd pan ddaethon nhw i mewn fel atgof a phopeth yn gyfarwydd ac eto'n wahanol. Y gwallt coch, coch yn blethen hir i lawr eu cefn heibio'r dorch efydd ar eu gwddw. Y trowsus marchogaeth a'r bais ledr wedi eu trwsio droeon ac yn geriach i gyd, y wyneb main; un lygaid werdd, werdd a'r llall o dan gadach glas wedi ei glymu dros eu pen. Ond roedd rhai pethau'n newydd; dwy gyllell ar felt ac albras dros eu hysgwydd. Chymeron nhw ddim arnyn eu bod wedi gweld neb wrth y tân ond fe godon nhw gwpan wrth y cownter ac eistedd ar y fainc wrth ymyl Ithel.

'Be 'dach chi'n da 'ma y bagiach esgyrn?' medden nhw ac estyn am y jwg.

'Dana.'

Tolltodd Dana ddiod iddyn nhw'u hunain a chodi llawn gormod o ben arno fo yn eu brys. Gadawodd Ithel iddyn nhw ei wagio ar eu talcen heb ddweud dim. Eistedd wedyn yn edrych ar ei gilydd yn lled-wenu, y naill yn cribinio'r blynyddoedd oddi wrth y llall, nid bod llawer o waith gwneud hynny. Rhaid, meddyliodd Ithel, eu bod nhw wedi hagru ac yn cario mwy tu draw i liw eu llygad ond prin bod hynny'n newid dim. Roedd Dana wedi hel ychydig fodfeddi yn fwy ar y blethen dros eu cefn hefyd ond heblaw am hynny roedden nhw fel oedden nhw y noson honno y cododd Ithel o'r gors. Fel yr arfer, Dana symudodd gyntaf ac estyn am y jwg eto.

'I rannu ma hwnna i fod.' Tynnodd Ithel y jwg o'u llaw a sylwi fod y croen yn teimlo'n wahanol, roedd o wedi cracio a chaledu mymryn.

'Tolltwch ta.'

'Diolch, ma Gwrig yn gwaredu efo'ch slochian chi.' Tolltodd Ithel y gweddill rhwng y ddwy gwpan a gosod y jwg ar ymyl y bwrdd. Fuodd hi fawr o dro nad oedd hi'n ôl yn llawn a daeth dwy bowlen o botas hefyd. Diolchodd Ithel i'r perchennog wrth iddi basio. Roedd y potes yn dda, yn boeth a'r maip heb fynd yn stwnsh.

'Gwrig ffwc,' meddai Dana drwy lond ceg o faip.

'Da chi'n gwbod fel ma' nhw, y rhai oddi mewn. Fel ydan ni, yn hytrach. Mi oedd gan Gwrig barch at ei fedd a'i gwrw.'

Gwenodd Dana ac ateb. 'O, ma gynnon ni ein petha, does?'

'M.'

'Mi lecian ni roi llafn drwy hwn, weithia,' meddai Dana wedyn gan amneidio at eu gwallt 'Mae o'n beryg 'di mynd, mi alla rywun gael gafal arna ni o un pen cwmwd i'r llall bron neu mi allan dagu ein hunain wrth fynd drwy goed, ond wnaiff Brenna ddim cymryd dim o hynny.' Amneidiodd Dana at eu brest i gyfleu lleoliad Brenna ar yr eiliad honno. 'O'r braidd ydan ni'n cael ei gadw fo'n gall ar un ochor.'

'Ma 'di tyfu ers ni'ch gweld chi ddwytha.'

'Gofyn fod o. Flynyddodd ers mi'ch gweld chi.'

'Unrhyw hanas?'

Wrth chwilio am waelod jygaid arall rhoddodd y Gwigiaid

drefn ar eu bywydau ers y p'nawn hwnnw o dan y llwyn gwyddfid lle roedd eu llwybr wedi rhannu ddwythaf. Cerddasai Dana hyd a lled y wlad. Ar hyd yr arfordir am sbel yn rhoi diwedd ar ddryllwyr a smyglwyr, amddiffyn hawl plentyn siawns ar diroedd ei dad ac aros yn ei lys, bu'n arwr ac yn elyn am yn ail, 'Wychi fel ma' hi'. Bu ond y dim i wylliaid tua'r canolbarth gael y gorau arnyn nhw. Meddyliodd Ithel mai hanes Dana glywon nhw mewn cywydd yn dod at wraidd pla dawnsio yn Nghymydmaen ac roedden nhw'n iawn. Fe dreulion nhw gyfnod yn hela cnud o fleiddiaid a gafodd flas ar bobl ac, ar eu marw, blaidd coch oedd yn eu harwain nhw. Dangoson nhw ddarn o'r croen roedden nhw wedi'i gadw. Rhwng hynny i gyd buon nhw'n cadw'r gyfraith ac yn cadw trefn ar anfadweithiau lle byddai'r gofyn. Roedd ganddyn nhw graith neu ddwy na welodd Ithel o'r blaen. Rhannodd Dana rysáit eli oedd yn helpu hefo gwella y daethon nhw o hyd iddo rai misoedd yn ôl ac yn ôl yr arfer ffeiriodd Ithel addasiad ar swyndlws oedd i weld yn well am atal oglau drwg rhag magu gafael a lledu salwch.

Aeth Ithel drwy'u hanes hwythau a chael cyngor ar sut y bydden nhw wedi gallu gwneud gwell siâp arni droeon. Roedd Dana'n ei chael hi'n anodd gadael sgidiau athro yn amlwg.

'Busnesu,' meddai Ithel a chodi'u cwpan.

'Dyna 'di'n pwrpas ni.' Edrychodd Dana ar y bwrdd a dim ond am ennyd gwelodd Ithel nhw yn edrych yn debyg iawn i rywun eithriadol o drist ond fe godon nhw eu golwg a phasiodd y cwmwl hwnnw. Closiodd Dana a phwyso'u pen ar ysgwydd Ithel. Prin y gallen nhw gofio'r ffasiwn gyfeillgarwch.

''Dach chi'n meddwl, Ithel, pan ricion nhw'r cyfreithia 'na ar ein hesgyrn ni y gwnaethon nhw feddwl sut betha fyddan ni go iawn?'

'Dwn i'm. Sut betha ydan ni, 'dach chi'n gwbod?'

Anadlodd Dana'n ddwfn a meddwl.

'Ma 'na ormod o chi'ch hun ynoch chi beth bynnag. Cyfamod ydan ni i fod, cytgord.'

Ysgwydodd Ithel eu pen, yr un hen hanes unwaith eto.

'Mi aethon ni i i'r chwith yn lle mynd i'r dde, wyddon ni.'

'Lliaws o Wigiaid welon ni o'ch blaen chi, a phob un yn mynd am y dde gynta wrth godi o'r gors. Cannoedd o eneidia yn y gors 'na a faint bynnag o'u hatgofion nhw oedd gennych chi tu mewn i chi bryd hynny ac mi aethoch chi i'r chwith.'

'Thâl hi ddim i sôn am betha fel hyn.'

''Dan ni wedi bod yn meddwl am hynny ddipyn dros y misoedd dwytha 'ma.'

Wyddai Ithel ddim sut oedd ateb hynny. Doedd rhywbeth ddim yn gorwedd yn iawn ond doedden nhw ddim am ddifetha'r aduniad felly wnaethon nhw'm sôn. Cynigon nhw droi'r sgwrs. Cafodd y ddau Wigyn eu hunain yn cytuno ei bod hi'n galetach bob blwyddyn, nad oedd neb yn dysgu dim a bod yr anfadweithiau a'u hehofndra yn dangos rhyw newid dyfnach llawn anoddach ei ddirnad. Aeth cyfiawnder yn beth mwy llithrig o'r hanner. A doedd yna ddim ond newid yn y byd, er fod pethau rhy debyg hefyd.

''Dan ni ar ôl rwbath, Ithel.' Pwysodd Dana'n eu blaen a dilyn y ceinciau ar y bwrdd hefo'u bawd. 'Rwbath nad ydan ni'n siŵr iawn o'i hyd a'i led a o eto. 'Dan ni'n teimlo drwyddan ni fod o'n bwysig a 'dan ni'n closio ato fo ond wyddon ni ddim a fedran ni ga'l gafal arno fo'n iawn. Tasan ni ddim, fyddach chi'n fodlon?'

Sobrodd Ithel. ''Dach chi'n llawn fwy tebol nag ydan ni, wedi bod 'rioed.'

Gwenodd Dana y wên drist honno eto.

''Dan ni 'di'n galw'n ôl, Ithel. 'Dan ni 'di 'sgafnu o'r diwadd.'

Gwenodd Ithel er iddyn nhw deimlo brathiad. Llwyddodd Dana i dalu'u pechod a bydden nhw'n cael gorffwys. Dyna oedd gobaith pob Gwigyn, ond dyna'u diwedd nhw hefyd.

Gwasgodd Ithel eu llaw. 'Da iawn, 'dan ni'n falch drostoch chi.'

'Ia, de?' Chwarddodd Dana'n sydyn. 'Wy'chi be nath hi? Trefnu ffin clawdd rhwng dau daeog, un yn taeru fod ei daid o wedi cytuno ar osod y ffin a'r llall yn datgan, yn gywir, fod y trefniadau wedi eu rhoi yn eu lle ers pedair cenhedlaeth. Ar ôl yr holl betha 'dan ni 'di neud a'u gweld. Dyna nath orffan ll'nau'r lechan. Dau hen ddyn piwis heb linyn i ddal 'u llodra nhw.'

Wyddai Ithel ddim be i'w ddweud.

'Mae'n rhaid i ni fynd yn ôl i'r gors, Ithel. Mae'r mawn isio ni'n ôl.'

''Dach chi isio mynd, does bosib?'

'Oes, yn fwy na dim, ond fedran ni'm llai na meddwl sut beth fydd o. Gorffwys 'lly, a gadal i'r dŵr 'na lepian pob dim ohonan ni. A fedran ni'm llai na meddwl hefyd fod colli gafael ar be sgynnon ni'n llanast, ma 'na ddrwg ynddo fo, 'dan ni'n sicr.'

'Ewch drwyddo fo, os oes gynnoch chi amsar.'

Gosododd Dana eu hanes yn daclus ger bron a gofalodd Ithel gofio pob manylyn.

Roedd y trywydd wedi dechrau gyda gefail ar gyrion Pont y Gof yn Seillwg. Chwalwyd y lle rhyw fore cyn iddi wawrio a chafwyd y gof, ei wraig a phlentyn yn farw o gwmpas y lle ac o gwmpas y coed hefyd. Tybiwyd mai dewiniaeth oedd y drwg ac felly aeth y gair ar led am Ynad neu Offeiriad neu Wigyn. Doedd Dana ddim yn ofnadwy o bell a chafwyd neges atyn nhw a marchogon nhw'n galed i gyrraedd. Fe gyrhaeddon nhw ddiwrnod a hanner ar ôl i drigolion y pentref glywed clec, neu daran aruthrol a dod o hyd i'r gyflafan. Erbyn hynny roedd y cyrff wedi eu casglu gan leianod ond heb eu claddu am eu bod nhw'n parhau i'w cysegru nhw, a bod ambell ddarn heb ddod i'r golwg hyd yn hyn.

Archwiliodd Dana'r cyrff er na chafon nhw lawer o hwyl arni. Roedd dau wedi eu malu fel pe bai anifeiliaid wedi eu tynnu'n ddarnau. Gyda'r rheiny roedd hi'n anodd dod i ddallt dim yn eu cylch nhw heblaw fod yr esgyrn heb eu torri'n lân, felly nid llif fu wrthi. Ond am y llall... Corff Siwan gwraig y gof oedd o ac yn gyfan, fwy na heb. Er bod y lleianod wedi brodio dros y clwyf yn ôl eu harfer gan gysylltu dau ddarn o gnawd gydag edau i greu'r awgrym fod rhywbeth drylliedig yn gyfan, roedd hi'n amlwg fod darn ohoni hithau wedi ei chwalu i rhywle. Oddi tan y gwaith nodwydd taclus doedd fawr mwy na thwll racs yn ymestyn o ben y glun hyd at waelod yr asennau er bod dwy o'r rheiny wedi malu hefyd. Yn ôl y lleianod, a'r cwdyn bach oedd wedi ei osod gydag ochr y corff, dim ond darnau bychain o gnawd ac esgyrn oedd wedi eu cael yn ymyl.

Welodd Dana erioed rywbeth tebyg i hynny, ac o gofio'r ddau arall oedd mewn talpau bob ochr i Siwan, casglon nhw fod rhywbeth rhyfedd ar waith. Holon nhw am union leoliad y cyrff a mynd hefo lleian at y lle cafwyd hyd i'r meirw i drafod. Daethpwyd o hyd i Siwan gryn bellter i ffwrdd yn gorwedd ar wastad ei thu blaen gyda'i chefn tuag at yr efail. Roedd y gweddill, er ar wasgar yn nes at le'r oedd yr efail nad oedd fawr mwy na thwll du yn y ddaear. Tybed a oedd Siwan yn ceisio dianc? A bod beth bynnag laddodd y tri yn gallu gwneud hynny o bell ac agos?

'Fel fod rhywbeth wedi ei thyllu hi, cofiwch,' meddai Dana yn chwarae hefo'r llwy yn eu potes oer.

Doedd trigolion y pentref ddim wedi bod yn agos at yr efail meddai pawb er bod ôl trampian yno ac ambell ddarn o haearn wedi diflannu, mae'n debyg. O'r hyn a oedd yn weddill o'r efail ymysg cylch o goediach wedi duo, daeth Dana o hyd i ddarn o fetel ar siâp hanner lleuad. Swyndlws efallai. Roedd ôl trol hefyd yn mynd am y lôn ond buan iawn y collon nhw olion honno ymysg y pyllau dŵr ac ôl ffagio gwartheg.

Yn ôl cymydog, roedd Dafydd y Gof wedi cau ei hun yn y gweithdy ers wythnosau ac roedd sŵn colbio i'w glywed bob awr o'r nos yno. Cawsai byliau fel hyn o'r blaen. Tybiodd rhai fod cythreuliaid ar waith, wedi eu cadwyno i'r engan. Soniodd Dana ddim eu bod wedi dod o hyd i gadwyni ymysg y lludw, rhag ofn.

Siaradon nhw gyda choedwigwr a'i deulu ar gyrion y pentref cyfagos a soniodd hwnnw fod y gof wedi bod ar ei ofyn am lawn mwy o bren onnen nag y dylai unrhyw un os mai dim ond gosod carn ar gyllyll oedd o'n wneud. Dwedodd hefyd ei fod wedi holi pam fod angen cymaint o goed gan dynnu coes y gof ei fod am fynd yn saer ac iddo gael ateb digon brwnt yn ôl. Doedd hynny, meddai, ddim fel oedd yr hen Daf fel arfer. Awgrymodd y dylai Dana gael gair gyda'r pacmon pan ddeuai hwnnw drwy'r pentref yfory gan ei fod wedi bod yn hel ei draed yno'n gynt na'r arfer.

Roedd criw o ferched yn golchi wrth yr afon o'r farn mai gwneud rhywbeth i'r gwrachod oedd y gof. Holodd Dana'r wrach a fywiai agosaf, gwraig glên a oedd yn byw mewn bwthyn yn llawn perlysiau yn hongian o'r to, a chael gwybod nad oedd honno wedi gofyn am ddim wrtho heblaw am brocar rai blynyddoedd ynghynt a doedd fawr o siâp ar hwnnw. Doedd o'n fawr o of at ddefnydd y pen yma o'r byd, meddai. Wedi arfer gwneud gwaith manylach o'r hanner yn rhywle cyn dod yno dan gwmwl. Wyddai hi ddim o le, dim ond mai o'r gorllewin y daeth o.

Cyrhaeddodd y pacmon tua chanol dydd y diwrnod canlynol a chael dipyn o ddychryn pan welodd o weddillion cartref ei gwsmer. Digon cyndyn oedd o i sôn dim am beth oedd o'n gario ond llwyddodd Dana gydag ychydig o berswâd – cododd Ithel ael – i'w gael o i agor ei becyn. Doedd dim, meddai'r pacmon, yn arbennig nac yn wahanol am yr hyn oedd o'n gario. Dim ond haearn oedd o. Roedd hynny'n siomedig ond hawliodd Dana un o'r bariau fel tystiolaeth rhag ofn. Fe aethon nhw â fo at fwyndoddwr yn y cwmwd nesaf (lle y byddai'r gof wedi cael ei fetel gan amlaf) a chael gwybod, wedi iddo'i gynhesu a'i daro a ffidlan hefo fo drwy'r p'nawn, ei fod o'n haearn da iawn, haearn 'o ffwrdd' fwy na thebyg. Ond doedd hynny'n profi dim ond fod gof a oedd wedi arfer gyda deunyddiau da yn parhau i brynu peth da i mewn yn hytrach na'r haearn hwch cachu rwtsh fyddai o'n gael yn lleol. Doedd gan y toddwr ddim syniad o le ddaeth y gof chwaith ond doedd yna ond un lle tua'r gorllewin a fyddai'n rhoi prentisiaeth mewn gwaith manwl i of. Caerodyn.

Doedd gan Dana ond enw'r gof a rhyw gnoi yng nghefn eu pen i'w gyrru yno ond yno aethon nhw gan farchogaeth yn hwyr i'r nos a deffro'n gynnar i dorri mymryn ar y daith. Doedd neb wedi clywed am Dafydd ap Gwynfor y gof yn y tafarndai. Fe holon nhw'r bobol sgrap a chael ateb tebyg ac roedd pob gof a holai'n crafu'i ben neu poeri i'r tân ac yn sôn nad oedd yna'r un Dafydd ap Gwynfor wedi bod yn brentis yno.

Ond wedyn, pwl o lwc. Soniodd un gof, llanc fel genwair o denau a edrychai'n rhy ifanc o'r hanner i fod yn berchen ar ei le ei hun, fod Dyfed ap Gwynfor wedi bod yno cyn iddo ddechrau arni. Ai hwnnw oedd gan Dana dan sylw? Daliodd ati i sgwrsio gyda nhw wrth weithio, gan roi trefn ar ambell i arf. Rhwng disgrifiad cof plentyn a'r ffaith fod corff Dafydd neu Dyfed yn edrych yn debycach i lond sachaid o fwyd ci na dim arall roedd hi'n anodd cadarnhau dim. Ond cafodd Dyfed ei dorri ymaith fel prentis am iddo ddechrau gwneud gwaith heb sôn dim wrth ei feistr a hynny, meddai'r hogyn wrth redeg brwsh bras yn llawn caletach dros ben gwaywffon na fyddai rhywun mewn tymer fodlon, yn waith nad oedd ei dad o'n bleidiol ohono. Ond gallai hynny olygu unrhyw beth bron. Y peth anoddaf am gymryd y lle ar ôl i'r hen ddyn fynd o dan y dorchan oedd ceisio cael cwsmeriaid yn ôl wedi iddo dynnu pawb i'w ben. Roedd ei ofaint yn gwneud gwaith da, meddai, fyddai'r wreigdda yn hoffi gweld y cloc dŵr newydd? Gwrthododd Dana a mynd allan i feddwl. Dyna nhw wedi dyddiau o chwilota heb ddim o werth. Roedden nhw angen cwrw, dyna ddaeth â nhw i'r Fuwch Goch a dyna'r hanes yn gorffen yn daclus, bron.

'Ond nathon ni anghofio am un peth, do Ithel?'

'Do?'

'Do, dowch rŵan.'

Crafodd Ithel eu clust a meddwl.

'Y drol,' meddent o'r diwedd.

'Y drol. Ar ôl honno 'dan ni, oeddan ni. Dyna'r cam nesa. Digwydd bod, mi welodd torrwr mawn drol yn mynd ar hyd y lôn fawr, dau ych yn ei thynnu hi.'

'O?'

'A Dafydd arni, ddiwrnod cyn y llanast. Mae o wedi gweld un debyg o'r blaen ar yr un ffordd, mynd i ochra Bodira mae hi'n ôl y sôn, at borthmon.'

'Bodira, dybad? Pam ddim fan hyn, pam ddim Caerodyn? Mi allai rhywun lwytho be bynnag sydd yn y drol ar long wedyn.'

Gwenodd Dana, roedden nhwythau wedi meddwl yr un fath yn union a cham ar y blaen, fel arfer.

'Dyn a ŵyr, 'dan ni wedi pori drwy gofnodion y porth echddoe ac wedi holi'r llongwrs. Does yna'm llong wedi gadael ers dros wythnos beth bynnag, a dim hanes o drol a dau ych, na throl fel arall.'

'Bodira felly. Porthmon, mynd dros dir, nid môr.'

'Llawn cystal â nunlla. A 'dan ni'n cosi isio dod i waelod y peth, ond 'dan ni 'di gadal petha'n hwyr braidd o ran cyrradd nôl. Ma'r gors, y fawnog, yn tynnu. Peidiwch â gneud yr un fath, Ithel, pan ddaw eich amser chi, mi ddrysith chi.'

Byddai'n cymryd yn rhy hir i Dana gyrraedd, meddyliodd Ithel, yn enwedig os oedd eu ceffyl nhw wedi nogio ar ôl y ffasiwn deithio ac roedden nhw o bawb yn haeddu gorffwys. Er, byddai'n chwith ganddyn nhw weld Dana'n mynd. Ond gwirion oedd hynny.

'Awn ni ar ôl y drol a dod at wraidd y peth, ar ein ll...'

Cododd Dana'u llaw.

'Peidiwch â thyngu llw heb wybod y medrwch chi gadw ato fo. Ond diolch, Ithel.' Cododd Dana'u golwg tua'r drws ac edrych fel rhywun a oedd newydd gael eu taro gan awel ar lan y môr. 'Rhaid ni fynd,' sibrydon nhw.

Cododd Ithel y penffrwyn i'w dwylo.

'Hwdwch,' medden nhw, 'ewch â Siani, mi fyddwch chi'n

gynt felly. Dwi'n cymryd fod eich ceffyl chi wedi haffru.'

'Fedran ni'm mynd â'ch caseg chi, Ithel. Yn un peth be ddigwyddith iddi hi wedi i ni gyrradd?'

'Gollyngwch hi'n rhydd, mi geith bori. Falla down ni ar ei thraws hi eto.'

Gwyddai Dana'n well na cheisio ffraeo, felly estynnon nhw am eu halbras.

'Cymrwch hwnna fel tâl, ta. Peth am beth yn ôl y drefn. Mi neith rwbath i chi. Cerwch â Medwyn fy stalwyn i hefyd, ond byddwch yn glên hefo fo.'

Cododd Ithel yr albras a'i ddal at y golau. Byddai rhai yn eu galw'n groes-fwa neu arbalest; darn o bren gyda braich ar y blaen a llinyn rhwng ei dau ben. Gallai saethu gystal â bwa ac roedd angen llai o fôn braich hefo fo. Roedd hwn yn ddigon bychan i'w dynnu hefo llaw, ac yn ysgafn. Gallai fod yn handi.

'Iawn,' ac yna fe oedon nhw. 'Welan ni mohonoch chi eto beryg, felly,' meddai Ithel gan ddal ati i astudio'r albras am fod hynny'n haws – roedd ei waelod wedi ei gerfio i edrych fel pen neidr.

'Na newch. Ella welith rhyw ddarn ohonan ni chi rhyw ben, ond ddim efo'r llygad yma.' Cynnig rhyw lun ar obaith oedd diben dweud hynny mae'n siŵr, meddyliodd Ithel er bod Dana a hwythau yn gwybod nad oedd yr un corff wedi codi'n Wigyn o'r mawn ers i'r Derwyddon fynd. Dechreuodd Dana ffidlan hefo'r strapiau ar y penffrwyn.

'Mi helpan ni chi efo honna.'

Cododd y ddau Wigyn ac oedi am ennyd i sadio gan ddal ei gilydd. Yna, am allan, ysgwydd yn ysgwydd er nad oedd rhaid. Wedi mynd drwy'r drws a'i gau o ar sŵn yr yfed cafodd Ithel a Dana hi'n noson ola leuad braf a'r dafnau gwlith wedi troi'n leuadau bach i gyd ar hyd ymyl y chwyn oedd gyda blaen y tŷ potas.

'Oddan ni 'di ama,' meddai Dana ar ôl sefyll am sbel.

'O?'

'Ama y byddan ni'n eich gweld chi cyn y diwadd. Ni oedd y peth cynta i chi weld a chi ydi'r peth ola o werth welan ni. A'r fawnog bob pen i ni. Cau petha'n daclus, dydi?'

'Cyd-ddigwyddiad.'

'Ia? 'Dan ni'n meddwl bod y Derwyddon cyn mynd wedi gwehyddu bob dim sydd i ddod yn un gynfas fawr a'n bod ninna'n sownd yn y dafadd. Weithia, beth bynnag.'

Tawelwch a llwynog yn cweithi'n bell. Twrw rhywun yn pesychu mewn tŷ draw yn y tywyllwch.

'Waeth ni heb â phoeni 'lly, os ydan ni'n sownd,' atebodd Ithel.

Roedd hi'n ddigon golau i weld Dana'n gwenu.

'Ella cewch chi gyfla i wingo mymryn. Hwyl, 'lly.'

'Ia.'

Cofleidiodd Ithel a Dana heb ddweud dim, o ran geiriau beth bynnag.

Wedi i'r carnau bellhau ac i sŵn y dafarn lifo'n ôl i'w tynnu o'u meddyliau, trodd Ithel am y drws. Aethon nhw i mewn i dalu hefo'r blawd a hel eu pethau. Byddai'n rhaid gadael yn fuan ond fyddai ceffyl wedi ei redeg i'r ddaear yn fawr o gymorth heno. Roedd rhaid meddwl hefyd. Lle fyddai Porthmon o Fodira yn mynd hefo trol? Un cysur oedd bod amser i feddwl, byddai'r glaw diweddar yn arafu trol yn fwy na cheffyl, hyd yn oed un wedi haffru. Gyda'r lonydd mor ddrwg, roedd ganddyn nhw siawns o'i dal.

Pennod 3

PISTYLLIAI'R GLAW DROS y caeau ŷd gan droi aceri o waith yn ddim ond gwastraff amser. Hen law terfysg a hwnnw yn bownsio fel marblis. Dyma noson i'r glaw a'r gwynt. Caewyd drysau a chaeadau ffenestri ac adroddwyd straeon am ddreigiau'n brwydro ymysg y cymylau i gadw plant yn ddistaw. Disgynnai'r glaw fel cynfasau ar draws y lôn gan doddi'r pyllau i'w gilydd, a dim ond gwynt oedd i'w glywed. Heblaw... heblaw camau, a charnau, efallai, a rhegi bob hyn a hyn, ond tasa rhywun arall allan yn y fath dywydd go brin y buasen nhw wedi meddwl ei fod o fawr mwy na'r gwynt yn chwarae ar ben y pyllau.

Roedd golau i'w weld yn y pellter.

Gwrandawodd Bleddyn ap Nodo, is-swyddog porth Llanfarudd, ar y glaw yn waldio caead y ffenest fach yn y gatws wrth ymyl y lôn. Roedd o'n rhyw licio glaw trwm, byddai'r teithwyr yn brin a byddai'r... gweddill... yn tueddu i beidio crwydro gymaint. Rhoddodd goedyn arall ar y tân gan ddiolch ei fod o'n cael dwywaith y dogn arferol wrth roi tro i'r potas. Gwrandawodd ar y taranu ac ymestyn cyn eistedd a chynhesu'i draed.

Doedd gweithio ar y porth ddim cynddrwg ag yr honnai ei fam. Dim ond gwneud yn siŵr fod y tanau a'r lampau ynghyn, bod y pastwn wrth y drws a'r gloch yn barod i'w chanu petai unrhyw styrbans oedd eisiau. Peidio mentro allan oedd y peth callaf. Collwyd dau swyddog yn ystod y misoedd dwythaf am eu bod nhw'n ddigon gwirion i fod yn ddewr. Dim ond corff un a gafwyd, a chafwyd mo hwnnw'n gyfan chwaith. Yn ôl y sôn doedd dim angen muriau o gwbl erstalwm, ond roedd pethau wedi newid ar ôl y Rhyfeloedd. Cododd yr Hud bethau o'r llwch a'r celanedd, anfadweithiau – pethau a oedd cyn hynny yn ddim ond chwedlau. Aeth ias drwy Bleddyn er cymaint y pren ar y tân.

Cysurodd ei hun mai dim ond rhyw ddwywaith yr wythnos ar y mwyaf y byddai unrhyw beth yn mentro tua'r dref a doedd dim byd, dyn nac anfadwaith, yn ddigon cryf i dorri'r porth. Roedd derw hwnnw yno ers cantoedd ac wedi caledu fel dur. Petai rhywbeth yn ddigon cryf i dorri'r porth, rhesymai Bleddyn na fyddai'r pastwn swyddogol yn ddigon i'w atal. Gwell felly oedd aros tu mewn.

Swatiodd a gwrando ar y taranu eto, taranu cyson os glywodd o 'rioed, a doedd o'm yn gweld mellt. Roedd rhywun yn cnocio. Damiodd a chodi gan deimlo'r gwres yn sydyn ar ei draed wrth iddo ddechrau cerdded. Agorodd y ffenest fach a cheisio gweld a oedd unrhyw un yno yng ngolau chwil y lamp. Efallai bod modd gweld cysgod fymryn trymach na'r gweddill wrth y porth yn symud i gyfeiliant y cnocio. Daeth y cysgod yn nes.

Dangosodd y tywydd awydd i ymuno â'r naws ddramatig wrth i fellten oleuo'r porth. Wrth gofio beth ddigwyddodd wedyn, câi Bleddyn ddigon o gwrw am ddim drwy ddisgrifio'r hyn a welodd. Byddai ei ddisgrifiad fel a ganlyn; dyn (fasa dynas ddim allan yn y fath dywydd siŵr, a byddai dynion y dafarn yn porthi hynny) go dal a go gryf yn dal arf hir ar ei ysgwydd ac yn gwisgo cwfwl. Roedd ceffyl hefyd. Byddai wedyn yn mynd i ddisgrifio ei lygaid coch a'i ewinedd hirion gan obeithio bod celwydd yn llacio pocedi.

Gwaeddodd drwy'r ffenast gan gael llond ceg o ddŵr glaw am ei drafferth. Pesychodd.

'Ma'r porth ar gau!'

'Taw â sôn?'

Daeth y llais drwy'r cenlli er nad oedd o fawr mwy na sibrwd.

'Dewch yn ôl bora fory.'

''Dan ni'n lyb.'

'Ni'? meddyliodd Bleddyn. Dim ond un cysgod allai o weld. Byddai gadael criw i mewn yn fwy o helynt byth. Oedden nhw'n cuddio, gan aros i ymosod? Neu, ai sôn am y ceffyl oedd y dyn?

'Y... Ewch chi fawr gwlypach siawns.'

Camodd y cysgod yn nes a chlywodd Bleddyn dwrw dafnau ar ddefnydd cwyrog a lledr.

'Fedrwn ni ddim agor y porth yn y nos 'cofn i ryw anfadwaith fynd drwyddo fo. Dyna ma'r nifar helaetha o lefydd yn 'neud bellach. Dyna drefn yr hwyrgloch,' meddai eto.

''Dan ni'n edrach fel anfadwaith, ydan?'

Ceisiodd Bleddyn gael ateb drwy graffu ond roedd y lamp yn mynd i ganlyn y gwynt gan daflu ei golau i bob man heblaw lle'r oedd y cnociwr.

'Dewch i'r gola i gyd i mi'ch gweld chi... y... tacla! F... Faint ohonoch chi sydd?'

Llithrodd y cysgod yn nes.

''Dan ni'n ddirifedi.'

Rhythodd Bleddyn am sbel.

'O, be uffar ma' hynny'n da i neb fel atab?'

Dyna ni felly, os oedd hwn, neu'r rhain, am drio chwarae rhyw gampau mi fyddan nhw'n cael gwneud hynny yn wlyb at eu crwyn.

'Neb i fewn nes iddi hi wawrio. Petha afiach y tu allan i furia'r dre 'ma'n y nos.'

'A gwaeth tu mewn, mi fentrwn.'

Oedodd Bleddyn ond cafodd ei gefn ato pan gofiodd ei fod o i mewn a'r dyn neu ddynion diarth y tu draw i furiau'r gatws. Sgwariodd rhyw fymryn.

'Dim traffarth, ma 'na saethwrs bwa yn y baracs, tri beth bynnag, mi fedran ddŵad yma taswn i'n canu'r gloch. Mi cân nhw chi o ben y muria.'

'Tydi bwa saeth werth dim mewn drycin, llinyn yn gwlychu a llacio.' Cymerodd Bleddyn gip y tu ôl iddo, roedd y pastwn wrth y gadair. Rhoddodd y cnociwr ei law drwy'r ffenest mor sydyn â di-lol nes mai dim ond ei gweld yno o'i flaen wnaeth Bleddyn. Baglodd yn ei ôl wrth chwilio am y pastwn. Tarodd ei ddwylo gwyllt goes bwrdd, esgid a choedyn. Aeth yn chwys oer.

Calliodd fymryn wrth weld mai dim ond dal rhywbeth ar damad o garrai ledr oedd y llaw. Sêl o rhyw fath? Gollyngodd y llaw'r garrai a thrawodd rhywbeth y llawr heb fownsio. Glaniodd gyda chlec drom ar y cerrig a chafodd honno ei hatseinio gan daran.

Aeth Bleddyn at y peth a'i godi, cylch o fetel tybed? Neu garreg lefn oedd o efallai, hefo rhywbeth arno fo. Mewn un golau edrychai fel tri dotyn a thri phelydryn yn dod ohonyn nhw wedi ei gerfio neu'i doddi iddo. Ond wrth i'r lamp symud ei fflam yn y gwynt aeth yn rhywbeth arall. Mwya'n byd yr oedd Bleddyn yn edrych arno, mwya'n byd oedd o'n newid. Gwyddai'n iawn beth oedd o. Aeth yn oer eto. Doedd o ddim wedi torri'r gyfraith, ddim y gyfraith G fawr beth bynnag, ond roedd o wedi pluo'i nyth fel pawb a doedd Rhain yn ôl yr hanes ddim ond yn dilyn gair y rheol, nid ei hysbryd. Gosododd gylch yn llaw ei berchennog a sychu ei law ar ei drowsus.

'Mi fydd yn rhaid i chi hysbysu swyddfa Clerc y Maer bora fory ond mi gymrai'ch enw chi rŵan.'

'Ithel.'

Estynnodd Bleddyn y llyfr cofnodion a chwilota am damaid o farjin gwag, diolchodd fod digon o inc ar ôl heb sychu fel nad oedd o'n gorfod cymysgu mwy. Byddai hynny'n cymryd amser ac roedd o am gael gwared ar yr helynt hwn cyn gynted ag y medrai o. Er nad oedd gan dref fechan fel hon gofrestr swyddogol, roedd yn rhaid cadw cofnod.

'Do's 'na'm unrhyw rai fel chi wedi bod yma ers hydoedd,' meddai Bleddyn wrth estyn am y pastwn. Gafaelodd ynddo.

'Dyna pam ein bod ni yma.'

Roedd y llais mor od o ddistaw ac uchel yr un pryd nes bod Bleddyn yn teimlo'i war yn pigo ond teimlodd yn ddewrach wedi iddo fo dynhau ei law ar y pastwn.

'Newch chi'm ffendio dim o'i le yma.'

'O?'

'Dim helynt, os gwelwch yn dda.'

Rhyw chwerthin wnaeth y cysgod wedyn.

'Pawb â'i bechod,' meddai.

'Chi fydda'n gwybod am hynny. Chewch chi'm bendith neb yma.'

'Does dim eisiau peth felly arnom ni. Ond mae arnom ni isio i lymbar powld agor drws i ni.' Oedodd y cysgod. 'Os gwelwch yn dda.'

Sylwodd Bleddyn ei fod wedi chwysu dros y pastwn. Agorodd y drws cefn led y pen gan adael i oglau'r nos lifo at y tân. Yna estynnodd oriad i agor drws bach y gatws. Agorodd hwnnw yn y fath fodd fel ei fod yn sefyll y tu ôl iddo gyda'i gefn at y wal. Daeth y cnociwr i mewn. Clywodd Bleddyn garnau a dechreuodd feddwl am ddiafoliaid cyn cofio am y ceffyl. Oedd hwnnw yno hefyd?

'Cofnodion,' meddai'r llais eto.

'Pardwn?' atebodd Bleddyn o du ôl i'r drws.

'Cofnodion y porth, lle maen nhw?'

Tynhaodd llaw Bleddyn ar ddwrn y drws.

'A... ar y bwrdd, o dan y ffenast acw.' Pwyntiodd gyda'i bastwn heibio'r drws, ac yna am ei fod o'n teimlo rheidrwydd i ddweud rhywbeth eto, 'Well golau yno na nunlla arall...'

Safodd Bleddyn yno am beth deimlai fel hydoedd yn gwrando ar sŵn dalennau'n troi.

'Dim gair wrth neb,' meddai'r llais. Oedodd eto. 'Diolch.'

'Croeso.' Tagodd Bleddyn, roedd ei lwnc o'n sych. Llithrodd y cysgod heibio'r tân a thrwy'r drws cefn gan adael diferion tewion ar y llawr ac oglau mwd dros yr oglau potas. Chlywodd Bleddyn ddim sŵn camau, dim ond carnau a siffrwd y glaw y tu allan a chlecian y tân.

Caeodd y drysau a'u bolltio ac aeth at y tân i geisio dod ato'i hun. Doedd o ddim am alw neb at y porth. Er nad oedd ganddo ddewis, doedd o ddim am ddweud wrth ei fistar ei fod o wedi gadael Gwigyn i'r dref.

Roedd y strydoedd yn un uwd o faw anifeiliaid a mwd a llifai'r biswail yn gymysg hefo'r glaw tua thai'r tlodion wrth fôn y waliau. Doedd yna fawr o neb heblaw'r Gwigyn yn crwydro'r strydoedd yn y fath dywydd, dim ond ambell i warchodwr yn cysgodi neu feddwyn yn baglu'i ffordd adra. Byddai'n well cysgodi.

Daeth Ithel at dafarn ac arwain Medwyn heibio'r cefn at ddarn o adeilad nad oedd yn fawr mwy na tho pren ar goesau. Aethon nhw ati i sychu'r ceffyl orau ag y gallen nhw gyda pheth o'r gwair o'r rhesel a'i adael yno i stemio.

Wnaeth fawr o neb godi eu pennau o'u diodydd pan agorodd drws y dafarn ond trodd ambell un i edrych os oedd y drafft am beidio'n fuan. Roedd Ithel wedi hen arfer peidio â thynnu sylw neb felly wnaeth grŵn y sgwrsio ddim newid cymaint â hynny. Doedd hon yn fawr o dafarn chwaith, er ei bod yn gymharol lawn, rhywun a oedd wedi troi llawr isa'r tŷ yn stafell yfad gyda chysgod y dodrefn ar y waliau o hyd. Cist ar ddwy stôl oedd y bar a chwrw stêl nid cwyr oedd ar y byrddau. Gwaeth na'r Fuwch Goch, meddyliodd Ithel. Doedd hyd yn oed y drws ddim yn cau'n iawn.

Fe gerddon nhw at y tân a thynnu eu côt drom gan dasgu ffrydiau o ddŵr glaw ar y brwyn ar lawr. Byddai modd crafu'r baw wedi iddo sychu. Er bod torri ar draws gwlad, gan ddefnyddio hen lwybrau eglwysi a throedffyrdd taeogion yn gynt, bu'n waith butrach na dilyn y lonydd. Fe geision nhw beidio blino mwy ar y ceffyl hefyd, ond fe gyrhaeddon nhw mewn da bryd. Gadawyd y gôt i fwrw anger yno. Cyrhaeddodd Ithel yn hwyr ac roedd nifer helaeth o'r cwsmeriaid wedi hen fynd yn llwch.

Er bod y stafell yn llawn, doedd neb wrth y gist pan aeth Ithel ati heblaw am un meddwyn a oedd wedi cysgu ar ei stôl ac un arall ar ei draed, fwy na heb. Ceisiai hwnnw gadw ei lygaid ar yr hogan tu ôl i'r gist er bod rheiny'n rowlio. Roedd ganddo bluen yn ei gap, edrychai felly yn nhyb Ithel fel jarff. Aethon nhw at y gist gan wthio heibio dyn y bluen, a daeth yr hogan atyn nhw gyda chadach yn ei llaw. O'r ffordd oedd hi'n cerdded synhwyrodd Ithel nad rhywun a gariai gwrw yn unig oedd hi ond mai hi oedd yn cadw'r lle.

'Yr un fath eto?'

'Heb fod yma o'r blaen.'

Edrychodd gwraig y tŷ arno drachefn, roedd hi'n siŵr fod y gwallt od a'r graith ar ei dalcan ac ar asgwrn ei foch o'n gyfarwydd. Doedd yna lawar o neb hefo gwallt wedi ei dorri mor gwta pen yma o'r byd chwaith a go brin y buasai hi'n anghofio stwcyn bach mor od o wahanol ond holodd hi ddim, roedd hi wedi cael digon ar siarad heno. Byddai'r cwsmeriaid i gyd yn toddi'n un llygad, un geg ac un llaw yn dal pres, beth bynnag.

'Be sgynnoch chi'n gwrw?'

'Un glyb.' Oedodd gwraig y tŷ ac ochneidio, 'Brag fy nain yn wreiddiol, mond hwnnw sgynnon ni. Cwrw tymor yma ydi o.'

'Iawn.'

Aeth at gasgen a llenwi tancard lledar. Gosododd hwnnw ar y bar a chododd oglau sur ohono. Doedd Nain yn fawr o fragwraig. Neu efallai fod o wedi bod yn y gasgen ers iddi drigo a mynd i'r ffoes. Sur neu beidio, byddai'n gwneud y tro. Estynnodd Ithel amdano a holi,

'Sgynnoch chi fwyd?'

'Ella fod 'na fymryn o fara yn cefn.' Gadawyd Ithel gyda'u diod a oedd erbyn gweld fel finag. Ond mi oedd o'n saffach na'r dŵr ac yn rhatach na gwin. Daeth gwraig y tŷ yn ei hôl gyda hanner torth fach. Bu'n rhaid i Ithel ei socian yn y cwrw er mwyn gallu ei chnoi.

'Pedwar copar, plis.'

'Pedwar?' cododd eu pen o'r tancard.

Wfftiodd gwraig y tŷ fel petai hi wedi hen arfer.

'Pedwar. Tywydd mawr ers hydoedd, 'rafon yn sâl a'r lonydd yn salach, pris pob dim 'di codi.'

'Chafoch chi'm trolia 'lly?'

'Ddim i mi'u gweld nhw. Pedwar, fel ddudish i.'

Estynnodd Ithel am eu cwdyn pres a chrafu'i waelodion hefo bys a bawd.

'Mi gawn aros yma heno am y pris felly? Mae gennym ni geffyl yn y cefn hefyd, ran hynny.'

Oedodd gwraig y tŷ gyda'i llaw yn agored o'i blaen.

'Fydd yn rhaid i chi weld os bydd yna le ar lawr, bydd, motsh am y ceffyl os fytith o ddim.'

Aeth Ithel at y tân ar ôl talu gan fachu stôl ar y ffordd. Roedd y gôt wedi dechrau sychu, pethau'n gwella felly. Agoron nhw eu clustiau gan bysgota pob criw o'u cwmpas am straeon, neu unrhyw arlliw o waith.

Byddai clywed yn ffordd dda nid yn unig o ddysgu a hel tystiolaeth ond hefyd o ddod o hyd i achosion lle gallen nhw ysgafnu mymryn ar faich eu pechod. Cyn cael hanes Deiwyn fe daron nhw ar sgwrs dau ffermwr yn cwyno dros ben clawdd fod y colledion yn waeth 'leni. Ŵyn, ieir, defaid, ond dim plant hyd yn hyn diolch byth. Broch oedd y drwg. Cawson nhw bris da am ei ddifa a phris go lew am werthu powdwr ei grafangau o wedyn. O'i gymysgu gyda saim byddai'r powdwr hwnnw'n dda at anhwylderau'r frest. Doedd y broch ddim wedi torri unrhyw gyfraith, heblaw niweidio eiddo efallai, ond roedd yr arfau gan Ithel at y gwaith. Gyda llai o golledion byddai bywyd pobl yn haws, a bydden nhw felly yn llai tebygol o droseddu.

Doedd pawb ddim yn trin pres, yn enwedig y tu draw i'r trefi. Felly darn o gig moch gafodd Ithel am eu trafferth. Gyda hwnnw aethant ati i ffeirio eu ffordd drwy'r pentref i gael digon o fanion i blesio. Bu'r ffermwyr yn hael, diolch byth am hynny gyda thorth stêl a thancard o fiswail mor ddrud. Llifodd y tameidiau o sgyrsiau heibio.

'...y Brenin yn wael... glywish i... wely anga... yr edling ta... un o'i fasdads o ceith hi... frawd o'n Ferin dydi... hel byddin...'

Na, doedd hynny'm yn tycio, fe gaeon nhw eu llygaid a gwthio'u clustiau yn ddyfnach i'r dorf. Roedden nhw'n hen law ar wthio heibio rhai synau i fanylu ar eraill.

'...ngadal i... hei, 'na fo... na, un o'r ffwc betha soldiwrs 'na... martsio drw'r lle 'ma...'

I le dybed? meddyliodd Ithel, rhaid fod petha'n poethi. Milwyr a thylwyth Maelrhys oedd ar y ffyrdd, ddim bod ots pa liw oedd eu llieiniau nhw. Fo oedd Arglwydd y cymydau yma a fo fyddai'r Brenin mewn byr o dro hefyd yn ôl pob golwg. Aethon nhw'n ddyfnach eto.

'Chwi ddynion cadwch olwg, o ffal di ral di ro. Am fwgan gwelw Cafflwg, sy'n dinoeth 'rhyd y fro...'

Chwerthin. Na, doedden nhw ddim am ganu.

'...ti'n brysur heno?... ella mod i... na, ty'd, awn ni am dro... yn y glaw mawr 'ma?... ffendia'i r'wla i ga'l cysgod...'

Ysgydwodd Ithel eu pen.

'Gwigyn, ar fy marw... baj a bob dim...'

Sgubwyd eu clustiau tua'r sŵn. Estynnon nhw eu côt a'i chuddio o dan y stôl. Doedd hi ddim wedi sychu i gyd ac fe gafon nhw ddwylo budur am eu trafferth. Hwnnw a oedd wrth y porth oedd wrthi, wedi cael mynd am ei gwpanaid cyn cysgu, beryg. Byddai'n anos gwneud dim rŵan a hwn wedi agor ei hen geg.

'...hen beth tal blin yn greithia i gyd, er na nes i weld cymaint â hynny o'u gwynab nhw, cwfwl, do'n i'm llai nag ofn... finna'n meddwl nad oeddan nhw o gwmpas... o, ma'

nhw i'w cael... wrthi'n hela rhywun ma' siŵr... glywish i fod
'na rei hefo byddin y Brenin 'stalwm... uffar o gwffiwrs... ma'
nhw'n dwyn plant... Taid yn sôn fod 'na un wedi lladd draig...
malu cachu, laddith neb ddraig... mi fedar Gwigyn... do's
na'm dreigia'n fyw... taw... be ma peth felly yn 'neud yma?...
corff cors ffwc... troseddwyr ar ffo... dwi'm 'di gneud dim o'i
le... neith hynny mo'u stopio nhw... corff sy'n cerddad... do'n
'na'm r'wbath hefo Derwyddon?'

Daeth saib wrth i bawb gymryd arnyn nad oedd y frawddeg
olaf wedi cael ei hynganu, yna trodd y dafarn yn ferw o siarad
ac o ffeirio straeon a throdd Ithel a syllu i'r tân. Gorffennon
nhw eu cwrw fel yr oedd rhywun yn adrodd y chwedl honno
yr oedd pob plentyn yn gorfod gwrando arni i ddysgu bihafio.
Amsar maith yn ôl... ac mi fyddai pawb yn pigo'i fersiwn
wedyn fel tasa stori yn fwyar duon ond roedd pob un yn
debyg; dim ond plant drwg sy'n mynd yn Wigiaid ac mi fydda'r
straeon gorau yn ceulo ym meddyliau pobol fath â jam. Doedd
y stori honno ddim yn bell o'r gwir mewn ffordd, meddyliodd
Ithel.

Gwagiodd y dafarn yn ara deg gan adael dau wrth y ffenest,
dyn y bluen a oedd yn chwil o hyd ac Ithel. Diffoddwyd y
lampau a gosodwyd bollt ar y drws. Cariodd gwraig y tŷ'r
bag pres hefo hi i fyny'r grisiau a chlywodd Ithel follt arall
yn disgyn i'w lle. Aeth pawb i chwilota am gongl i gysgu yng
ngolau'r marwydos. Gorweddodd y meddwyn hefo'r bluen ar
ben bwrdd cyn tynnu ei gap a'i osod ar ei wyneb wedi peth
trafferth. Eisteddodd Ithel a'u cefn tua gweddillion y tân gan
blethu'u coesau, gosodon nhw'u harf heb fod yn bell a dechrau
meddwl gan dynnu atgof i'r cof a'i wehyddu o'u cwmpas.

Cafodd Ithel eu hunain mewn llannerch. Gallent deimlo

gwres y tân o hyd a chlywed twrw rhochian y meddwyn ond pell oedd y rheiny a sŵn y goedlan a phatrwm golau rhwng y dail derw yn finiocach. Ymysg y coed roedd cysgodion y rhai oddi mewn yn symud fel niwl. Fel hyn gallai Gwigyn ganolbwyntio a phwyso a mesur gan dynnu ar adleisiau atgofion am gymorth.

Bellach teimlai Ithel eu hunain yn pwyso'n erbyn derwen a oedd yn gynnes braf. Roedd y cysgodion yn barod i wrando, a thrafod. Byddai wyneb newydd yn dod yn amlycach bob tro y byddai cwestiwn neu gynnig yn cael ei wneud gan symud o'r niwl o gyrff.

Be ydi hanes y drol? holodd llais o'r brigau uwchben.

Edrychodd Ithel ar y mwsog wrth eu traed cyn ateb.

'Ansicr. Dim sôn fod trol wedi cyrraedd yng nghofnodion y porth. A doedd perchennog y dafarn ddim wedi clywed am un chwaith. Dim olion trol diweddar yn y baw ar hyd y stryd.'

Ai i'r dref hon fyddai hi'n dod? holodd yr un cysgod.

'Wel, does yna'r un dref arall rhwng fan hyn a Phont ar Gof, dim ond Caerodyn a dim i'r cyfeiriad hwnnw oedd yr olion yn mynd yn ôl Dana. At hynny...' cododd Ithel ddeilen a'i throi rhwng bys a bawd, 'Fydda 'na ddim modd mynd ar afon hefo'r llif fel mae o wedi bod.'

A phorthmon oedd yn mynd â hi?

Nodiodd Ithel ar gysgod plentyn nad oedd fawr mwy na deg – Icws bach oedd hwn – a rhoi'r ddeilen iddo.

'Ia, dyna ni. Mae yna ffyrdd nad oes ond y porthmyn yn eu defnyddio. Oes yna ffyrdd mwy anghysbell na'i gilydd? Wyddom ni am rai?'

Cododd cysgod mewn lifrai Rhufenyddion o'i flaen.

Cododd fy mhobl lonydd, meddai, *lonydd sythion cyn y Rhyfeloedd. Roedd un yn mynd at borthladd afon tebyg i hwn.*

'Hen lonydd y Rhufenyddion. Y rhan fwyaf ohonyn nhw wedi eu troi at ddefnydd y prif ffyrdd erbyn heddiw, Gnaeus'.

Dim hon, meddai Gnaeus, *cherddodd Ithel ddim arni. Na nifer arall o'r sibrydion o'n cwmpas. Lôn drwy'r bryniau oedd hi yn ddeheuig i godi mwynau o'r cloddfeydd yno a'u cario i'r porthladd.*

Nodiodd Ithel.

'Lôn ddiarffordd felly, mae mantais i un o'r fath os am guddio. Pa bynnag bwrpas fyddai i hynny. Mi fyddai'n cymryd sbel i fynd ar ffordd o'r fath, yn enwedig hefo trol...'

Ara ydi ych braidd. Cysgod hŷn, Lara, yn eistedd ar garreg ar ben arall y llannerch.

'Ia, ond yn dda at daith hir. Mae'r lonydd yn salach o achos y tywydd. Heblaw fod y drol wedi mynd i rywle lleol, i fan hyn fyddai hi'n dod mae'n debyg.'

Pam talu porthmon os nad oedd angen mynd ar daith hir?

'Purion.'

Beth am newid yr ychain am geffylau gwedd...? holodd yr un cysgod eto ac er bod holi a stilio yn beth llesol, cafodd y fath ddrwgdybiaeth ei boddi gan y mwyafrif a llithrodd y cysgod hwnnw'n ôl at weddill y niwl.

'Mi gymrwn fod yr ychain yn dal ar y blaen am y tro.'

Daeth titw tomos las o rywle a phigo ymysg y gwreiddiau a oedd yn nadreddu eu ffordd rhwng y coed. Teimlodd Ithel bethau yn llithro i'w lle.

'Mae hi'n werth dirwyn yr edau i'w phen. Be oedd diben cael Dafydd ap Gwynfor y gof i wneud rhywbeth dan gêl os oedd y gwaith am aros yn y parthau hynny beth bynnag? Os oedd y gof yn un gwaith manwl, doedd dim gofyn am ddim byd o'r math hwnnw ochrau Pont ar Gof. Casglwn bod angen symud y gwaith felly. Mae hi'n synhwyrol datgan bod y gwaith yn waith manwl neu pam mynd ati i gyflogi rhywun a allai wneud gwaith felly? Yn enwedig os nad oedd o'n dda iawn am wneud gwaith fel arall. Ond pam y cuddio?'

Gwneud rhywbeth dansierus? Gollyngodd cysgod Gwidw ei hun o gangen uwchben a phylu at y gweddill cyn taro'r llawr.

'Ia, neu fod rhaid mynd â be bynnag oedd y gof yn ei greu dan drwyn yr Arglwydd a'r milwyr sy'n crwydro.'

Daeth yr un titw a phigo'n yr un lle'n union. Atgof byr oedd o'r llannerch yma a'r un llun yn chwarae'n barhaus fel anterliwt nad oedd pall arni.

Cawson nhw eu tynnu o'u llesmair gan glec. Erbyn i bowlen arall daro'r llawr roedden nhw ar eu traed a gyda'u harf yn eu llaw. Chwalwyd y llannerch i ddim. Roedd y drws ar gau. Caeadau'r ffenestri'n gyfan. Daeth sŵn griddfan o'r llawr – roedd y meddwyn wedi rowlio oddi ar y bwrdd ac ar ei wyneb ar y brwyn. Rhoddodd Ithel eu harf i bwyso yn erbyn y simdde a'i godi gerfydd ei war. Trodd hwnnw ei ben o weld ei fod o'n nofio a cheisio cael ei lygaid i feinio ar y sawl a oedd yn ei ddal o.

'Be 'gwyddodd?'

'Cysga ar lawr tro nesa.'

'M.' Cysgodd eto. Gollyngodd Ithel o. Wnaeth o ddim deffro.

Aethon nhw yn eu hôl at y tân ac aros yno nes iddi hi wawrio. Ddaeth dim sŵn wedyn, chwythodd y gwynt ei blwc, a heblaw am sŵn udo pell i ffwrdd wrth i ryw anfadwaith ddatgan ei fodolaeth wrth y nos, tharfwyd dim arnynt.

Llithrodd eu meddwl unwaith eto rhwng y drol a'r daith hyd yma a'r cysgodion arferol fyddai'n codi pan fydden nhw'n llonyddu fel hyn. Fflachiadau. Atgofion. Oglau mawn. Lleisiau a sibrydion. Ffrydiau o bethau na wydden nhw gan bwy neu be oedden nhw'n dod wrth i'w hymwybyddiaeth godi gwaddod i'r wyneb.

Y gred ymysg y werin oedd nad oedd Gwigiaid yn breuddwydio. Doedden nhw ddim hyd yn oed yn cysgu, meddai rhai. Ac er bod y rhan fwyaf o bobl yn deall bod hyd yn oed cathod a chŵn yn hela yn eu cwsg, doedd yna ddim arwydd fod Gwigiaid yn gwneud yr un fath.

Cerdded hen lwybrau oedden nhw, ail-fyw ac ail-brofi. Clywed adleisiau a gweld adlewyrchiadau drwy ddŵr cors eu hymenyddiau. Eto i gyd roedd Ithel yn gweld y ddau beth yn debyg. Ac yn nhrymder nos pwy ŵyr mewn difri be ydi'r gwahaniaeth rhwng dilyn ôl troed bywyd arall a chreu un o ddim byd? Efallai nad oedd Gwigiaid yn breuddwydio os oedd y ddoethineb ar lawr gwlad yn wir, ond roedden nhw, fel bob amser, yn gweld, hyd yn oed wrth gysgu. Llithrodd ymwybyddiaeth Ithel ymysg y ffrydiau...

Mewn neuadd fawr mae Brenin yn eistedd ar ei gadair yn edrych tuag at y drws. Cafodd y byrddau eu gwthio at y waliau. Mae golwg di-lun ar y lle er bod paent ar y waliau a'r pyst pren sy'n ymestyn ymhell at y to lle mae'r mwg diog o'r tân yn hel yn gymylau terfysg.

Mewn neuadd fawr mae Brenin yn eistedd ac yn aros.

Mae'r drws yn agor gan daflu golau'n golofn ar hyd y neuadd wag rhwng y byrddau at draed y Brenin. Yno'n y llafn o oleuni'n sefyll fel cysgod mae Gwigyn gyda phen yn eu llaw. Pen sy'n hongian gerfydd ei wallt. Mae rhywbeth, colomennod efallai, ond nace chwaith, yn stwyrian yn y mwg rhwng y distiau.

Cerdda'r Gwigyn yn eu blaen ac mae'r pen yn diferu ar gerrig y llawr a lle glania'r dafnau o waed, mae planhigion yn egino – eiddew, banadl, blodau gwynion.

Gosoda'r Gwigyn y pen ar lin y Brenin ac mae'n edrych i lawr arno.

'Fy mrawd,' meddai ac mae'r pen yr un ffunud â'i ben o, dim ond fod yr eiddew wedi gwneud coron iddo.

'Nid a'n ango' meddai'r pen.

'Y peth a fu, a fydd' meddai'r Brenin.

Saif y Gwigyn o flaen y Brenin a gweld dau blentyn bob ochr iddo. Un yn dal gyda gwallt cyrliog yn rhoi ei law ar ysgwydd ei dad a'r llall yn llai yn chwarae ymysg y cŵn wrth draed yr orsedd. Cwyd hwnnw ar ei draed a chythru am ei frawd fel petai am ei frathu fel ci gwyllt ond mae'r Brenin yn sefyll rhwng y ddau.

Edrycha'r Gwigyn i fyny at do y neuadd a theimlo fod rhywbeth yn gwylio hyn oll.

Roedd Ithel ar eu traed erbyn i olau'r haul lifo dros waelod y ffenast. Fe ddeffron nhw'r tân gyda phrocer ac ychydig o frigau sych. Aethon nhw ati i grafu y baw oddi ar y gôt a'u hesgidiau gan feddwl am yr hyn iddyn nhw brofi wedi cysgu. Y Brenin Iddon oedd o, er nad oedd gan Ithel gof am yr union sefyllfa, roedden nhw'n cofio hwnnw'n ŵr ifanc. Y planhigion wedyn, yn rhai anlwcus i'w cael mewn llys neu dŷ. A beth am y plant? Byddai amser i feddwl am hynny eto, efallai, rhwng y meddwyn hefo'r bluen yn chwyrnu a'r ddau wrth y ffenest yn eu llygadu, roedd hi'n hen bryd mynd allan am awyr iach.

Pennod 4

L LIFODD OGLAU'R BORE i lenwi'u sgyfaint cyn gynted ag yr agoron nhw'r drws. Er bod yr haf yn dal ei afael roedd yna fymryn o ias ynddi heddiw. Buan iawn y byddai hi'n cynhesu ond fyddai hi fawr o dro nes byddai'r Hyddfref yn dod i gribinio'r dail oddi ar y coed. Blwyddyn sâl oedd hi wedi bod eleni o ran cynhaeaf eto ac aml i dyddynwr yn taflu golwg bryderus ar sguboriau. Gallai Ithel, a'r rhai oddi mewn yn enwedig, gofio pan fedrai rhywun osod y tymhorau i'r diwrnod bron, blynyddoedd lle byddai'r gwair yn sychu a'r afonydd yn rhewi fel y disgwyl. Bellach doedd dim dal sut byddai hi. Roedd pethau'n newid.

Erbyn iddyn nhw gerdded ychydig gamau roedden nhw'n frychni baw drostynt a bron na sugnwyd eu hesgidiau i ffwrdd fwy nag unwaith. Rhedodd criw o blant troednoeth heibio gan dasgu mwd dros bob man.

'Hoi!' gwaeddodd Ithel. Oedodd y criw, yn ddigon pell fel na allen nhw gael gafael ar yr un o'r giwed yn hawdd, roedd y rhain wedi arfer ar y strydoedd. Rhwng eu bod nhw wedi bod allan yn rhedeg ers ben bore ynghanol y baw a'u bod nhw'n gwisgo capiau a sgarffiau am eu pennau, fedrai Ithel ddim dweud faint oedd oed yr un yn iawn.

'Be?' holodd un o'r rhai talaf.

''Dan ni'm am roi drwg i chi, cwestiwn sgynnon ni.'

'Isio holi sut ma torri'ch gwallt yn iawn 'dach chi?' meddai rhyw lais bach o gefn y criw a dechreuodd y plant biffian chwerthin. Gwenodd Ithel.

'Nace. Isio holi pryd ddaeth 'na drol ddwytha. 'Dach chi allan bob dydd dydach, ma siŵr?'

Aeth y plant i sibrwd ymysg ei gilydd.

'Ddim ersdalwm' atebodd y talaf.

'A be ydi sdalwm?'

'Sdalwm de! Ddim ers cyn y tywydd mawr.'

'A sbel cyn hynny,' meddai un arall yn sydyn.

'A heddiw ddôn nhw be bynnag,' meddai un o'r plant eraill hefo creithiau brech lwyd ar ei wyneb.

'Pam?'

'Mai'n farchnad, dydi!'

Damia, meddyliodd Ithel. Byddai y drol, os byddai'n cyrraedd, yn un o fewn dwsinau. Roedd pwy bynnag a fu wrthi'n trefnu un ai'n lwcus ar y diawl neu'n glyfar. Dim bai y plant oedd hynny felly doedd dim diben gwylltio hefo nhw.

'Ydi siŵr, diolch blant.'

Byddai'n well mynd am y porth felly. Dechreuon nhw gerdded.

'Hoi!' un o'r plant waeddodd. 'Sgynnoch chi wbath da i ni am helpu?'

Nagoes, meddyliodd Ithel, heblaw am bres a doedden nhw ddim am roi hwnnw i'r plant, prin iawn oedd eu storfa fwyd hefyd. Eto roedd y criw wedi gwneud tro da gyda nhw. Aethon nhw drwy'u sachyn a dod o hyd i weddill caws brecwast Deiwyn.

'Hwdwch!' medden nhw a thaflu'r darn, byddai digon i bawb gael blas arno beth bynnag. Wnaethon nhw ddim aros i weld os mai diolch neu ddamio fyddai'r criw.

Pan gyrhaeddon nhw'r porth roedd un o'r dorau wedi'i llusgo ar agor ond roedd criw wrthi'n clirio gyda rhawiau pren wrth y llall gan geisio ei rhyddhau gan fod y glaw wedi sgubo baw a cherrig yn ei herbyn hi. Gwyliodd Ithel wrth i un o'r dynion dynnu corff ci o'r domen o fwd. Bob hyn a hyn byddai pobl yn dod drwy'r ddôr agored gyda llwythau ar eu cefn. Gwyliodd Ithel ddyn gyda iau ar ei ysgwyddau yn ceisio pigo'i ffordd rhwng y rhawyr a'r tociau baw. Bu bron iddo fynd ar ei hyd ac ar chwiw daliodd Ithel yr iau a rhoi cyfle iddo sadio.

'Diolch wrda,' meddai'r dyn a sythu wrth i Ithel ddal y baich. Gallai fod unrhyw le rhwng ugain a deugain, meddyliodd Ithel. 'Wya a menyn,' meddai'r dyn gan ysgwyddo'r iau eto.

'At y farchnad?' holodd Ithel.

'Ia, gwerthu a ffeirio fel ma'r gofyn. Cymrwch wy neu ddau am ych traffath. Mi arbedoch golledion i mi.' Cymrodd Ithel ddau a rhwng eu cracio ar eu gwinedd a'u llyncu aethant ati i holi am drefn y farchnad gan gymryd arnynt y byddai ganddyn nhw fêl i'w werthu'n fuan. Un bendith erbyn gweld oedd nad hon oedd y farchad fawr fyddai'n digwydd ar Ŵyl Mabsant dros dridiau ac felly pobl leol gydag ambell i fasnachwr ar daith a oedd yn digwydd pasio heibio oedd yn gwerthu ynddi. Dim llawer o droliau felly. Aeth dyn y wyau a menyn yn ei flaen i ddod o hyd i le i osod ei stondin. Erbyn hyn roedd y rhawio a'r cario wedi gorffen ac agorwyd y porth yn llawn.

Roedd gan Ithel hawl i fynd drwy bob trol a phecyn a phoced pe mynnent. Byddai'r porthorion dan wŷs i'w helpu hefyd. Erbyn hyn roedd y gair ar led fod Gwigyn o gwmpas a chyn gynted ag y byddai gyrrwr y drol yn gosod ei din ar fainc mewn tafarn, eglwys neu gwt bwyd, byddai'n siŵr o glywed hanes Ithel. Byddai chwilio drwy bob dim wrth y porth yn setlo hynny ac yn fodd o gael y blaen arnyn nhw. Eto i gyd wyddai Ithel ddim am beth yn union yr oedden nhw'n chwilio. Roedd ganddyn nhw ffydd yn nheimlad Dana fod rhywbeth yn werth ei ddilyn ond doedden nhw, fwy nag oedd Ithel, fawr callach beth oedd o. Rhaid ei fod o'n rhywbeth i wneud hefo gof. Llofruddiaeth, efallai. Be fyddai gof gwaith cain yn gallu ei roi at ei gilydd? Gallai hynny fod yn lond gwlad o bethau o droell cig go grand at gleddyf neu albras a phob dim rhwng y tri.

Gwaith metel felly ond heb wybod beth yn union, byddai tyrchu drwy droliau yn ddibwys. Gallai'r gyrwyr gymryd arnynt eu bod yn ddiniwed hefyd a dadlau y byddent wedi datgan yr hyn oedd ganddynt pe byddent wedi cael y cyfle. Hawdd oedd i rywun euog ymddangos yn ddiniwed. Ond o'u dal nhw'n dweud celwydd ac yn cuddio'u deunydd... byddai hynny'n llawn gwell.

Roedd grisiau wrth y porth yn mynd i fyny am y mur, lle bach handi i eistedd a chadw golwg a gwrando. Fan hyn byddai'r tri saethwr wedi sefyll i wlychu mae'n rhaid. Safodd Ithel ac edrych dros Lanfarudd. Hanner cylch o fur o'i chwmpas oedd gan y dref, os oedd hi'n dref o gwbl gyda'r afon ar un pen iddi. Rhwng y rhes o dai gyda'r waliau a'r afon, roedd maes lle'r oedd pobl yn gosod eu stondinau at y farchnad a thafarn gydag arwydd oedd yn edrych yn llawn brafiach na'r un aeth Ithel iddi. Rhedai'r stryd o'r porth yn syth at y maes ac yna at yr afon. Uwchlaw'r tai ar gyrion y maes oedd yr eglwys roddodd ei henw i'r lle ar ben bryncyn. Roedd rhediad y tir oddi wrthi a'r maes un ai at yr afon neu'r porth yn dibynnu lle roedd rhywun yn cychwyn.

Fe eisteddon nhw gyda'u cefn ar y wal yn edrych tua'r dref. Mur tenau oedd o ac felly lle i sefyll, nid eistedd oedd arno mewn difri ond roedd eistedd yn cynnig cysgod rhag y gwynt a llygaid. Gwylion nhw haid o adar to yn neidio rhwng y cerrig a phethau'n codi'n ffrae rhyngddyn nhw bob hyn a hyn.

Buon nhw yno drwy'r bore gan ddiolch ymhen dim am y ddau wy. Daeth un drol yn fore ond roedd honno bron yn wag a'r gyrrwr yn lleol yn ôl ei sgwrs. Magodd y dref bobol wrth i'r stondinwyr osod eu pethau ar y maes a dechrau y prynu, ffeirio a gwerthu. Mae'n rhaid ei bod hi'n awr gynta'r prynhawn pan glywon nhw wichian trol arall a thwrw ychain. Moelodd eu clustiau. Roedd y porthor dydd yn un da am godi sgwrs hefo pawb a basiai heibio.

'At y farchnad?'

'Ia.' Llais gŵr ifanc neu ddynas o bosib.

'Gynnoch chi ddipyn i weld yn fa'na!'

'O, gwair ydi'r rhan heletha ohono fo. Dim ond fod gen i wlân a chydig o fedd i'w werthu hefyd.'

'Ceisiwch am le wrth y sgwâr, dwi heb weld neb hefo gwlân hyd yn hyn.'

'Iawn, diolch.'

'Heb eich gweld chi o'r blaen dwi'n siŵr, ta ydw i?'

'O, falla'ch bod chi, fedrai'm d'eud mod i'n ddiarth. Ma'r ychain ma'n tynnu! Mi fydda'n well i mi fynd yn fy mlaen!'

'Dyna chi, da boch!'

Aeth y drol yn ei blaen a hynny heb fymryn yn fwy o sgwrs nag oedd rhaid. Roedd yr ychain, meddyliodd Ithel, yn tynnu'n arw i fyny'r pwt o allt oddi wrth y porth. Doedd y mwd a'r baw ar y stryd ddim wedi sychu chwaith ac fe sylwon nhw fod yr olwynion yn suddo'n llawn is na fyddai trol hefo llwyth gwair i fod. Trol lydan oedd hon hefyd. Doedd medd a gwlân ddim mor drwm â hynny. Wrth godi fe deimlon nhw eu bod wedi cyffio. Aethant i lawr y grisiau dow-dow a chadw golwg ar y drol. Digon araf deg oedd hi'n mynd o hyd, a'r ychain yn bygwth nogio wrth i'r olwynion frathu a chorddi'r stryd. Fe fentrai Ithel eu llaw dde fod mwy na gwellt arni hi.

Roedd digon o bobl yn plethu drwy'r strydoedd iddyn nhw allu cadw o fewn golwg i'r drol heb fod yn rhy amlwg a doedd y gyrrwr a'r un efo fo ddim yn rhai am edrych o'u cwmpas rhyw lawer chwaith. Gwisgai'r ddau oedd arni glogynnau dros eu sgwyddau a'u pennau, ond unwaith neu ddwy sylwodd Ithel ar wallt golau yn chwythu heibio ymyl clogyn y gyrrwr. Dilynodd Ithel y drol yr holl ffordd at y cafn dŵr tu allan i'r dafarn wrth y maes. Daeth y gyrrwr i lawr a thynnu'r ychain yn rhydd a'u clymu'n frysiog wrth y cafn cyn mynd i mewn. Arhosodd y llall ar y drol.

Crwydrodd Ithel at yr ychain a chymerodd yr un o'r ddau arnyn eu bod nhw'n closio. Roedden nhw'n rhy brysur yn yfed. Yfed, meddyliodd Ithel fel creaduriaid a gafodd daith hir heb eu newid a llawer o orffwys. Roedd y ddau yn chwys lathr hefyd. Difyr.

Byddai myrrath hefo'r drol gefn dydd golau ac hefo rhywun arni yn rhy beryg o'r hanner, meddylion nhw wrth adael yr ychain i yfed am y tro. Fe gymeron nhw olwg agosach arni wrth basio wedi how-gyfarch y steddwr ar styllen rech y drol. Hogyn ifanc oedd hwnnw a heb fawr o ddiddordeb yn y bobl a oedd yn crwydro heibio, gorau oll. Sylwodd Ithel wrth fynd fod y planciau pren a ddefnyddiwyd i groesi lonydd gwaeth na'i gilydd wedi eu clymu at ochr y drol a'r baw wedi sychu arnyn nhw. Edrychai'r llwyth gwair fel llwyth gwair. Daeth rhywun o'r dafarn a mynd am y drol, trodd Ithel a chrwydro am y sgwâr.

Ddaeth y drol ddim yno at weddill y stondinwyr ac wrth grwydro heibio'r dafarn eto wrth iddi nosi gwelodd Ithel ei bod wedi ei symud i'r cefn tu ôl i wal wiail hefo'r ceffylau a chenfaint o foch. Eisteddai'r hogyn arni o hyd fel delw wedi ei lapio yn ei glogyn. Heb symud o gwbl yn ôl ei olwg ers y p'nawn. Cadw golwg nid cysgu oedd o. Fyddai tafarnwr call fyth yn gadael i neb gysgu ar drol ac yntau hefo lle fedrai rhywun dalu amdano heblaw bod ganddyn nhw reswm go dda. Doedd gwellt ddim werth noson o dan y sêr.

Aeth Ithel at y porth a chael y porthor dydd yn hel ei bethau i'w throi hi am adref. Holodd Ithel o am y drol a'r unig beth allai o gynnig oedd ei fod o'n lled-nabod y gyrrwr, nid yr hogyn ifanc ond y ddynas ond nad oedd ei gweld hi ar drol yn gwneud llawer o synnwyr chwaith. Diolchodd Ithel iddo a mynd yn ôl am y dafarn.

Ar ôl cyrraedd y cyffiniau stwffiodd Ithel eu hunain i gongl dywyll ac aros. Waeth pa mor gydwybodol oedd gwyliwr byddai'r corff yn cael y gorau arnyn nhw rhyw ben, byddai'n rhaid i'r hogyn gysgu, neu biso neu symud. Roedd gan Ithel fantais o ran hynny.

Bu'n rhaid aros sbel go lew cyn i'r hogyn godi a chwilio am gongl. Fu Ithel fawr o dro yn llamu dros y ffens a sleifio at y drol a chael golwg ar y llwyth. Gallon nhw estyn eu braich hyd at y penelin drwy'r gwellt a theimlo bod cynfas wedi ei gosod oddi tano a bod rhywbeth – cist fwy na thebyg – o dan honno. Dechreuodd ci gyfarth rhywle wrth flaen y drol. Roedd y swn pisio wedi peidio a swn traed y tu ôl iddyn nhw erbyn hyn. Teimlodd Ithel ben pastwn yn erbyn eu cefn.

'Busnesu,' meddai'r hogyn.

'Chwilio am le i gysgu,' atebodd Ithel gan wybod bod celwydd felly yn wantan braidd.

'Fedri di fforddio lle dan do yn ôl dy olwg di.'

Tynnodd Ithel eu llaw o'r gwellt yn araf a throi dow dow i wynebu'r hogyn. Roedd o heb lawn fagu blew ei wyneb i gyd, gallai rhywun felly fod yn fyrbwyll.

'Pwy bia'r drol?'

'Hidia di ddim am hynny'r llechgi, fi sy'n chadw hi a dwi fod i ga'l gwarad ar bobol sy'n busnesu. Misdras yn deud.'

Sgwariodd y llencyn a gwthio cymaint o frest ag oedd ganddo fo am allan, gan gymryd arno beth bynnag ei fod o'n ddipyn o foi. Roedd hi'n lled dywyll ond roedd digon o olau rhwng y lleuad a'r lampau a gallai Ithel weld fod hwn yn meddwl mai fo oedd gyda'r afael orau ar y sefyllfa. Cododd ei bastwn gan feddwl mae'n debyg rhoi cnoc neu ddwy i ddarpar leidr. Gan gymaint y profiadau oddi mewn a'r hyn a welsai Ithel hefyd, chymerodd hi ddim llawer i symud o ffordd y pastwn a throi nerth y llanc arno'i hun gan ei daflu i'r llawr a'i ddal yno. Doedd dim pwrpas anafu'r hogyn. Ond yna dechreuodd weiddi a strancio. Gallai Ithel deimlo'n syth wedyn fod pethau'n troi. Daeth ci o rywle a chnoi godrau eu trowsus. Yna, daeth criw o'r dafarn wedyn gyda merch ar y blaen, chymerodd hi ddim yn hir iawn iddyn nhw wneud cylch go lac o gwmpas y ddau a'r hogyn yn dal i wichian fel mochyn wedi'i sticio.

'Be sy'n digwydd yn fama?' holodd y ddynas ar flaen y criw. O'i sefyll hi roedd hi'n edrych fel yr un a oedd yn cadw trefn.

Gollyngodd Ithel eu gafael ar y llanc a chodi.

'Holi hynny oedd union beth oedd gennym ni mewn golwg.'

Pennod 5

HON OEDD Y fisdras mae'n rhaid. Safai'n bendant gyda ffon yn ei llaw. O dan ei chlogyn agored gallai Ithel weld tiwnig laes, ymarferol o liw gwinau a phais ledr ysgafn. Daeth ci bach, corgi, o rywle gan gyfarth a sefyll wrth ei sgidiau hir hi gan sgyrnygu ar Ithel. Dyna'r ci fu'n gafael yn eu trowsus mae'n rhaid. Roedd hon yn ifanc braidd, meddylion nhw, i fod yn borthmon ar ei phen ei hun, rhaid nad oedd hi fawr hŷn na'i hugain er bod ôl bod allan yn y gwynt a'r glaw ar ei hwyneb.

'Holi, ia?' gofynnodd. Roedd hi'n ddigon call i oedi a meddwl, a phwysodd ar ei ffon am ennyd. Yn anffodus doedd y llanc ddim. Cyn gynted ag y sythodd o, trodd i ddyrnu Ithel ond cyn iddo godi digon o blwc rhoddodd y ddynes flaen y ffon ar ei frest.

'Sion, callia. Dos at y drol. Dwi'm yn meddwl bod rhain yn beth i'w colbio. Gel, dos efo fo.' Aeth y ci heb oedi a dilynodd Sion o.

'Call iawn,' meddai Ithel ac estyn am y sêl. Darganfyddodd y criw o'u cwmpas nhw bod eu traed neu'r dafarn yn bethau difyr iawn mwyaf sydyn. 'Chi pia'r drol?'

Edrychodd y ddynes ar y drol a thynnu gwynt drwy'i dannedd. 'Ia, ddrwg gen i am y prentis. Tasa fo'n glyfar mi fasa fo'n beryg.'

'Sion ydi o. Pwy ydach chi?'

'Adwen erch Robin,' atebodd y gyrrwr gan edrych draw at y

drol o hyd. Estynnodd garrai ledr a chlymu ei gwallt melyn yn ôl. Ysgwydodd ei phen fel petai hi wedi disgwyl rhyw helynt.

Gwir.

Synhwyrodd Ithel er nad oedd hi'n dweud celwydd y byddai'n rhaid iddyn nhw gadw golwg fanwl arni wrth ei holi ac yma y tu allan ymysg pobl a hithau'n dywyll byddai hynny'n anodd. Trodd at ŵr y tŷ, dyn byr, barfog a gweiddi,

'Lle ma'r siryf?'

Cordeddodd hwnnw'i ffedog ac edrych o'i gwmpas cyn ateb, 'Ar Stryd Clagwydd, wrda.'

Dyna'r enw yna eto, yn rhedeg crib dros groen Ithel.

'Nid gwrda, os gwelwch yn dda. Ta waeth. Ewch â ni yno.'

'Ond y cwsmeriaid... neno'r tad... llond lle i'w gadw...' ond roedd y tafarnwr wedi dechrau cerdded. Gosododd Ithel eu hunain yn ddigon agos at Adwen i gael gafael arni petai hi'n cymryd y goes. Doedd hi ddim wedi eu taro fel rhywun fyddai'n ffoi ond eto roedd pawb yn euog o rywbeth, o'r taeog isaf at y Seintiau. Penderfynodd Ithel y bydden nhw'n cael trefn ar bethau cyn iddi wawrio.

Gyrrodd Ithel y tafarnwr yn ei ôl cyn gynted ag y dangosodd o ddrws cartref y siryf iddyn nhw gyda siars nad oedd yr ychain na'r drol i adael y dafarn ar unrhyw gyfri. Gadawodd y tafarnwr gan dynnu ei gap oddi ar ei ben a grwgnach.

Agorodd y drws ar ôl y gnoc gyntaf. Dyn ifanc oedd y siryf gyda locsyn taclus a llygaid llachar ac yn llawn rhy siaradus.

'Helynt o diar diar na, tydan ni ddim yn hoff o helynt yma,' meddai wrth sefyll yn y drws. Y tu ôl iddo safai plentyn bach mewn coban yn rhwbio'i lygaid.

'Stafell ydan ni angen, gawn ni drafod y gweddill wedi'r wawr.'

Crafodd y siryf ei drwyn.

'Choelia'i fyth fod Adwen mewn helynt, na na. Mi oeddwn i'n adnabod ei thad hi, dyn agos iawn i'w le. Porthmon.'

Meddyliodd Ithel fod porthmyn, o natur eu swydd, yn tueddu i fod yn bell o'u lle yn aml, mewn synnwyr daearyddol beth bynnag, ond roedd ganddyn nhw enw da drwy'r wlad. Roedd gair porthmon yn gytundeb. Roedd hynny o blaid Adwen. Cafodd Ithel addewid o lonydd yn y llaethdy ac arweiniodd y Siryf nhw yno drwy'r tŷ. Bychan oedd ei gartref a thywyll, heb ddim ond un gannwyll ynghyn a hithau'n hwyrol. Eto roedd y tŷ yn glud a'r dodrefn yn hen ond yn daclus. Wrth i Ithel gerdded heibio, cododd gwraig y Siryf y plentyn i'w chôl ar y setl a swatiodd hwnnw, yn llawn hapusach na'i fam.

Cafodd y ddau eu hebrwng i'r llaethdy rhynllyd. Roedd oglau menyn yno.

'Ydach chi am i mi aros?' holodd y Siryf gan ei gwneud yn gwbl amlwg y byddai'n well ganddo fo fod yn rhochian ei hochr hi yn ei wely. Cafodd fynd yno at ei wraig a'r bychan, doedd gan Ithel ddim iws iddo. Gadawodd y Siryf gannwyll i'r ddau.

Stafell fechan oedd y llaethdy a'i llond hi o oerni crwn waliau cerrig. Safai'r caniau llaeth mewn un ochr o dan bwt o ffenest a llechen ar draws y pared gyferbyn â hi. Gosododd Ithel eu cannwyll ar honno. Lle bach digon smart ond roedd hyd yn oed lle cymharol fychan fel hwn gam yn uwch na'r werin bobl. Eisteddodd Adwen ar gan llefrith, safodd Ithel wrth y drws. Fel hyn wynebai'r ddau ei gilydd. Arhosodd Ithel am sbel a gwrando ar y gannwyll yn poeri. Rhoddon nhw glust i'r rhai oddi mewn a chael cytundeb: *pryder, styfnigrwydd, cyfrinach*. Fyddai dim angen troi at chwilysu, y grefft o holi go iawn, i ddechrau arni beth bynnag.

'Porthmon felly?' holodd Ithel a gweld fod cwestiwn ffwrdd â hi felly wedi taflu mymryn ar Adwen.

'Ia.'

Gadawodd Ithel i dawelwch y llawr cerrig ofyn i Adwen ymhelaethu.

'Nhad cyn hynny, a'i dad o, Nain, ac yn y blaen. Gwartheg gan amla, ond dim mwyach.'

Peth teuluol oedd porthmona, gallai Adwen fod wedi dysgu wrth draed ei thad a'i mam. Doedd dim lawer o ferched wrthi ond doedd Ithel o bawb ddim am synnu o ran manion bethau felly. Gallai hen ffyrdd diarffordd y gorffennol fod yn lôn i borthmyn erbyn heddiw. A phwy oedd i ddweud mai anifeiliaid yn unig y gallai porthmon eu danfon? Byddai pob un yn cario pres, straeon a negeseuon beth bynnag, a'r pethau mwyaf gwerthfawr wedi eu pwytho tu mewn i'w dillad. Cam bach oedd cuddio pethau mwy.

'Un o le wyt ti?' cwestiwn bach digon diniwed eto.

'Bodira.' Er bod y gannwyll yn dawnsio gallai Ithel weld nad oedd hi'n dweud celwydd. Eto...

Anesmwyth. Cyndynrwydd.

'A Sion, yr hogyn yr un fath?'

'Ia.'

'A dyma chi yn Llanfarudd, ar fusnes porthmona.' Dyna'r cwestiwn cyntaf i wneud i Adwen oedi.

Pryder.

'Ia,' meddai hi wedyn.

'Ac i le ydach chi'n mynd?'

'Wel, nunlla ar hyn o bryd. Ond os na isio gwbod pen y daith i ni ydach chi, wel, fan hyn ydi'r ateb, fel mwy nag un daith o ran hynny. Llanfarudd yn le da i werthu gwartheg a'u symud nhw lawr yr afon. Wel, dod â'r drol yma at yr afon ydan ni. Adra wedyn.'

Gwir.

Doedd yna ond un cwestiwn o werth i'w holi eto.

'Be dwi'm yn ddallt,' meddai Adwen, ar draws bob dim, 'ydi be mae Gwigyn yn da yn holi hogan ddiniwad.'

Roedd tro cyntaf i bob dim, roedd Ithel wedi arfer hefo gwadu, gweiddi a gwrthod ateb ond roedd cael eu holi yn beth cymharol newydd.

''Dach chi'n ddiniwed felly, Adwen?'

Tagodd Adwen ryw chwarddiad ac edrych at y ffenest er bod caead arni.

'Does 'na neb yn ddiniwad i chi, nagoes?'

Roedd yna bobl ddiniwed wrth gwrs, neu'n hytrach pobl oedd yn fwy diniwed na'i gilydd. Pobl nad oedden nhw, at ei gilydd wedi troseddu yng ngair y Gyfraith ond a oedd serch hynny wedi bod yn hunanol, yn annifyr, wedi gwneud y cant a mil o bethau hynny a oedd yn naturiol i bobl ond nad oedd, ar unrhyw gyfri yn 'dda'. Ac mi oedd llond gwlad ohonyn nhw yn gwneud pethau da hefyd ond a hwythau'n ymgorfforiad o'r syniad y gallai da wneud yn iawn am ddrwg – yn y pen draw – roedd y syniad hwnnw'n un annelwig i Ithel. Doedd bosib nad oedd modd sgwrio pob dim yn lân yn eu meddwl nhw. Ond doedd pethau budron ddim yn ddiwerth chwaith.

'Yng ngolwg y Gyfraith,' meddai Ithel gan estyn eu cod arian, 'tydach chi ddim yn ddieuog.' Gwgodd Adwen arno. 'Nac euog chwaith.' Fe ddalion nhw geiniog arian at y golau gan ddewis eu hunig wynn – y darn mwyaf o ran gwerth a maint – nid eu bod nhw am ddangos eu hunain chwaith.

'Be ydach chi ar hyn o bryd ydi'r un o'r ddau, ceiniog ydach chi, yn troi yn y gwynt. Tasan ni am eich cyhuddo.' Taflodd Ithel y geiniog i fyny gyda blaen eu bawd ac fe gododd honno gan droi a throsi, yn ymddangos ac yn diflannu am yn ail yng ngolau ansicr y gannwyll. 'Mi fyddai tystiolaeth yn penderfynu ar ba ochr byddwch chi'n glanio. Felly...' meddai Ithel gan roi eu troed ar y geiniog wrth iddi daro'r llawr. 'Be fydd hi, pen ta peglau?'

Tawelwch, yna tu draw i'r llaethdy clec bell wrth i rywbeth ddisgyn neu dorri.

'Hawdd ydi i gonsuriwr wneud i geiniog lanio lle mynna fo, peth tebyg 'di cyfraith.'

'Ma'r Gyfraith yn ddisymud.'

Gwenodd Adwen yn sur, yna trodd i edrych ar droed Ithel. ''Nghyhuddo fi o be?'

'Llofruddiaeth, smyglo, a mwy, pan welwn ni be sydd yn y gist o bosib.'

Cododd Adwen, wnaeth Ithel ddim symud.

'Laddish i neb. Dwi'n gwbod amdanoch chi, yn cyhuddo ac yn crogi fel mynnwch chi!'

'Dafydd, neu Ddyfed ap Gwynfor y gof. Siwan ei wraig a Jinw'r plentyn. Dyna'r tair marwolaeth sydd yn gysylltiedig, o bosib, â'ch cargo chi.'

Edrychodd Adwen fel tasai'r gwynt wedi ei gicio ohoni. 'Wedi marw?'

'Do. Fe'u cafwyd nhw mewn darnau,' atebodd Ithel a difaru wedyn.

Pwyll. Galar. Dychryn.

Sylwodd nad oedd Adwen wedi gwadu ond yn hytrach wedi holi am y tri. Difyr.

'Wnes i ddim byd iddyn nhw, mi oedd Dafydd a Jinw yn iawn pan adawon nhw acw ar ôl dod â'r drol... A dwi'm yn gwbod be sy'n y gist 'na. Mond dod â hi yma wnes i. A'i chuddio hi, do, ond dyna oedd y syniad gan Dafydd, nid fi.'

'O?'

'Mae 'na glo clap maint fy nwrn i arni, hyd yn oed taswn i am ei hagor hi!'

Roedd y gannwyll yn dod at ei therfyn a'r wawr yn bygwth torri. Roedd ganddyn nhw well syniad o Adwen y Porthmon a'r drol. Eto… doedden nhw'm yn teimlo fel eu bod nhw'n cael gafael ar bethau chwaith. Clywodd Ithel weiddi o bell a tharo ar ddrws y tŷ. Synhwyron nhw nad oedd y wawr am ddod â llawer o gysur.

Pennod 6

YMHEN DIM ROEDD y Siryf wedi llusgo'i gorpws o'r gwely ac wedi agor y drws ac ymhen llai roedd o wedi taflu drws y llaethdy ar agor a dweud:

'Llofruddiaeth. Trol.'

Gwthiodd Adwen heibio'r ddau a rhedeg am allan. Wnaeth Ithel mo'i hatal. Codon nhw'u troed oddi ar y geiniog i weld sut oedd hi wedi glanio.

'M.'

Felly oedden nhw wedi amau hefyd.

Er mai wrthi'n gwawrio oedd hi roedd y darn stryd o gwmpas y dafarn yn ferw gwyllt o foch a phobl. Roedd rhai yn ceisio dal y moch ac eraill am y gorau i edrych heibio gyddfau'i gilydd. Gwelodd Ithel pam fod y moch ym mhobman wedi iddyn nhw wthio drwy'r dorf. Taflwyd y waliau gwiail i'r baw ac roedd y drol wedi mynd. Gadawyd corff yr hogyn, Sion, yn ei lle hi. Siarsiodd Ithel y Siryf i gadw'r dorf rhag y corff wedi i hwnnw orffen stwffio ei grys nos i'w drowsus. Fe nodon nhw hefyd y dylai roi cynfas drosto a chadw Adwen yn agos. Roedd hi, sylwodd Ithel, yn penlinio wrth ymyl Sion a doedd yna ddim golwg symud arni. Hyd yn oed o bell gallai Ithel weld fod golwg ar y corff. Ond roedd y drol yn bwysicach ar hyn o bryd.

'Yr afon!' meddai Adwen yn siarad fel tasa ei llais hi'n dod o bell. 'Mi oeddan ni fod i gyfarfod rhywun oedd wedi trefnu i'r drol fynd ar yr afon.'

Damiodd Ithel, dyna'r ffordd hawsaf a chyflymaf o adael, roedd Adwen wedi hyd yn oed crybwyll y peth yn y llaethdy. Rhedon nhw drwy'r dorf eto a honno'n agor fel criw o ieir o'u cwmpas. Dilynon nhw'r rhychau, petaen nhw wedi mynd y ffordd yma o Stryd Clagwydd yna efallai y bydden nhw wedi bod yn ddigon sgit i gyrraedd y dŵr cyn i'r bad adael. Erbyn hyn efallai ei bod yn rhy hwyr.

Cyrhaeddodd Ithel y tipyn cei ymhen dim a chael fanno mewn gwaeth stad na'r stryd bron. Rhedai dau ych yn wyllt rhwng y tai. A rhwng gweiddi pobl yn ceisio'u dal a'r ffraeo wrth y dŵr roedd hi'n anodd meddwl. Rhain oedd yr ychain oedd wedi tynnu'r drol i Lanfarudd heb os, mae'n rhaid y byddai rhai ffres, neu geffylau, yn aros amdani yn lle bynnag fyddai hi'n cyrraedd. Aeth Ithel at yr afon.

Wrth ei glan roedd y drol wedi ei gadael a'r llwyth gwair wedi ei sbydu i'r gwynt. Safai'r ci yn ei hymyl yn cyfarth ac yn bygwth brathu unrhyw un âi ati. Neidiodd Ithel ar y drol yn sydyn o afael y dannedd a'i harchwilio. Dim golwg o'r gist na dim arall fyddai'n gwneud fel tystiolaeth. Byddai'n rhaid holi'r bobl o gwmpas.

Pysgotwyr oedd y rhan haelaethaf o'r criw yno ac roedd hi'n ffrae aruthrol rhwng pawb. Roedd rhywun wedi mynd drwy bob dim, o'r cychod bach at y coryglau ac wedi un ai tynnu'r raffau, rhwygo'r hwyliau neu dyllu gwaelodion fel nad oedd modd mynd â nhw ar y dŵr. Yr unig beth oedd wedi gadael dros nos oedd llong fechan oedd wedi cyrraedd rhai dyddiau ynghynt a phob math o gyhuddiadau yn mynd o deulu i deulu ynghylch pwy yn union oedd wedi rhoi croeso i'r criw a dod â'r fath felltith i lawr ar bawb.

Llwyddodd Ithel i gael trefn wrth addo y bydden nhw'n dod o hyd i'r drwgweithredwyr. Wedi i bawb gallio mymryn esbonion nhw y byddai angen cwch i fynd ar ôl y troseddwyr. Gallai'r trwsio gymryd bore os nad diwrnod, yn enwedig am y byddai pawb am y gorau i gael sylw'r rhaffwr, y gof hoelion a'r llofft hwyliau, nododd un o'r pysgotwyr. Gwnaeth Ithel hi'n ddigon amlwg mai'r cwch a fedrai eu cario nhw a cheffyl neu ddau oedd yr unig rai i gael sylw. Gadawon nhw'r sgotwyr a'r cychwyr i drwsio. Cyn mynd rhoddon nhw wŷs i un o'r llanciau wrth y lan i ddal yr ychain a dod â nhw heibio tŷ'r siryf pan fydden nhw wedi eu dofi.

Aeth pwy bynnag oedd wedi mynd â'r gist i drafferth mawr i'w hatal nhw rhag eu dilyn. Roedd y drwgweithredwyr yn gwybod fod Ithel ar eu trywydd nhw felly ac am lesteirio unrhyw ymgais i'w dal. Rhoddwyd rhicyn corff wrth eu henw hefyd. Lwcus efallai bod Adwen yn y ddalfa hefo nhw neithiwr neu fe allai hithau fod wedi ei lladd i'w thewi. Roedd y trywydd yn oeri a hwnnw heb boethi rhyw lawer erioed. Teimlai Ithel bod marwolaethau'r tri — Dafydd, Siwan a Jinw— ym Mhont ar Gof yn rhan hefyd. A leddi unwaith, lleddi eto fel nodai'r hen air.

Cyrhaeddodd Ithel yn ôl a chael y stryd yn llawn distawach. Cawson wybod gan y Siryf a oedd yn eistedd ar stôl wrth y corff yng nghwmni dau gwnstabl fod Adwen yn ei gartref o ar hyn o bryd. Nododd hefyd fod y tafarnwr wedi ei guro'n ddu las rywdro ar ôl amser cau. Doedd dim siâp arno.

Taflwyd dwy sach dros Sion i'w arbed rhag llygaid a'r pryfaid duon. Cododd Ithel un ohonyn nhw a gweld bod rhywun, Adwen mwya'r tebyg, wedi croesi ei freichiau dros ei frest, cymaint ohoni ag oedd ar ôl, a chau ei lygaid. Doedd hi'n fawr mwy na thwll a hwnnw wedi ei fframio gan asennau budr-felyn. Bwyell? Gordd? Y moch? Gwyddai Ithel yn iawn am natur farus y rheiny a sut y byddai plant yn mynd ar goll os na fyddai'r meichiaid yn ddigon gwyliadwrus. Byddai'n rhaid cael golwg fanylach a hynny mewn lle oer rhag i'r corff fagu oglau ac aball.

Cafwyd styllen a chaniatâd cyndyn y Siryf i ddefnyddio'r llaethdy unwaith eto. Piciodd hwnnw adref i rybuddio'i wraig ac Adwen. Daeth yn ei ôl gyda bwndel o liain.

'Rhoswch,' meddai'r Siryf wrth i'r ddau gwnstabl godi'r styllen o'r baw a gosod y lliain gwyn dros y ddwy sach. 'Mymryn yn barchusach,' meddai, ac fel ei fod wedyn yn teimlo fod yn rhaid cynnig esboniad eto, 'Hogyn fy chwaer tua'r un oed, wchi.' Cariwyd y corff drwy'r strydoedd distaw, heibio'r degau ffenestri hefo'u llenni a'u caeadau wedi'u cau. Arwydd o barch, ac ymgais ar atal ysbryd yr ymadawedig rhag gweld gwahoddiad. Daeth y pryfaid hefo nhw.

Aeth Adwen cyn wynned â'r amdo wrth weld y ddau gwnstabl yn cario'r corff i'r llaethdy. Aeth y Siryf draw ati a dechrau sgwrsio'n isel. Wnaeth Ithel ddim dweud dim, be allen nhw ddweud i leddfu galar dieithryn? Yn hytrach gofynnon nhw am ddŵr berw gan wraig y Siryf. Gosodwyd y corff ar y llechen a chaeodd Ithel y drws y tu ôl i'r ddau gwnstabl. Roedd yr hyn yr oedden nhw ar fin ei wneud yn gabledd ar y gorau a gallai pobl droi yn hyll iawn dros gorff.

Y peth cyntaf i'w wneud oedd cynnau perlysiau i atal unrhyw heintiau rhag magu. Estynnon nhw fwndel o saets a phenrhudd sych a chynnau digon arno fel bod y dail yn mygu. Ymhen dim roedd y stafell fach yn llawn o'r mwg melys. Byddai'n saffach iddyn nhw fynd at y corff fel hyn ac yn saffach i'r teulu hefyd. Serch hynny estynnodd Ithel am gadach a rhoi arno ddiferyn o beraroglau cyn ei glymu am eu ceg a'u trwyn. Byddai pob amddiffyniad yn talu am ei le heb wybod achos y farwolaeth. Croeson nhw drothwy y llaethdy gyda halen a haearn hefyd, rhag ofn.

Ymysg y werin bobl y goel oedd bod mynd i'r afael â chorff i wneud mwy na'i olchi wedi marwolaeth yn bechod a dim ond y bobl aflan hynny a fentrai at igyrmars neu feirwddewiniaeth oedd y rhai a fynnai weld beth oedd y tu mewn i gorff.

Ond gwelodd Ithel y tu mewn i gyrff droeon yn aml heb fod eisiau gwneud hynny. Ar faes y gad neu wedi lladdfa front gallai rhywun gael syniad go dda o sut beth oedd heibio croen pawb. Darganfyddon nhw fel sawl un arall bod pawb yn o debyg wedi'u hagor, yn yr un modd ag mae hi'n anodd dweud gwahaniaeth rhwng rhes o gwningod a chathod wedi'u blingo. O ddipyn i beth dysgodd rhai bod y corff yn gallu siarad wedi marwolaeth heb unrhyw swyn-gyfaredd. Roedd modd gweld sut fath o arf a ddefnyddiwyd i ladd, er enghraifft, neu ba drawiad oedd yr un tyngedfennol, gadawai wenwyn ei ôl oddi mewn a byddai rhai dulliau o hudo yn gadael eu marc cyn sicred â throed mewn clai gwlyb. Gallai Sion ateb cwestiynau hyd yn oed fel hyn, yn oer ac yn welw ar slabyn o lechen.

Ei olwg o'n gyntaf. Bu farw a'i geg a'i lygaid yn agored, rhaid felly iddo farw'n sydyn neu mewn dychryn. Craffodd Ithel ar ei lygaid, yn y rheiny gallai'r ennyd olaf gael ei dal gyda'r hyn welodd y corff cyn marw wedi ei ysgithro arnyn nhw mor amlwg ag ôl cŷn mewn craig. Ond gan ei bod yn dywyll adawyd fawr ddim ôl ynddynt wrth farw. Siâp tywyll efallai. Rhywun yn sefyll gryn bellter i ffwrdd?

Roedd y breichiau wedi dechrau mynd yn wydn, byddai cyrff yn caledu wrth i wres yr enaid eu gadael a'u hoeri. Ond gallod Ithel eu sythu heb lawer o drafferth. Fu Sion ddim yn farw yn hir iawn felly. Collodd lawer iawn o waed, roedd ei ddillad wedi eu socian gyda hwnnw a chwydredd.

Hyd y gwelai Ithel gyda'r offer elfennol wrth law roedd y pedwar gwlybwr, yr hylifau a oedd yn cadw pob corff yn iach i weld yn iawn, gymaint ag oedd ar ôl. Cymron nhw'r cyfle i archwilio y croen rhag olion ymosodiad neu bla a'i gael yn lân heblaw am grafiad ar y pen-glin a oedd eisoes wedi dechrau gwella.

Yr hyn a fynnai fwyaf o sylw oedd y frest. Neu'n hytrach ei gweddillion. Yn union yn y canol bron roedd twll rhacs na welodd Ithel ei debyg o'r blaen, fwy nag a welsai'r rhai oddi mewn. Edrychai'r cnawd rhwng styllod yr asennau fel ei fod o wedi ei wthio am allan, fel bod rhywbeth wedi crafangio'i ffordd o'r lle fyddai'r ysgyfaint wedi bod. Doedd dim ohoni ar ôl, na chalon chwaith bron ac ymysg y lympiau cnawd a gïau cafodd Ithel hi'n anodd adnabod beth oedd beth.

Wydden nhw ddim am unrhyw greadur nac arf a allai wneud peth o'r fath. Roedd yna chwilod a chreaduriaid a fyddai'n magu mewn cyrff ac yn tyllu ohonynt ond dim a fyddai'n gadael ei ôl mor fuan wedi marwolaeth. Fe glywon nhw unwaith hanes am ddynes a lyncodd wyau siacar goch ac i rheiny ddod i fyny drwy'i gwddw – rhoddodd un arall enedigaeth i gwningod – ond thyllodd yr un o'r rheiny eu ffordd allan drwy'r frest.

Hyd y gallai weld wrth astudio'r esgyrn a gweddillion yr ermigion doedd dim ôl melltith chwaith. Beth am y moch? Doedd rheiny ddim yn poeni rhyw lawer o le oedd bwyd yn dod. Eto cafodd gweddill y corff lonydd a doedd yr un mochyn yn agos ato pan gyrhaeddodd Ithel. Y darnau meddalach, brasach fyddai mochyn yn mynd amdanynt gyntaf.

Wrth gwrs, roedd un peth heb ei bwyso a'i fesur…

Rhoddodd Ithel y perlysiau yn y twll. Byddai'r mwg yn gymorth i arafu unrhyw anfadwch. Fe gaeon nhw y llygaid yn ôl cystal ag y gallen nhw a rhoi cerrig arnynt. Fe olchon nhw eu dwylo yn y dŵr a'i gael o bron yn rhy boeth i'w gyffwrdd o hyd. A'u dwylo bellach yn lân fe roddon nhw'r amdo yn ôl, yna sefyll wrth y corff a meddwl.

Fe wydden nhw am bethau a allai ffrwydro pobl, eu hollti a'u rhannu, eu chwalu'n llwch neu eu troi'n bwdin heb fwy o ymdrech nag anadlu. Eu troi a'u gwasgu i siapiau na allai neb amgyffred. Gwneud pethau a oedd yn gwneud i lanast fel yr un yma o'u blaen edrych fel clais ar goes ar ôl taro ymyl cadair. Ond roedd dyddiau'r Derwyddon, y Duwiau Llawr Gwlad a'r Rhyfeloedd ar ben. Doedd bosib? Gadawyd digonedd o greiriau a chysgodion ar ôl... dyna oedd yr anfadweithiau, dyna oedden nhwythau o ran hynny... ond fan hyn?

Be oedd yn y gist?

'Fel fod rhywbeth wedi ei thyllu hi, cofiwch.' Cododd llais Dana o rhywle. Edrychodd Ithel ar y pant yn yr amdo. Fel bod rhywbeth wedi tyllu...

Daeth sŵn traed wrth y drws a chnoc. Gwthiodd y Siryf ei ben i mewn.

'Wedi holi tystion, meddwl y byddwn i'n sôn wrthych chi.'

'Ia, ia.' Ysgwydodd Ithel eu hunain o'u myfyrio. 'Dewch i mewn, caewch y drws.'

Gwnaeth y Siryf hynny ac aros gan beidio edrych ar y corff orau ag y gallai mewn stafell mor fychan. Amneidiodd Ithel arno y dylai siarad.

'Y Tafarnwr, Dicw Bach, wedi dod ato'i hun yn o lew. Cofio fawr ddim, rhywun wedi ymosod arno fo o'r tu ôl, mae'n debyg, ond mae ganddo fo gof clywed ych yn brefu wrth iddo fo orwedd ar lawr y gegin gefn. Dau o'dd yn y dafarn yn cysgu, y ddau wedi mynd cyn bora. Dau ddyn, un yn dal ac yn foel a'r llall yn fwy crwn, yn fengach, pobol o ffwr. Neb wedi gweld fawr o ddim, un hen wreigan wedi codi a gweld y drol yn mynd am yr afon wedi iddi hi glywed sŵn.'

'M.' Meddyliodd Ithel. 'Sŵn be?'

'Wel, meddwl ei bod hi am storm oedd hi meddai hi. Chlywed hi'n taranu.'

Dacia, doedd hynny'n ddim help.

'Rwbath arall?'

Edrychodd y Siryf ar ei draed. 'Fawr ddim mae arna'i ofn, mae'n ddrwg gen i am hynny, noson dywyll heb leuad erbyn hynny a llond y dre o bobl wedi ca'l boliad o gwrw ar ôl marchnad. Sibrydion, wrth gwrs, meddwl fod yna ryw felltith wedi dod mewn ar y drol. Amheuon gan eraill fod yna anfadwaith wedi dod dros y wal ac wedi cael gafael ar y cradur.'

'Mi allai hynny, ond wedyn, fe aeth y drol, do? Ydi Adwen rwbath i wneud hefo hyn? Be ddwedwch chi?'

Ysgwydodd y Siryf ei ben a thynnu gwynt drwy'i ddannedd.

'Choelia i fyth, mi oedd hi yma pan farwodd o ac mae hi wedi ca'l cnoc er pan glywodd hi.'

Diffuant.

'M.' Hoeliodd Ithel lygaid y Siryf cyn iddyn nhw fynd am dro am y canfed tro. 'A barn bersonol?'

Llyncodd y Siryf. 'Ar lw, does gen i ddim syniad. Mi gawn ni gyrff bob hyn a hyn, anifeiliaid ac anfadweithiau wedi cael gafael ar rywun neu weddillion yn golchi lawr yr afon. Dwi'n cofio dwy lofruddiaeth hyd yn oed, ond dwi heb weld golwg fel'na ar gorff o'r blaen. Ma'n ngheillia fi'n sgrytian wrth fod o fewn pellter poeri iddo fo. Mae o'n annaturiol. Be bynnag wnaeth hynna i hogyn ar ei ora dwi'n gobeithio fod o wedi mynd ymhell o 'ma ar y llong ddiarth.'

Gonest. Ofn. Pryder.

'Hud?' holodd Ithel.

'Fedra i'm meddwl am ddim arall.' Ac er nad oedden nhw am gymryd arnynt i gytuno fedrai Ithel ddim cael gwell casgliad na'r Siryf ar hyn o bryd.

Daeth plant un o'r cychwrs i dŷ'r Siryf erbyn trydedd awr y p'nawn i ddweud byddai cwch wedi'i drwsio'n fuan. Daeth â'r ddau ych hefo fo hefyd a rheiny'n cnoi eu cil yn braf. Roedd Ithel wedi bod yn crwydro ac yn holi'r holl dystion eu hunain, gan gynnwys yr hen wraig glywodd daran, a heb ddod yn ôl ers yn hir iawn. Gallen nhw ddilyn y gist yn fuan eto er ei bod ymhell ar y blaen bellach. Teimlai Ithel fel rhywrai yn ceisio gwagio pwll dŵr hefo basged wellt.

'Dwi'n claddu Sion a dwi'n dod hefyd' meddai Adwen wrth i Ithel gasglu'u pethau. Roedd hi'n eistedd wrth y bwrdd hefo'r plentyn welodd Ithel wrth y drws noson cynt ar ei glin tra'r oedd gwraig y Siryf yn troi bara ceirch ar y radell uwch ben y tân.

'Fedran ni ddim aros yn hwyrach i gladdu neb.'

'Ddowch chi byth i waelod y peth hebdda'i. Dwi'n gwybod sut olwg oedd ar y rhai oedd i fod i'n cyfarfod ni. Mi fedra'i helpu! Ond wedi imi gladdu Sion, dim cynt.'

Pendant.

Byddai'n rhaid bod yn wyliadwrus, doedd dim sicrwydd bod Adwen mor barod i helpu ag oedd hi'n honni ond chafodd Ithel mo'r cyfle i'w holi hi'n iawn. Roedd hi'n ddigon call i wybod y byddai ei chwmni yn fantais iddyn nhw. Gan ei bod hi wedi arfer teithio fyddai hi ddim yn 'rafu llawer ar y daith chwaith.

'Mi allwch chi,' cynigodd y Siryf 'wneud paratoadau, y'ch dau.' Cymrodd y plentyn gan Adwen a rhoi cwpanaid o gwrw iddi, cynigodd un i Ithel ond ysgwydon nhw'u pen. 'Mi wnaiff yr offeiriad bob peth er tegwch i'r ymadawedig os adewch chi'r corff hefo fo. Dim ond ei ddanfon o fydd angen wedyn. Mi fydd rhaid i chithau baratoi at y daith, Ithel. Fe a'i hefo Adwen, fyddwch chi ddim yn colli llawer o amser wedyn. Erbyn hynny bydd y cwch yn barod.'

Byddai'n gallach peth i Ithel hel pethau at ei gilydd cyn mynd wrth gwrs. Dyn a ŵyr be'n union fyddai ei angen ond roedd y tiroedd tu draw i'r afon yn wylltach, byddai'n talu i baratoi'n drylwyr.

Gallai colli chydig o amser i baratoi ennill peth yn y pen draw. Trafodon nhw gyda'r rhai oddi mewn a'u cael nhw, at ei gilydd, yn gytûn.

Pwyll. Paratoi. Chwalodd y sibrydion eu ffordd drwy bwll du eu hisymwybod.

'Tydi'r eglwys ddim yn bell?' holodd Ithel.

'Dau gam, mi welsoch chi hi, debyg?'

Dyna ni felly. Byddai'r ddau gwnstabl yn cario'r corff at yr eglwys. Tra'r oedden nhw'n gwneud hynny byddai Ithel yn hel manion at y daith. Byddai gweision y Siryf yn llwytho'r cwch ac yn morol fod popeth yn barod. Hwylio wedyn i ddilyn y llong os oedd modd, helfa, a diwedd ar yr holl helynt gyda gobaith. Yr unig fater oedd dod o hyd i geffyl ar fyr rybudd a hwnnw'n geffyl marchogaeth. Nid ar chwarae bach oedd cael rhywun yn fodlon gwneud i ffwrdd â chaseg neu farch o werth. Fe fwriwyd yn y diwedd i ffeirio am yr ychain dros dro gyda'r addewid o ddod â'r ceffyl yn ôl wedi cyrraedd pen y daith. Byddai hwnnw'n gwneud i Adwen, o ran Ithel byddai'n rhaid i Medwyn ddal ati am sbel eto.

Mynnodd Adwen fod yn un o'r rhai i gario y corff o'r tŷ. Wrth i'r criw gerdded y strydoedd sylwodd Ithel ar y rheiny a oedd allan yn gwneud symudiadau bach gyda'u dwylo neu'n dal creiriau at eu calon i'w hamddiffyn. Gadawon nhw i'r daith g'nebrwng fynd heibio a mynd i chwilota am siop.

Wrth grwydro dechreuodd Ithel feddwl am y daith. Gallen nhw gymryd y byddai beth bynnag a laddodd Sion, a Dafydd y Gof a'i deulu yn aros amdanynt. Efallai mai dyna oedd yn y gist, neu fod gan y sawl oedd yn morol amdani rywbeth yn eu meddiant. Y drwg oedd nad oedden nhw'n gwybod yn iawn beth fyddai hwnnw. Ac roedd pethau eraill wrth gwrs, yn anfadweithiau a phobl, yn crwydro.

Byddai pob cenhedlaeth yn dweud fod pethau'n gwaethygu – bod y lonydd yn crebachu, y pentrefi yn crino a'r pethau hynny a oedd ar ymylon y byd yn gwthio'n nes at ei ganol. Dyna oedd pwrpas yr hen a'r chwerw, ond fedrai Ithel ddim gwadu nad oedd mymryn o wir yn y sgyrsiau a fyddai'n cronni wrth ochrau llefydd tân. Fe welon nhw beth o'r newid eu hunain. Roedd Ithel, a'r rhai oddi mewn, wedi bodoli'n hirach a gweld mwy na phobl a phethau arferol. Mewn Gwigyn roedd rhychwant profiad ymhell y tu hwnt i hyd yn oed yr hen begors mwyaf crebachlyd.

Dyna eleni, er enghraifft. Cododd haid o gyrff cerdded o gae claddu dri mis yn gynt nag unrhyw dro arall y clywodd Ithel amdano fo. Roedd sôn bod ellyll yn bla hefyd. Profai Bendith y Mamau'r adwyon i'r byd yn amlach ac amlach ers degawdau. Nawr, oedd rhywbeth arall wedi ymddangos?

Doedd pensynnu ddim am helpu neb.

Os nad oedd rhywun am dorth, pei, defnydd, neu bethau at gysur bywyd, doedd y farchad yn fawr o gymorth. Mêl rhag clwyfau oedd yr unig beth gododd Ithel. Doedd y siopau fawr gwell. Fe helion nhw gig wedi ei sychu, bara caled a phys sych, digon i ddau rhag ofn nad oedd gan Adwen ddim. Wedi sbeuna a holi daethant o hyd i siop a oedd yn gweddu'n well a honno yng nghefn ali a ogleuai o biso cath a phobol. O'i blaen ar garreg wastad roedd ffigwr wedi ei gerfio o bren o ddyn bach yn dal pysgodyn cymaint â fo ac un arall yn sefyll gyda throed ar gorff arth. Agoron nhw'r drws gan roi hergwd iddo gan fod y gwaelod yn crafu'r llawr clai.

Doedd y siop hon ddim wedi gwerthu fawr o ddim ers hydoedd os oedd y llwch ar rai o'r manion tu ôl i'r cowntar yn dyst dibynadwy. Doedd rheiny'n ddim ond gwialenni pysgota ar y waliau a chist hefo clo cymaint â hi bron ar silff. Hongiai crwyn ar wal i'r chwith tra bod yr un i'r dde wedi ei haddurno gyda phethau difyrrach – crafanc a edrychai fel un gwyllyn, pen danheddog gyda label 'Gwrach y Rhibyn' oddi tano, ond pren oedd o, roedd Ithel yn eithaf sicr o hynny. Fe gerddon nhw at y cowntar a gosod darn o bres ar y pren gan fod sŵn felly yn well am ddenu siopwr na chloch. Daeth dyn gyda llygaid hŷn na'i wyneb o'r cefn, gwenodd wên denau a thynnu ffedog amdano.

'Fedra'i fod o gymorth?'

Edrychodd Ithel o'u cwmpas.

'Gobeithio, 'dan ni am fynd ar daith go hir, ac isio trapia.'

'Am hela?'

'Ella wir.'

Estynnodd y siopwr groglathau cwningod.

'Rhei mwy, i ddal eirth ddudan ni.'

'Do's 'na'm eirth nes i chi gyrraedd Mynydd Pen Duw.'

Pam felly, meddyliodd Ithel, fod dyn yn sefyll ar ben un tu allan?

'Trapia eirth yn gneud i wyllion, ellyll a phetha' tebyg.'

Rhoddodd y siopwr wên arall, un a oedd wedi pesgi rhyw fymryn ers y tro dwythaf. Serch hynny, gwelodd Ithel ei law yn gwneud arwydd amddiffynnol o dan y cownter.

'Gwigyn mi fentra'i. Mi oeddwn i wedi clywed bod un wedi cyrraedd.'

Saib go hir.

'Dwi'n ddyn gonest, wyddoch chi,' meddai'r siopwr eto.

'Tydi pob un.'

'Talu'r degwm fel pawb.'

Saib eto.

'Trapiau,' meddai'r siopwr wedyn gan foesymgrymu. Aeth i'r cefn.

'Mi fedar unrhyw rai ddal anfadwaith mewn trap,' galwodd Ithel.

Daeth y siopwr o'r cefn gyda baich o fetel sgrap.

'Ddigon gwir, ond prin ydi'r rhai fyddai'n mentro ac wedi i mi glywed eich bod wedi cyrraedd, wel… Chwilio am lofrudd hogyn y drol ydach chi?' Gollyngodd y siopwr ddau drap milain yr olwg ar y cowntar mewn cawod o rwd.

'Bosib iawn. Sut gwyddoch chi mai llofrudd wnaeth?'

Llyncodd y siopwr yn sydyn. 'Y, wel, clywad sôn, ynde. Wchi… os ydi rhywun yn cael ei ladd ma rhywun yn meddwl am lofrudd, tydi?'

Panig. Ofn. Dieuog.

'M,' atebodd Ithel. 'Do's 'na'm byd gwell?'

'Y, o, ym. Hyn neu ddim, mae arna'i ofn, petha 'sgota fydda i'n werthu dyddia 'ma, ma'r wraig yn plethu cewyll cimychiad ac yn mynd â nhw i'r afon i werthu. Tydi'r môr ddim yn bell wy'chi. R'wbath arall?'

Rhedodd Ithel eu bawd ar draws y metal a meddwl. Bydden nhw'n mynd at raffwr cyn cymryd hyd yn oed edau o le chwain fel hwn ond roedd rhai pethau na allai ond eu cael oddi yma.

'Cwyr a saim i drio llacio mymryn ar y metal sgrap 'na...' Fe gofion nhw am anrheg Dana. 'Bolltiau, neu gwareli albras ysgafn os oes gynnoch chi rei. I saethu felly.'

Aeth y siopwr i'w nyth i dyrchu eto. Daeth â chasgliad o gwareli o bob maint gyda'r rhan fwyaf ohonyn nhw'n edrych fel saethau pren byrrach na rhai bwa a thynnodd Ithel yr albras i weld be fyddai'n gweddu orau. Fe sylwon nhw fod y siopwr yn sbio'n arw ar y teclyn. Heb weld cystal peth erioed efallai. Dewision nhw rai fyddai'n gwneud y tro ar binsh ac wedi talu aethon nhw at yr eglwys.

Ar eu ffordd aethant heibio rhaffwr a galw ar stondin perlysiau sych i gau'r bylchau a gododd yn eu storfa ar y daith. Gallen nhw godi rhai pethau wrth fynd hefyd. Roedd Ithel yn falch o gymorth Medwyn, byddai'n haws o'r hanner cario pob dim gyda cheffyl. Roedd sachyn, sgrepan, a'i arf yn lwyth go hegar heb gymorth.

Chafodd Ithel ddim trafferth dod o hyd i'r eglwys a chroeson nhw'r maes gan frasgamu a sylwi fod llygaid pobl yn eu dilyn nhw bellach. Edrychai'r adeilad fel ei fod yn ei gwman, yn llechu tu ôl i'r wal gron a'r coed o gwmpas y fynwent. Tyfai'r rhan fwyaf o'r rheiny wysg eu hochr – rhaid ei fod o'n le go amlwg felly a bod yr eglwys yn ei lle ymhell cyn muriau'r dref. Lle bach at wasanaeth y gymuned yn hytrach na phererinion oedd hi ond yn daclus iawn serch hynny gyda'r to gwellt yn weddol newydd a'r waliau pren wedi eu peintio'n lled-ddiweddar.

Doedd dim rhaid wrth waliau cerrig, er bod y bodau mawr yn amddiffyn y rhai a amddiffynna eu hunain yn ôl yr hen air. Cynigai tir sanctaidd loches y seintwar, llawn cystal â charreg neu haearn.

Arweiniai llwybr bach wedi ei ochri gyda phabi i fyny o'r maes at wal yr eglwys. Gobeithiai Ithel na fyddai Adwen yn hir, byddai croesi wal eglwys i'w nôl yn siŵr o roi pendro iddyn nhw fel pob Gwigyn – doedd yr hen grefydd a'r ffasiwn newydd ddim yn llawer o ffrindiau.

Camfa gerrig, nid porth, oedd yn mynd i'r fynwent ac wrth ochr honno roedd ffynnon gyda mainc uwchben y dŵr claer. Y tu draw i'r wal, ymysg y borfa fras diwedd haf roedd y Siryf yn sefyll wrth ymyl bedd. Cododd ei ben a daeth at y wal gan synhwyro efallai fod Ithel yn gyndyn o'i chroesi os nad oedd rhaid.

'Mi adewish i iddyn nhw,' meddai, 'a mynd heibio Mam a Nhad. Heb offrymu dim i'r ddau hen dlawd erstalwm. Twymyn llynadd, gafodd y ddau fynd hefo'i gilydd.'

'O,' meddai Ithel, ac oedi. 'Fydd hi'n hir eto?' Pwysodd y Siryf ar y wal.

'Mi fydd cyn hired â sydd rhaid. Tydi pawb ddim mor gynefin hefo marwolaeth ag ydach chi.' Oedodd. 'Dim amharch i chi chwaith, siŵr iawn.'

'Siŵr iawn,' atebodd Ithel a phoeri i'r chwyn. Yna fe oedon nhw. 'Ddrwg gennom ni glywed am y'ch rhieni chi.'

'Diolch.'

Safodd y ddau yn gwrando ar sioncyn gwair yn rhincian canu. Y tu ôl i'r Gwigyn gwelai'r Siryf awyr las ac esgobion gwynion y cymylau'n gwibio heibio fel bod gwynt lond eu gwisgoedd. Pigodd ddarn o gen oddi ar y wal.

'Dwi wedi gwneud cofnod o'ch ymweliad chi â'r dref. Gobeithio medra'i nodi fod yr achos wedi ei ddatrys maes o law.'

'M. Ydi'r offeiriad yma'n bendithio?'

'Ydi, wrth gwrs. Ydach chi am i mi holi?'

'Na, mi wnawn ni.' Oedodd Ithel eto, ''Dach chi wedi gwneud hen ddigon, diolch.'

Dringodd Ithel dros y gamfa, a difaru'n syth.

Roedd y cysgod yn yr eglwys yn braf a bron y gallai Ithel daeru bod hynny'n lleddfu ychydig ar y gwayw tu ôl i'w llygaid. Teimlai eu pen fel ei fod yn llawn tywod gwlyb a hwnnw'n curo. Gosodwyd Sion ar lawr pridd yr Eglwys o flaen yr allor lle penliniai Adwen. Cymrodd Ithel y byddai'n well aros ond gwnaethon nhw ddigon o sŵn wrth gamu drwy'r drws fel ei bod hi'n gwybod eu bod nhw yno. Doedd dim golwg o'r offeiriad felly trodd Ithel ac astudio'r paentiadau ar y wal. Uwchben y bedyddfaen safai sant gyda ffon ar fryn yn gwasgaru golau dros griw o ellyllon i'w llosgi, y bryn hwn, yn fwy na thebyg. Llwyddodd y peintiwr i ddal llygaid yr ellyll yn o lew, meddyliodd Ithel. Wrth fynd yn nes at yr allor roedd lluniau o'r Fugeiles, Angau, y Distryw a byddinoedd y Bendigaid Eurbab. Doedd nifer o'r rheiny ddim mor agos at eu lle.

Fe deimlon nhw newid yn yr aer y tu ôl iddyn nhw a throi a gweld yr offeiriad. Dyn byr, moel gyda chreithio'r frech wen yn eglur ar ei wyneb. Edrychai'n debycach i falwen na dim arall gyda'i wddw'n ymestyn yn hir o'i diwnig bras. Defnydd go debyg i sach oedd honno gyda tsiaen drom ar ei chanol. Synnodd Ithel na chlywon nhw'r tsiaen wrth i'r offeiriad ddod yn nes ond wedyn rhyw bethau slei oedd pobol crefydd.

'Fyddech chi'n teimlo'n well wrth sgwrsio dros y mur, gyfaill?' holodd yr offeiriad. Roedd ei lais yn ieuengach o lawer na'i olwg. 'Prin ydi'r anfadweithiau fedrith droedio yma'n gyfforddus, os o gwbl. Nid eich bod chi'n anfadwaith chwaith... Mi adawn ni lonydd i'n chwaer am ennyd.' Llusgodd ei draed am wres y p'nawn heb ddisgwyl ateb ond wedyn, meddyliodd Ithel, roedd pobol duwiau wedi arfer heb gael rheiny. Roedd o'n cerdded gyda henc hefyd, ôl y clefyd efallai.

Gafaelodd yr offeiriad yn ysgwydd y Siryf wrth basio, roedd y ddau yn hen gyfarwydd â'i gilydd yn amlwg. Teimlai Ithel yn well cyn gynted ag yr aethon nhw dros y gamfa ond o brofiad fe wydden nhw y cymerai sbel i bethau setlo'n iawn. Rhaid bod yr offeiriad wedi cael Gwigyn ar dir sanctaidd o'r blaen. Aeth ati i drafod telerau claddu Sion wrth i Ithel osod llinellau'u meddwl at ei gilydd eto. Rhedodd yn fanwl drwy'r gweddïau ac offrymau fyddai'n digwydd ar ei ran am dridiau a'r bendithio fyddai'n angenrheidiol. Bu'r perlysiau yn help, meddai, er nad oedd o'n gallu dweud gyda unrhyw fath o sicrwydd beth yn union a chwalodd gorff yr hogyn heblaw ei fod o'n rhywbeth 'aflan'.

A thra'r oedd y ddau yn trafod bendithion cafodd Ithel y rhai gorau y gallen nhw dalu amdanynt. Tri i amddiffyn rhag afiechyd, niwed a lwc ddrwg gyda'r gweddïau wedi eu hailadrodd dro ar ôl tro dros ei gilydd mewn inc ar risgl bedwen yn hytrach na rhywbeth mwy gwydn. Byddai bendithion o'r fath yn atal rhywun rhag troi ei droed neu'n gwneud gafael haint yn fwy llac. Gallai Brenin gael bendith i atal saeth rhag taro neu i droi lladron ymaith ond hyd yn oed wedyn doedd bendith ddim yn sicrwydd. Doedd hyd yn oed yr hen seintiau ddim yn gwbl saff rhag peryglon teithio.

'Does gen i fawr o ddim cryfach y medrwn i ei gynnig i

chi yn enw gwasanaethu'r Gyfraith,' meddai'r offeiriad gan ochneidio, 'rhaid cadw'r creiriau yn yr Eglwys er amddiffyniad y dref a'i phobl.' Sylwodd Ithel ar leoliad y rheiny y tu ôl i'r allor mewn bocs pren pan oedden nhw'r tu mewn a'r teimlad o bwys yn colbio ei ffordd ohono. Digon teg, meddyliodd Ithel, pe byddai muriau allanol y dref yn cael eu gorchfygu gan anfadwaith, yma fyddai pawb yn dod. Byddai'r seintwar yn cadw pawb yn ddiogel, pawb a fedrai ffitio i'r hances boced o fynwent beth bynnag.

'Ond ewch â dŵr o'r ffynnon. Mae hi, ar achlysur, yn ddihafal am wella clwy.'

'Diolch,' atebodd Ithel, roedden nhw wedi gorfod gwneud hefo llawer llai cyn heddiw.

Gwenodd yr offeiriad a phlygu i godi chwynnyn o'r llwybr. Taflodd o dros y wal heibio Ithel. Doedd dant y llew ddim ymysg y cadwedig rai, mae'n debyg.

'Rydw i a chithau yn weision trefn, a'r ddau ohonom,' meddai wrth afael am y tsiaen a'i hysgwyd, 'ynghlwm i'n pechodau.'

'Tydi pawb?' atebodd Ithel heb sôn nad oedd pawb yn gwneud sioe ohonyn nhw wrth glymu tsiaen am eu canol. Faint o bechu oedd yn rhaid i wneud dolen dybad? Clywon nhw am rai mynaich a oedd yn sownd wrth tsiaen wedi ei chlymu i abaty am oes gyfan.

Gwelodd Ithel Adwen yn dod o'r eglwys a'i llygaid yn cau'n reddfol wrth ddod at olau dydd. Daeth at y gamfa a gwasgu arian i law'r offeiriad.

'Diolch i chi,' meddai. Yna trodd at Ithel, 'Barod?'

Aeth y ddau at y cei.

Cododd un o'r cychwyr law ar y tri wrth iddynt ddod o fewn golwg i'r afon, eisteddai un arall gyda'i draed yn y dŵr. Cwch llydan, gwastad oedd o, gydag ochrau digon isel. Fflat cargo a allai fynd ar afonydd a'r môr fel ei gilydd. Un a oedd yn ôl golwg y dec yn cario da byw gan amlaf. Roedd paent ar drwyn y cwch yn nodi mai'r Ladi Werdd oedd enw'r casgliad o styllod cachlyd. Doedd yr hwyliau ddim wedi eu gollwng a gwelodd Ithel mai gyda pholion yn ei wthio ar hyd gwely'r afon fyddai cwch yn teithio am ran gynta'r daith. Daeth y llong-lywydd draw a moesymgrymu. Pedrog oedd ei enw a braint yn wir oedd cael cynorthwyo'r Gyfraith, meddai, a braint fwy fyddai cael rhoi stid i'r gingron ddifethodd ei gwch o. Braint yn wir, atebodd Ithel, fyddai cael cychwyn ar yr afon cyn iddi hi nosi a dod yn Ŵyl Mabsant.

Llwythwyd y ceffylau a'u clymu. Llaciwyd y rhaffau a gwthiwyd y cwch i ganol yr afon gan y criw, sef plant Pedrog a edrychai fel eu bod nhw'n eu harddegau hwyr. Roedd y ddau, mab a merch, Rhirid ac Eira, o bryd tywyll fel eu tad ac mewn dillad ysgafn, golau. Torrwyd gwalltiau'r ddau yn fyr ac roedd hi'n amlwg eu bod nhw'n hen gynefin â bod ar fwrdd cwch. Ffarweliodd y Siryf gan sefyll ar y lan yn chwifio'i ddwylo a rhedodd plant ar hyd y lan tan iddyn nhw flino. Diflannodd Llanfarudd ac agorai'r afon o'u blaen.

Pennod 7

Eisteddai ITHEL AR flaen y cwch gan wrando ar y dŵr a sŵn y gwynt rhwng y rhaffau. Roedd hwnnw'n ffafriol ac roedd hynny, ynghyd â llif da yn yr afon, wedi lleddfu mymryn ar eu pryderon. Chafodd y llong ddim cystal gwynt meddai Pedrog y llong-lywydd ond perswadiodd Ithel iddo ddal ati ar yr afon drwy'r nos. Doedd y criw ddim yn or-hoff o hynny ond chwynon nhw ddim yn eu clyw nhw. Daliodd Ithel ati i sgwrio'r trapiau hefo brwsh garw. Byddai'n rhaid hogi'r dannedd wedi gorffen gwneud hynny, ond roedd gwaith felly wrth eu bodd. Wydden nhw ddim beth i'w ddweud wrth Adwen, heblaw am holi mwy arni a byddai amser i hynny eto.

Bob hyn a hyn, wrth i'r cwch wthio'i ffordd lawr yr afon, byddai Llamhigyddion y Dŵr yn codi gyda'i ochr i ddal mymryn o aer o dan eu hadenydd cyn crawcian a llithro'n ôl dan y wyneb. Gwelodd Ithel ambell gocŵn ladi wen yn hongian o frigau'r coed agosaf at yr afon ond roedd hi'n rhy gynnar iddyn nhw agor, a hyd yn oed wedyn, denu teithwyr yng ngolau'r lleuad fyddai rheiny'n wneud, nid ymosod ar gychod. Roedd afon yn llawn haws nag unrhyw ffordd arall o deithio, ac yn fwy diogel hefyd.

Arhosodd Adwen hefo'r ceffylau, a'r ci oedd wedi aros wrth y drol yn bygwth brathu pawb nes iddi dod i'r golwg. Cymrodd Adwen ei fod wedi mynd ar goll neu wedi ei ladd, felly doedd ryfedd iddi hi neidio oddi ar ei cheffyl cyn iddo fo aros bron pan welodd hi'r ci yn ysgwyd ei bwt o gynffon. Cafodd gyfle i chwilota'r drol hefyd, gyrrodd bethau Sion yn ôl hefo'r Siryf ond cadwodd y bwyd oedd ar ôl arni. Ers iddi fyrddio'r cwch, rhwng y ceffylau a'r ci, cadwai'n ddigon diddig ond gwyddai Ithel mai cadw'n brysur oedd hi. Gorau oll po fwyaf o lonydd y gallen nhw gynnig iddi.

Daeth y corgi heibio a snwyro traed Ithel. Digon gwyliadwrus oedd o o bawb yn enwedig Gwigiaid yn ôl pob golwg. Eto, wrth i Ithel edrych arno wnaeth o ddim ffyrnigo a sylwodd Ithel ar ei drwyn. Dafn bach o waed wedi sychu, ac yna'i geg...

'Be sgen ti'n fana?' holodd gan estyn at y ci. Dechreuodd hwnnw chwyrnu ond teimlodd Ithel ei bod hi'n werth mentro. Fe lwyddon nhw i estyn un llaw yn ddigon agos i'r ci allu ei synhwyro tra bod y llall uwchben ei war. Gyda phlwc sydyn fe roddon nhw eu bys rhwng dannedd y ci a'i ddal gerfydd ei war am ennyd, digon i dynnu rhywbeth o'i geg. Yna, daliodd Ithel o nes iddo roi'r gorau i geisio brathu cyn ei droi at Adwen a'i ryddhau. Roedd hi'n sefyll yn syn yn edrych arnyn nhw. Rhoddodd y ci sgyrnygiad cyn ei phlannu hi at ei feistres heb ei fod yntau nac Ithel fawr gwaeth. Edrychodd Ithel ar be dynnon nhw rhwng dannedd y corgi. Ynghanol y glafoer roedd darn hir a thenau o ddefnydd, gwlanan goch tywyll wedi ei gwehyddu'n glos. Er gwaetha bod mewn safn ci ers oriau gallen nhw ddweud ei fod o'n ddefnydd da. Difyr. Estynnon nhw am eu sgrepan a chwdyn bach gwag a'i osod ynddo.

Wfftiodd Adwen a rhoi mwythau i'r ci. Er mai digon oer oedd pethau rhyngddyn nhw roedd hi eisoes yn tynnu'i phwysau. Edrychodd Ithel arni. Roedd hi wedi pwysleisio eto, droeon, na wyddai hi beth oedd y cargo, na dim byd am farwolaeth y gof. A theimlai Ithel ei bod hi'n dweud y gwir. Doedd ganddi chwaith ddim syniad pwy allai fod wedi lladd Sion. Cyfarfod y rhai a oedd wedi trefnu cwch wrth y cei oedd y bwriad a wyddai hi ddim am enw rheiny, dim ond eu golwg. Un mewn coch ac yn foel, a'r llall mewn melyn gyda barf hefo fforch ynddi. Wedi iddyn nhw estyn dau dwb o stwnsh ffa a bara caled i rannu o'r caban mentrodd Ithel holi mwy. Pigo braidd wnaeth Adwen a rhoi'r rhan haelaethaf o'r bara i'r ci. Cafodd Ithel gadarnhad ei fod o, fel y rhan fwyaf o'i frid yn hen beth snaplyd, annifyr. Doedd yr hambygio ganddyn nhw ddim wedi helpu o ran hynny.

'Dafydd ddaeth draw i'r tŷ 'cw yn chwilio am nhad, am i rywun fynd i Lanfarudd i gludo trol yn ôl i'w fistar o, hwnnw dalodd am be oedd yn y gist. Dad 'di marw me' fi. Mi o'dd yn ddrwg gan ynta glywad ond am fod hynny 'di difetha'i blania fo'n fwy na dim. Cynnig y gwaith i mi wedyn.'

'Pam hynny?'

'Am mod i wedi arfar neu am nad oedd ganddo fo neb arall mewn golwg. Doedd gen inna ddim gwaith, ddim y tymor iawn i symud dim ar hyn o bryd. Doedd Llanfarudd ddim yn bell iawn, ond mi gymrodd fwy na'r disgwyl o achos y tywydd cachu. A mwya gwirion mi wnes i dderbyn y cynnig a gwironach fyth, mi, y, mi es â Sion hefo fi.'

Trodd Adwen at y ci am sbel, arhosodd Ithel.

Pwyll.

'Oedd o'n perthyn i chi?' holon nhw wedyn.

'Oedd, rhan o'm tylwyth i. Cyfyrder. A mi lladdish o.'

Petae petasa, y dau air casa meddai Gwen oddi mewn iddyn nhw, roedd hi'n un dda hefo'i gwirebau. Gwelodd Ithel amryw un yn beio'i hun am drychineb. Doedd dim gwerth mewn meddwl felly. Nid y fam a adawodd ei mab fynd i ryfel oedd yr un a roddodd waywffon drwy'i fogal o, nid y tad a yrrodd y plentyn i edrych ar ôl y defaid agorodd geg y blaidd a'i gau o ar ei wddw. Roedd pethau'n digwydd am mai dyna ddaru ddigwydd, a doedd dim esboniad heblaw am hynny. Gwelodd Ithel bobl yn colbio eu hunain yn y stryd i atal pla neu weddïo am yr hyn a'r llall, a'r un heb ddeall nad oedd llinyn syth rhwng dim bron.

'Y sawl sy'n euog a ffy,' meddai Ithel o'r diwedd. 'Nid y chi lladdodd o, y llofrudd wnaeth hynny, ac mi grogith hwnnw yn y man neu dalu'n iawn i chi a gweddill eich tylwyth. Bai troseddwr ydi trosedd.' Heb drafod wrth gwrs, meddyliodd Ithel, eithriadau. Y rheiny sy'n dwyn am eu bod nhw'n llwgu tra bod meistri tir yn hawlio canran o'u cynhaeaf nhw i besgi a'r cant a mil o enghreifftiau eraill. Teimlon nhw wayw yn eu hesgyrn. Nid lle Gwigyn oedd cysidro'r fath bethau.

Digon o holi am heno, aeth Ithel yn ôl at eu trapiau. Wrth iddi nosi daeth yn hysbys i bawb bod Pedrog yn gantor os nad oedd o'n sgwrsiwr. Chlywodd Ithel mo'r gân o'r blaen a dysgodd yn o fuan mai baled am longddrylliad erchyll oedd hi. Aethon nhw'n ôl i sgwrio'u trapiau.

Daeth y cwch i'r aber wedi iddi nosi. Er ei bod yn dywyll synhwyrodd Ithel newid yn y symud o dan droed a'r oglau gwymon. Rhoddon nhw gynfas o'r sachyn dros eu harf a'r trapiau rhag heli, a gwrando ar y môr gan lacio wrth i'r tonnau rwnian ymlaen.

Aethon nhw i'r caban cyn noswylio. Dalion nhw ambell friwsionyn o sgwrs wrth nesu, y daith, hanesion a chellwair, ond fe wywodd honno pan ddaethon nhw at y drws. Bychan oedd y caban hefo digon o le i fwrdd, a chasgen ddŵr croyw a rhyw ddwy droedfedd o led cerdded o gwmpas rheiny. Caban dros dro oedd o hefyd gyda waliau crwyn yn hawdd i'w symud yn dibynnu ar y cargo. Wrth i Ithel edrych i mewn, trodd llygaid oddi wrthyn nhw. Er i'r sgwrs geisio cael gwreiddiau wrth sôn am y tywydd, methu fu ei hanes hi. Cymerodd Ithel gwpanaid o'r dŵr, a mynd yn ôl tua'r dec. Wedi iddyn nhw fynd yn ddigon pell, fe glywon nhw chwerthin. Meiniodd yr awel. Ceisiodd Ithel orffwys.

Gorweddai Adwen gyda'i chefn at fwrdd y cwch yn wynebu ei hochrau hi. Yn ei chôl yn belen fach boeth oedd Gel y corgi ffyddlon yn swatio. Prin oedd o'n symud, dim ond i godi ei ben i chwyrnu ar unrhyw rai fyddai'n mentro'n rhy agos. Cnodd Adwen ewin ei bawd heb lawn fod yn ymwybodol ei bod yn gwneud hynny. Erbyn hyn, hefo'r holl waith llwytho neu drin ceffylau ar ben doedd dim i'w wneud ond gorwedd. A meddwl.

Poerodd ddarn o'r gewin o'i cheg. Be fyddai hi'n ddweud wrth fam Sion? Roedd Bodo Rhiain wedi colli dau blentyn pan oedden nhw'n ddim o beth yn barod ac yn dal i gario'r rheiny ar ei chlun er nad oedd pawb yn sylweddoli hynny. A'i chwiorydd o? Elen, Betsan, Camri a Megw fach, go brin y byddai un ohonyn nhw'n gwneud cymaint ag edrych arni. Heb sôn am Irwg wedi colli ei fab ar ben galaru am ei fywyd ei hun yn sownd yn y groglofft ar ôl y pwl dwythaf o salwch cricmala.

Meddyliodd am gyrraedd y bwthyn yn y pant yng nghysgod prysgwydd a'i do brwyn o'n fwsog byw. Y llwyni hen ŵr bob ochr i'r drws yn symud yn ddiog yn yr awel ac ieir yn crafu ar y buarth pridd. Megw'n rhedeg allan efallai gan ei bod hi'n clywed sŵn traed Adwen, Gel yn rhedeg ati, a Megw ar ôl hel mwythau hefo'r ci yn holi Adwen hefo'i llygaid lle oedd ei brawd mawr. Bodo Rhiain yn dod i'r drws yn sychu ei dwylo ar ei brat ac yn gwybod cyn i Adwen ddweud dim bod ei hogyn bach hi wedi ei gladdu mewn lle diarth.

Teimlodd fel chwydu'n fwyaf sydyn. Fel bod rhywbeth yn ei chrombil eisiau chwalu am allan. Nofiodd yr atgof o weld corff Sion ati drwy'r tywyllwch a chaeodd ei llygaid er nad oedd hynny'n helpu o gwbl. Er ei bod hi'n gallu gweld y peth mor eglur doedd hi chwaith ddim yn gallu coelio ei fod o wedi mynd. Dim ond y bore 'ma oedd hynny. Teimlai fel fod yr holl beth mewn bywyd gwahanol rhywsut. Gwnaeth Gel ryw sŵn roedd Adwen wedi ei gymryd erioed am ochneidio a stwffio'i drwyn yn erbyn ei llaw. Mwythodd o.

A dyma hi ar yr un perwyl â Gwigyn, neu berwyl tebyg. Gwigyn; rhywbeth nad oedd neb yn eu iawn bwyll eisiau dod ar ei draws. Roedd y ffordd y byddai Ithel yn edrych arni, ar bawb, weithiau yn codi cryd arni. Edrych drwy bobl ond gan weld pob dim hefyd. Yn bell weithiau, yn gweld a chlywed pethau nad oedd neb arall. Oedd y straeon yn wir? Mai llwyth o bobol wedi eu gweu at ei gilydd oedden nhw? Eu bod nhw'n gallu clywed oglau pobl euog? Eu bod nhw'n gallu troi y Gyfraith i siwtio pa bynnag berwyl oedden nhw arno fo? Efallai bod Ithel wedi ei thrin hi'n ddigon teg, ond doedd hi ddim yn ymddiried ynddyn nhw. Ond, ar hyn o bryd beth bynnag, roedden nhw a hithau ar ôl yr un bobl a byddai Adwen yn ysgwyd llaw hefo unrhyw ddiafol neu anfadwaith i gael gafael ar y rheiny.

Blasodd waed hearanaidd-hallt, roedd hi wedi cnoi gormod unwaith eto. Gwasgodd ei bawd rhwng cledr ei llaw a'i bysedd a cheisio cysgu.

Pennod 8

SGUBODD ITHEL eu llygaid ar draws y môr llonydd. Ers iddi ddechrau gwawrio roedden nhw wedi bod yn ceisio gweld unrhyw arwydd o long rhwng y tir a'r gorwel. Chymrodd Adwen ddim yn hir nes iddi hithau godi a syllu ar y tir a'r tonnau am yn ail er iddi gyfaddef bod yn well ganddi gael ei thraed ar dir sych.

Awgrymodd Pedrog y dylen nhw gadw'n o agos at y tir mawr er mwyn cael golwg ar y pyrth a'r baeau bach oedd yn pupro'r arfordir.

'Mi gafon nhw'r blaen arnan ni o ddipyn,' meddai wrth gnoi bara ceirch wrth y llyw, 'ond fedra i'm meddwl y byddan nhw wedi mynd am y môr mawr.'

Cynigodd Ithel ddal y llyw am gyfnod iddo gael cysgu.

'Mi fyddwn i'n hoff iawn o gyntun bach ond mi fedr un o'r plant wneud i mi. Wyddwn i ddim eich bod chi'n longwr.'

Gwenodd Ithel, ''Dan ni wedi gwneud amryw betha yn ein hoes.' Roedd hynny'n haws nag esbonio bod y gallu i drin cwch yn codi o'r myrdd y tu mewn yn rhywle.

Syllu fuodd pawb heb weld mwy na physgotwyr mewn cwryglau hir yn agos at y lan hyd at yn agos i ganol dydd er bod yr haul ar y tonnau'n dechrau codi gwayw'n ben. Daeth Pedrog yn ei ôl i lywio erbyn hynny.

'Dacw Drwyn y Fuwch' meddai Rhirid, mab Pedrog gan amneidio at bwt o benrhyn o'u blaen nhw. Efallai ei fod o'n debyg i drwyn buwch, meddyliodd Ithel a mynd at flaen y cwch i gael golwg well. Arhoson nhw yno wedyn yn mwynhau'r mymryn awel. Yna wrth i'r gwynt eu gwthio nhw heibio creigiau'r penrhyn a oedd yn wyn gan faw adar, cododd Eira, merch Pedrog, ei phen o'i gwaith rhaffau.

'Draw acw!' gwaeddodd a dal ei bys yn ei flaen. Oedd, roedd hwylbren i'w weld a llong fechan yn bell ar y blaen iddyn nhw.

'Honna ydi hi?' holodd Ithel gan graffu.

'Mae hi'n debyg o bellter fel hyn i mi,' atebodd Pedrog. 'Be ddudwch chi blant? Ydi'r mast yn debyg? A siâp y llestr?'

Cytunodd y ddau gyda'u tad ac roedd Ithel yn fwy na bodlon ymddiried yn llygaid craff y llongwyr, ond ddeuai hynny â'r llong yn ddim nes.

'Fedrwn ni ei dal hi?' holodd Adwen gan bwyso dros y canllaw i geisio gweld yn well.

Trodd Pedrog ar y llyw. 'Ddim yn hawdd iawn, hyd yn oed hefo'r rhwyfau. Ond wedyn... Wigyn?' holodd gan sythu.

'Ia?' atebodd Ithel.

'Mi newch chi iddyn nhw dalu'n iawn am ddifetha'r rhaffa a thyllu gwaelodion pob cwch a chwrwg acw'n gnewch?'

Trodd Ithel at Pedrog a'i weld yn gwenu gwên dannedd storm.

'Mae gennych chi hawl am iawndal, oes.'

Chwarddodd Pedrog. 'Mi ga'i fy ngwerth, a mwy! Mi alla 'na lofrudd fod ar ei bwrdd hi hefyd. Rhirid.'

'Nhad.'

'Dos i'r gist, mi wyddost yr un, ty'd â'r clyma i mi.'

Doedd Eira na Rhirid ddim yn hapus iawn bod eu tad wedi crybwyll y clymau ond daeth Rhirid â darn o ledr wedi ei lapio'n dynn at ei dad yn ufudd gan ei ddal fel ei fod o'n beryg o'i frathu o. Doedd o ddim mor bell o'i le â hynny, meddyliodd Ithel, os oedd y parsel lledr yn cynnwys yr hyn oedden nhw'n feddwl oedd o. Er mor ddiamynedd oedd Pedrog yn ôl ei olwg, fe gymrodd o'r darn lledr yn ofalus a mynd i eistedd hefo fo o gysgod yr awel gyda'i gefn at y canllaw. Aeth Ithel ac Adwen ato, ond cadwodd y gweddill yn ddigon pell.

'Glywsoch chi am Nans Tai Dŵr?' holodd Pedrog gan ddal y lledr yn wastad rhwng cledr ei ddwy law.

Oedodd Ithel. 'Naddo.' Ysgwydodd Adwen ei phen hefyd.

'Dwi'n synnu. Gwrach ydi hi, un i beidio'i chroesi, ond 'dan ni'n dallt ein gilydd yn o lew, yn hen lawia. Be bynnag i chi, wedi i mi gario rhyw betha iddi a ballu, morol am granc neu ddau iddi, mi ges i hwn. Un tro da yn gwneud am un arall.'

Nodiodd Ithel, roedd yr egwyddor honno yn hen fath o gytundeb a oedd yn debyg iawn i hud.

Dadlapiodd Pedrog y lledr a datgelu rhywbeth a oedd, ar yr olwg gyntaf, yn edrych fel rhaff ond wrth i'r haul ei daro roedd hi'n amlwg nad dyna oedd o'n union.

'Gwallt?' holodd Adwen.

'M.' Teimlodd Ithel eu cledrau'n cosi. Cydyn hir oedd o, darn trwchus o wallt golau wedi ei blethu o gwmpas ei gilydd hefo tri chwlwm ynddo fo yr un pellter oddi wrth ei gilydd.

'Hen lawia go iawn yn ôl pob golwg,' meddai Ithel yn dawel. Tuchan wnaeth Rhirid o ben arall y cwch. Rholiodd Eira'i llygaid.

'Glywsoch chi am ddal gwynt rioed?' holodd Pedrog gyda'i lygaid yn sgleinio.

Pennod 9

Safai Pedrog fel procer wrth y llyw wrth gefn y cwch gyda'r cudyn yn ei law. Cafodd Ithel eu hel at y blaen tra bod Adwen yn morol am y ceffylau a oedd, ers i'r darn gwallt gael ei ddadorchuddio wedi bod yn anniddig. Safai Rhirid ac Eira wrth y rhaffau yn barod i droi'r hwyl fel y medren nhw fanteisio ar effaith datod y cwlwm. Gwyddai Ithel na fyddai'n hawdd cadw mantais y gwynt iddyn nhw'u hunain yn unig ond gobaith Pedrog oedd y byddai hwylio'n groes-gongl yn creu mwy o helynt i'r llong ar y blaen pan fyddai'r gwynt yn eu cyrraedd nhw.

Daliodd Pedrog y gwallt rhwng ei fys a'i fawd gan ei fwytho'n ddifeddwl.

'Un am awel, dau i'r gwynt, tri i fagu drycin,' meddai a chau ei lygaid. Gwthiodd ei fawd i ganol y cwlwm cyntaf a'i lacio. Agorodd y cwlwm, llaciodd pen y cudyn yn agored a disgynnodd y darnau gwallt yn llewyrch wrth wahanu. Ddigwyddodd dim byd. Meddyliodd Adwen am ennyd fod Pedrog a Nans yn fwydrwyr yn fwy na dim arall ond yna'n sydyn cododd plwc o awel, ac un eto, nes oedd yr hwyl yn bochio. Teimlodd Pedrog fysedd yr awel yn chwarae yn ei locsyn a gwenu. Agorodd ei lygaid a dechrau arthio.

'Taciwch hefo fo hogia bach! Mi gawn ni wynt gan Nans i ni'n hunan am ychydig ond fedrith neb ei gadw fo am byth!'

Gafaelodd Ithel yn y canllaw wrth i'r cwch ddechrau troi gan hercio yn erbyn y tonnau. Roedd modd dal gwynt a'i glymu wrth gwrs, i'r rhai a oedd yn deall sut a hefo dawn at y peth ond fel y gwynt ei hun, doedd dim dal arno fo wrth ei ryddhau. Doedd yr un hud yn ddof, ddim go iawn.

Dechreuodd y ceffylau weryru a stampio wrth i'r awel godi ond buan y gwnaeth hi setlo a brisyn ffres yn gyrru'r cwch yn ei flaen a hynny i olwg unrhyw un o'r lan ar hytrawst y gwynt. Os oedd rhywun ar y llong o'u blaen yn cadw golwg yna fydden nhw fawr o dro, meddyliodd Ithel, yn dod i ddeall fod yna rywbeth ar droed.

Crafu'n nes oedden nhw a Pedrog am y gorau i gadw'r gwynt lond yr hwyliau gyda chymorth ei griw. Ond roedd crafu'n well na dim, nes i Ithel weld ochrau'r llong o'u blaenau nhw'n tyfu chwe choes i bob golwg.

'Maen nhw'n estyn rhwyfau!' gwaeddon nhw gan deimlo'u ceg yn llenwi gyda'r awel fain.

Mwythodd Pedrog y gwallt eto cyn gwthio gewyn i ganol cwlwm arall.

'Dau i'r gwynt,' meddai a'i daflu'n agored. Y tro hwn roedd yr effaith yn gynt o'r hanner a rhoddodd styllod y cwch wich wrth i'r gwynt godi'n sgrech.

'Nhad!' gwaeddodd Rhirid.

'Daliwch y rhaffa'r gwymon pen traeth i chi!' Gwthiodd Pedrog ei bwysau ar y llyw.

Doedd y ceffylau ddim yn hapus a theimlai Adwen bwll ei stumog yn codi a gostwng yn groes i'r llong a chyfog yn magu. Cododd y cwch wib, a thorri drwy'r tonnau gan godi ewyn at wefusau Ithel. Roedd y cwch yn mynd hefo asgwrn yn ei geg erbyn hyn a'r llong yn dod yn nes er gwaetha'r rhwyfwyr. Synhwyrodd Ithel y bydden nhw'n rhwyfo nes y bydden nhw'n methu symud cyn gildio. Dianc, nid hwylio o ran hwylio oedd y llong.

Codai'r gwynt o hyd ac uwch eu pennau, gwelodd Ithel yr awyr yn duo a'r cymylau'n magu. Bob hyn a hyn, bron nad oedden nhw'n clywed llais yn sibrwd wrth i'r gwynt garlamu heibio. Rhaid fod Pedrog yn ei glywed hefyd gan ei fod yn chwerthin wrth i'r rhaffau wichian a'r hwyl ymestyn hyd ei heithaf. Er eu bod nhw yn eu gwaith yn morol am yr hwyl, edrychai Eira a Rhirid ar eu tad bob hyn a hyn.

'Nans!' meddai a sylwodd Ithel fod ei law ar y trydydd cwlwm. Dyma ddyn oedd yn chwarae hefo pethau nad oedd o'n gwybod dim am eu pris nhw. Dechreuodd Ithel groesi'r dec, a'u corff yn cofio sut oedd symud ar gwch yn nannedd y gwynt. Daliodd Eira eu llygaid a chael y blaen arnyn nhw. Chlywodd Ithel mo'r sgwrs rhwng y tad a'r ferch ond fe welon nhw Pedrog yn sobri bron. Drwy ryw drugaredd, llwyddodd Eira i gael y gwallt a'i osod yn ôl yn y lledr. Doedd dim angen mwy o wynt beth bynnag, roedd y llong yn nes o lawer erbyn hyn a'r rhwyfo wedi mynd yn arafach ac yn ddi-drefn. Ymhen dim byddai modd taflu rhaff ati a'i byrddio.

Pennod 10

WRTH WELD CWCH yn nesu roedd criw y Fari Fedwen wedi paratoi gan estyn cyllyll a phastynau ac wedi morol, o weld fod y cwch yn groes i bob synnwyr yn dod yn nes, y byddai gan y rhwyfwyr ddigon o nerth i ymladd pe byddai rhaid. Ond, wrth weld y cwch yn dod ar wynt croes annaturiol a chymylau piws yn magu uwch ei ben dechreuodd y criw lygadu ei gilydd. Erbyn i'r gwynt a oedd yn gyrru'r cwch bach eu taro roedd rhai wedi estyn swyndlysau a throi eu capiau tu chwith allan yn amddiffyn yn erbyn lwc ddrwg a swynion.

Yna, wrth i Wigyn ddringo ar ei bwrdd aeth yr awydd i gwffio ohonyn nhw fel anadl. Oedd, roedd deg ohonyn nhw a dim ond pump yn y cwch ond os oedd y Gwigyn yn gallu galw'r gwynt a bod yn feistr arno yna doedd dim ots os oedd 'na gant ohonyn nhw am bob un oedd yn mentro ar styllau y Fari Fedwen. Rhaid bod y straeon yn wir a'u bod nhw hyd at eu gyddfau mewn trybini. Safodd y Gwigyn yno yn llonydd er gwaetha'r tonnau.

'Ai llong rydd neu un o dan dylwyth ydi hon?' gwaeddodd y Gwigyn dros y gwynt.

Trodd pawb at y llong-lywydd a gweld fod yr hen Ynyr yn bygwth llyncu'i dafod.

'O dan dylwyth,' meddai o'r diwedd.

'A thylwyth pwy?'

'A... Andras ab Iddon ab Ethrys ab Edric.' Daeth Ynyr o'r

cefn lle oedd y llyw gan osod ei hun rhwng y criw a'r Gwigyn. Roedd o'n hŷn o ddipyn na Pedrog a chymaint â hynny o groen oedd i'w weld ar ei wyneb rhwng y locsyn brith a chap gwlanan a dynnwyd dros ei dalcen wedi gwsnio gan heli a haul.

'Andras…' Edrychai fel fod y Gwigyn yn mynd i'w gilydd i gyd am ennyd, yna roedd y bresenoldeb yn ei hôl cyn gryfed ag erioed. 'Mab Brenin Iddon, brawd Maelrhys Pengrych.'

Aeth pwl o sibrwd drwy'r criw a thynnodd ambell un ei gap. Edrychodd Ynyr ar ei draed.

'Dyna chi.'

'Felly. Ac ar waith i Andras ydach chi.'

'Wrth gwrs.'

'Ac o le daethoch chi?'

Aeth pwl o edrych-ar-ei-gilydd drwy'r criw eto.

'O Lanfarudd.'

'Gyda dyn moel mewn coch ac un arall, ieuenach mewn melyn gyda barf hefo fforch ynddi?'

Amneidiodd Ynyr fod hynny'n gywir gyda golwg syn ar ei wyneb. Sut wyddai'r Gwigyn hynny?

Trodd y Gwigyn ac edrych ar bob un o'r criw yn eu tro gan ddal eu llygaid anfoddog. Wedi i bawb wywo o dan eu golwg fe godon nhw eu breichiau i'w cyfarch.

'Boed yn hysbys ein bod ni'n alwedig yn Ithel, yn Wigyn ac yn Weis i'r Gyfraith. Rydym ni ar wŷs achos. Mae'r achos yn ymwneud â llofruddiaeth a chamdystio gan hynny…' rhoddodd y gwynt wich a theimlodd sawl un ymysg y criw ias i lawr eu cefn, 'rydych yn ddarostyngedig i ni nes y byddwn wedi bodloni pa bynnag ofynion a roddid arnoch chi. A oes cydsyniad?'

Aeth 'Oes' drwy'r criw fel crych ar wyneb llyn ar ôl i garreg drom lanio ynddo. Doedd wiw i neb holi be fyddai'n digwydd pe nad oedd cydsyniad a chytuno.

'Dilynwch y cwch bach i fan cysgodol, angorwch. Peidied neb â gadael y llong na gwneud unrhyw beth allai ein llesteirio. Byddwn yn holi'r llong-lywydd yn y caban. Arhosed pawb nes byddwn ni wedi gorffen.'

Aeth Ithel at y caban nad oedd fawr mwy na chwt bach gyda starn y llong. Doedd dim golwg o gist, roedden nhw ar ei hôl hi eto fyth.

Bu Ynyr y llong-lywydd yn dyst i lawer peth na ddylai neb fod wedi ei weld erioed cyn y diwrnod hwnnw. Cododd rhai i'w feddwl; dau ddrylliad erchyll, un pan ddechreuodd o arni bron yn fawr mwy na hogyn a dynion da yn cael eu pledu ar greigiau fel nad oedden nhw'n fwy na chadachau. Yr ewyn yn cochi. Fe welodd o bobl yn nychu a marw. Daliodd longau yn erbyn morladron, a sarff fôr unwaith. Eto i gyd... Er iddo deimlo ofn yn hynny roedd o hefyd wedi teimlo rhyw 'fynd' ynddo'i hun. Syniad y gallai o wneud rhywbeth ohoni, dianc, goroesi – yn enwedig pan oedd o'n ifanc. Ond rŵan, ac yntau yn ei gaban ei hun roedd yna Ofn arall arno, ac ynddo.

Doedd o'n gwneud dim ond eistedd ar fainc, ei fainc o. Eistedd ar fainc yn ei gaban yn sbio ar gongl stafell oedd mor gyfarwydd â'r un iddo. Ond roedd o wedi ei fferru gan ofn. Rhaid ei fod o wedi bod yn eistedd yn ddistaw ers ychydig dros awr ond roedd hi'n teimlo fel dyddiau. Doedd amser ddim yn bod yma bellach.

Rhywle, yn y cysgodion yng nghongl y caban yr oedd Gwigyn. Gallai Ynyr deimlo'u llygaid nhw'n ei dynnu o'n griau fesul haen. Bob hyn a hyn byddai'n cofio rhywbeth nad oedd o wedi meddwl amdano ers blynyddoedd ac nad oedd ganddo fo unrhyw reswm i feddwl amdano fo ar yr eiliad honno. Roedd hynny'n ei boeni. Pam ei fod o'n cofio am bethau fel hyn? Pethau y byddai'n well ganddo'u hanghofio? Pethau wnaeth o nad oedd neb yn gwybod amdanyn nhw. Pethau oedd o'i hun wedi eu cau a'u mygu a'u gwasgu'n ddim. Bron nad oedd hi'n teimlo fel fod rhywrai, rhywbeth, wedi rhoi tro i waelod llyn ei feddwl ac yn nofio yng nghanol pob dim gododd gan dynnu ambell i beth a'i lyncu. Doedd o'm yn medru rhoi'r gorau i gofio, a meddwl, a dychmygu.

Rhoddodd cadair wich yn y tywyllwch. Neidiodd Ynyr. Sylwodd ei fod yn wlyb gan chwys. Yna, synhwyrodd fod y llygaid, lle bynnag oedden nhw, wedi hogi. Teimlai fel ei fod o'n noeth o flaen torf. Dechreuodd ei anadl gael ei dal yn ei wddw. Cofiodd ei hun yn ifanc yn edrych dros ben clawdd ar ddau yn caru ar ddiwrnod hirddydd haf. A'r teimlad cynhyrfus o weld, ond euogrwydd hefyd.

Euogrwydd.

Oedd... oedd o'n gallu gweld llygaid? Llygaid yn y gongl. Yn y tywyllwch. Draw yn fancw? Dwy lygad yn syllu drwy'i groen o. Cofiodd fod yn flin. Mor ofnadwy o flin nes ei fod o'n tagu arno fo a rhyw ddynas, Brinwen, yn hefru. Yn dal i hefru ac yntau ond angen ennyd. Dim ond un. Ysbaid o dawelwch! Ei tharo hi. A'i tharo hi eto. A theimlo'n boeth i gyd, ond yna'n wag. A theimlo'n euog.

Euog.

Mae'n rhaid fod llygaid yno. Yn y cysgod lle nad oedd y gannwyll yn cyrraedd. Dwy lygad oedd yn sgleinio. Sgleinio'n llwydaidd fel llygaid corff. Ond maen nhw'n fyw, ac yn syllu. Yn sbio. Yn gweld. Mae'n cofio baglu allan o dafarn yn hwyr. A chwerthin! Hefo Dewi mae o a'r ddau wedi'i dal hi. A dyma Dewi yn mynd ar ei hyd yn y lôn… Gadwch iddo fo hogia, mi geith ddeffro yn gachu ceffyl i gyd! A hen hwyl. Ond mi aeth 'na drol drosto fo, yn y tywyllwch. Mi farwodd. Mae Ynyr yn cofio gweld Dewi hefo'i lygaid yn llydan agored. A gwybod, na fo oedd y drwg.

Euog.

Y llygaid. Yn llydan gorad. Yno o'i flaen o yn nofio drwy'r tywyllwch, yn sgleinio'n llwyd ac yn dal llewyrch golau'r gannwyll. Yn aros yn lle maen nhw ond yn dod yn nes. Yr un maint ond yn tyfu ac yn llenwi ei ben o. Un pâr o lygaid, ond cannoedd hefyd. Miloedd o lygaid. Llond cors. Mae'r cysgodion yn llawn ohonyn nhw. Dacw'r gannwyll yn rhoi herc ac yn poeri. Yn diffodd. Mae popeth yn llenwi hefo llygaid. Y tu mewn i'w ben. O dan ei groen. Yn berwi hefo nhw. Mae'r gadair yn gwichian a sŵn traed yn dod yn nes. Caiff Ynyr ei ddallu gan lygaid. O'r diwedd, mae'r Gwigyn yn holi eu cwestiwn. Un llais yn llawn lleisiau.

I le aeth y gist?

Mae hi'n braf cael siarad a gwagio'r holl lygaid ohono.

Pennod 11

EISTEDDODD ADWEN HEFO Gel ar ei glin yn gwylio'r llong yn codi a gostwng ar y tonnau. Canolbwyntiai ar beidio chwydu. Doedd hi ddim wedi gallu gweld llawer, na chlywed fawr o ddim ar ôl i'r Gwigyn ddweud eu pwt ond roedd hithau, fel pawb arall, wedi mynd i deimlo'n annifyr iawn yn y tawelwch.

Aeth sbel hir o amser heibio a theimlad o ryw ias yn codi o gefn y llong ac ambell un arni'n trafod be'n union oedd y Gwigyn yn ei wneud i Ynyr druan.

Bellach roedd hwnnw, Ithel a Pedrog ar y llong yn trefnu talu iawn am y difrod tra bod Adwen, Gel a'r ddau arall yn llyffantian ar y cwch yn aros. Y tu draw i'r trwyn lle'r oedden nhw'n cysgodi roedd ceffylau gwynion ar y môr o hyd a gwynt Nans heb chwythu'i blwc. Soniodd Eira wrth Adwen y byddai'r tric hwnnw yn anfantais fawr iddyn nhw os oedden nhw am geisio mynd yn eu holau'n fuan.

Daeth Ithel a Pedrog at ben y styllen rhwng y llong a'r cwch. Edrychai Pedrog yn falch ac roedd golwg bell ar Ithel. Sylwodd Adwen ar sut oedd criw y llong yn edrych arnyn nhw. Be oedd y Gwigyn wedi wneud i gael ei atebion?

Siaradodd Ynyr fel pwll y môr a chafodd Ithel wybod bod y gist ar ei ffordd i Ferin, lleoliad llys Andras. Gollyngwyd y ddau ddaeth hefo'r gist ym Mhorth Widlin, porth bach yn nes at Lanfarudd ac roedd trol arall yn aros amdanyn nhw yno gydag ychain newydd. Penteulu Andras, Cadell, oedd un o'r rhai hefo hi a gwas bach, neu wreang iddo oedd llall. Ac oedd, roedd Cadell yn foel mewn coch a'r llall gyda barf hefo fforch ynddi mewn melyn ac felly'n cyd-fynd â disgrifiad Adwen a'r tafarnwr. Wyddai Ynyr ddim am lofruddiaeth, dim ond fod brys garw ar y ddau i adael Llanfarudd a bod yn rhaid i'r cargo gyrraedd pen ei daith yn fuan iawn. Wyddai o ddim be oedd yn y gist chwaith, dim ond ei bod yn drwm. Archwiliodd Ithel y llong rhag ofn, ond doedd dim golwg ohoni.

Gan fod ei griw wedi cynorthwyo'r Penteulu hefo'r dryllio gallai Ithel fynnu iawndal ganddynt ac roedd Pedrog wedi ei blesio gan hynny. Er, chafwyd ddim digon i bawb ond byddai Ithel yn morol y byddai Cadell yn gwneud yn iawn am ei bechodau. Doedd dim yn ormod o drafferth i Pedrog ar ôl hynny gan gynnwys hwylio yn erbyn y gwynt i gyrraedd Porth Widlin ond doedd hi ddim am fod yn daith hawdd iawn. Gadawodd Ithel i'r Fari Fedwen fynd fel y mynnai hi, roedden nhw wedi cael popeth allen nhw ganddi. Bu'n rhaid i'r Ail, un o'r llongwyr a berthynai agosaf at Ynyr, forol am y trefniadau am fod Ynyr wedi ei daro'n wael yn ôl pob golwg. Aeth i'w gaban a mynnu bod ganddo dair cannwyll ynghyn a bod y drws i'w gadw'n agored. Gwyddai Ithel bod yna rai ymysg y criw a oedd bellach yn eu casáu.

Cyn gynted ag yr oedden nhw wedi taro'u troed ar fwrdd y Ladi Werdd daeth Adwen atyn nhw.

"Dach chi'n gwybod pwy wnaeth? Pwy laddodd Sion?'

Edrychodd Ithel arni a chysidro am ennyd.

"Dan ni'n gwybod pwy ddaeth â'r gist ar y llong ac i le mae hi'n mynd. Ferin.'

'Ond be am...'

'Dim sicrwydd o ddim arall ar hyn o bryd.' Oedodd Ithel, 'Ond mi ddaw hynny.'

Ferin, meddyliodd Adwen wrth i Ithel fynd at Eira, Rhirid a'u tad. Doedd hi erioed wedi bod yno nac yn gwybod y ffordd yn iawn ond roedd hi wedi clywed am y lle. Byddai'n mynd i ben arall y byd pe byddai rhaid.

Er mwyn pasio'r gwaetha o'r gwynt byddai'n rhaid rhwyfo a llywio'n ofalus. Rhirid ac Eira oedd y rhwyfwyr i fod ond cynigodd Ithel rwyfo hefyd gan gymryd lle un o'r ddau pan oedden nhw'n blino. Rhoddwyd rhwyfau hir yn y tonnau a'u clymu at ganllaw y cwch ac aeth y tri ati, gyda Pedrog a'i blant yn synnu at ddycnwch y Gwigyn.

Gadawodd Ithel i'w meddwl grwydro wrth fwrw ati hefo'r gwaith. Pa mor bell oedd Ferin o Borth Widlin? Dyddiau o deithio, roedd y gist ddiwrnod da ar y blaen beth bynnag yn barod a hyd yn oed tasan nhw'n cyrraedd cyn nos fyddai dim modd teithio a hithau'n dywyll. Ond erbyn hyn doedd dal y gist ddim yn hollbwysig, gallen nhw fynd at Andras yn Ferin doed a ddêl.

Ar ôl rhwyfo'n erbyn y gwynt a thacio nes oedd modd dilyn y llanw daeth y Ladi Werdd o fewn golwg i'r lan ym Mhorth Widlin, porth bach yng nghysgod clogwyni tywyll. Ond roedd hi'n machlud a'r môr o'u cwmpas yn goch, fel gwaed. Er bod eu coesau'n cosi eisiau ymestyn yn iawn ac y byddai Adwen, yn ôl ei golwg, yn falch o droedio tir sych roedd yn well aros ar fwrdd y cwch, byddai hynny'n fwy diogel. Cafodd pawb bryd o stwsh ffa unwaith eto a Pedrog, beth bynnag, yn ddigon siriol. Aeth Adwen ati i geisio cysgu a llwyddo yn y pen draw ond baglu o'r naill freuddwyd i'r llall wnaeth hi a deffro'n gynnar a'i llygaid yn llosgi.

Hyd yn oed ar yr awr honno roedd Ithel ar eu traed a dim ond y llewyrch lleiaf ar y gorwel ymhell ar draws y môr. Cafodd Pedrog ei ddeffro.

'Dipyn o frys o hyd felly?' holodd wrth ddylyfu gên.

'Oes,' meddai Ithel ac edrych arno'n iawn.

Sythodd Pedrog drwyddo a chicio Eira a Rhirid o'u cwsg. Rhegodd y rheiny ond doedden nhw fawr o dro yn cael trefn ar bob dim. Gan fod gwaelod gwastad i'r cwch, gallodd y criw fynd at ymyl y traeth cerigog a doedd dim rhaid gwlychu rhyw lawer wrth fynd at dir sych. Mater arall oedd hynny i Gel gan iddo neidio i'r môr a nofio yn ôl a blaen yn y bae nes i Adwen weiddi arno.

Gadawodd Ithel i Adwen ddadlwytho'r ceffylau gan grwydro'r traeth yn chwilio am unrhyw beth arall a allai adrodd hanes iddyn nhw ond doedd yna naill ai ddim tystiolaeth neu roedd y llanw wedi llyncu unrhyw olion. Edrychon nhw ar y cerrig yn ymestyn o'r tir allan i'r bae, a'r rheiny fel dannedd bron. Doedd ryfedd i'r llong-lywydd alw'r lle yn 'Y Safn'. Yr union le i Smyglwrs, meddyliodd Ithel wrth daflu carreg neidio ar draws y dŵr.

Fe ddalion nhw ati i chwilota, a'r oll ddaeth i'r golwg oedd tocyn o faw gwartheg wrth ben y traeth. Wrth wylio Adwen yn llwytho bagiau ar y ceffylau cawson nhw eu taro na chafodd hi ddim gwylnos, na ch'nebrwng na'r cwrw wedyn, byddai'n talu i gofio hynny.

Daeth Adwen draw gyda'r ceffylau a chymrodd Ithel Medwyn ganddi. Yna, er nad oedd y peth yn hanfodol fwyaf tebyg, aeth Ithel ati i glymu rhaff rhwng y ddau geffyl rhag i Adwen gymryd y goes. Rhedodd Gel i fyny'r traeth ac ysgwyd ei hun yn sych. Trodd Adwen ac Ithel eu cefnau ar y llongwyr ac edrych i fyny'r dyffryn a oedd yn arwain o'r traeth ac ôl trol newydd yn amlwg yn y pridd tywodlyd o'u blaen.

'Ddalian ni nhw?' holodd Adwen yn ddistaw.

'Cawn weld,' meddai Ithel gan godi eu hunain i'r cyfrwy.

Pennod 12

ROEDD YN RHAID dilyn yr afon ar hyd llwybr defaid o lôn gan gadw golwg am ambell i fflach o ôl olwynion trol neu garnau ychen. Gan ei bod hi mor dyllog a chul tybiodd Ithel na fyddai'r drol yn gallu mynd ar lawer o wib. Aeth Adwen ymhellach a honni, er nad oedd hi'n gyfarwydd iawn hefo'r ffordd ei hun, mai prin iawn oedd y rhai a oedd yn adnabod y ffordd gystal â phorthmyn ac y bydden nhw felly yn siŵr o fynd yn sownd a thaflu olwyn hyd yn oed.

Erbyn hanner dydd roedd y dyffryn yn glos a glynai dillad Adwen ac Ithel wrth eu cefnau nhw. Arweiniodd Adwen y ceffylau at yr afon a gadael iddyn nhw yfed. Yfodd y ddau hefyd gan giledrych ar ei gilydd. Heblaw am holi ac ateb cwestiynau am y drol, doedden nhw ddim wedi torri gair yn iawn. Gorweddodd y ci yn ddiog yn y dŵr gan godi'i ben i hanner chwyrnu ar Ithel bob hyn a hyn. Roedd ychydig o goed bob ochr i'r lôn er nad oedden nhw'n cynnig llawer o gysgod gan eu bod nhw'n grwm ac wedi'u llosgi gan yr heli.

Peth naturiol oedd bod yn ddi-sgwrs wrth iddyn nhw geisio cael rhyw syniad o'i gilydd. Doedd Ithel yn hidio dim am hynny, ond edrychai Adwen fel ei bod yn teimlo'n annifyr braidd. Agorodd ei cheg fel pe bai hi am ddweud rhywbeth ar ôl gorffen yfed, ond ddywedodd hi ddim wrth Ithel dim ond galw am y ci ac yna crwydro'n ôl a blaen ar lan yr afon i geisio sythu'i choesau. Treuliodd Ithel yr amser yn darllen y tir o'u cwmpas.

Doedd olion neb ond y drol a'r ychain ar y lôn, ac ôl pwy bynnag ddaeth â'r ychain newydd at y traeth yn mynd yn ôl yma ac acw mewn pantiau llaith. Rhyfedd na fydden nhw wedi aros i gael pas, meddyliodd Ithel, doedd crwydro'r gwyllt ddim yn beth call iawn. Cododd Ithel eu hunain i'r cyfrwy eto, a dechrau ar y daith drachefn hefo'r ci yn cadw yn dynn wrth geffyl Adwen. Ithel aeth ar y blaen. O'r diwedd penderfynodd Adwen dorri mymryn ar y garw.

'Wela i, gyda'n llgada bach i, rywbeth sy'n dechra efo "P".'

Ysgwydodd Ithel eu pen a throi'r ceffyl heibio twll arall.

'Dewch Ithel, neith o'm drwg. Dwi'n tynnu'n meddwl yn griau wrth feddwl am… wel, bob dim.'

'Gofynnwch wrth y ci.'

'Be ti'n weld, Gel?' holodd Adwen.

'Wff' meddai Gel, er nad oedd hynny'n dechrau hefo 'P'.

'Na, tria hi eto.'

Byddai hyn, meddyliodd Ithel yn dal ati drwy'r dydd, mi fyddai'n haws ateb unwaith i gael llonydd.

'Perthi.'

'Na.'

'Pwll?'

'Nace.'

'Wff?'

'Na, ond ti'n cnesu, Gel.'

'Poen?'

Oedodd Adwen.

'Ddim cweit.'

Edrychodd Ithel o'u cwmpas, doedd 'na ddim byd arall hefo 'P' hyd y gwelen nhw.

'O be ydi o, ta?'

'Priat.'

'Be 'di peth felly?' holodd Ithel wrth edrych am yn ôl.

Trodd Adwen ato a gwenu.

'Math o aderyn hefo coesa hirion a phig main.'

'E?'

'Ma' nhw'n byw ar lan afonydd.'

'Lle welsoch chi dderyn?'

'Hedfan uwch yn penna ni wnaeth o.'

'Ia mwn.' Dim ond hanner anadlu'r ebwch wnaeth Ithel.

'Rhowch gynnig arni, Wigyn.'

Poerodd Ithel a 'rafu'r ceffyl wrth ddod at dwll arall.

'Rw'bath yn dechra 'fo, "c".'

Gwenodd Adwen a rhedeg ei llaw drwy'r mwng o'i blaen.

'Ceffyl?'

'... Nace.' Dacia, meddyliodd Ithel. Ond wnaeth Adwen ddim cynnig dim byd arall.

Doedd gan Wigiaid ddim dychymyg felly meddyliodd hi, na llawer o amynedd yn ôl pob golwg. Syllodd Adwen ar y ffordd o'i blaen am sbel. Be oedd hi'n da yn chwarae plant hefo Gwigyn? Rhyw firi gwirion yn hytrach na chanolbwyntio ar bethau go iawn? Cododd pob dim ynddi fel o nunlle bron; Sion wedi'i ladd a'i gladdu mor bell o adref, y siwrnai ddiawledig ar y cwch, y gwaed, y daith o'i blaen, llygaid Sion mor bell. Teimlai fel ei bod ar fin mygu, neu chwydu fwyaf sydyn. Aeth ei brest yn dynn. Teimlodd fel ei bod hi eisiau dianc o'i chorff a'i bywyd ei hun. Estyn am ddrws yn rhywle a chamu drwyddo a'i gau ar hyn i gyd. Deffro.

Ond, na. Doedd yna'r un drws. Doedd dim amser i beth felly chwaith. Dal ati. Un droed o flaen y llall, dyna oedd porthmon i fod i wneud. Mygodd yr atgofion. Ceisiodd anadlu a chael ei hun yn crynu wrth wneud.

''Dach chi'n iawn?' holodd y Gwigyn heb droi i edrych arni.

'Yn berffaith iawn,' atebodd a chanolbwyntio ar y lôn. Cafodd ei gwynt ati yn y man.

Aeth gweddill y p'nawn hebio yn ddistaw. Hefo'r tawelwch cafodd Ithel gyfle i feddwl. Trodd yr un pethau drwy waddod cefn eu hymennydd; pa mor agos oedd rhaid i'r llofrudd fod, lle oedden nhw o'u cymharu â Sion. Teulu'r gof, chwalu'r cyrff. Y gwahaniaeth pellter yn yr achos hwnnw rhwng tad, plentyn a mam. Y tyllau – oedd hi'n deg meddwl fod yr un yn Siwan, gwraig y gof, yn llai na'r un laddodd Sion? Rhaid bod rhywbeth rhwng y marwolaethau i gyd fel llinyn arian. Dyna'r Siryf wedyn yn tyngu mai hud wnaeth y drwg. Os oedd gan bwy bynnag oedd ar y drol aeth o'u blaenau nhw ffordd o chwalu tyllau mewn pobl a'u rhwygo'n agored fel codau pys, be allai Ithel wneud yn erbyn hynny i'w ddal? Oedd Adwen yn ddiogel? Bellach roedd ganddyn nhw gyfrifoldeb cyfreithiol drosti hithau fel tyst.

Digon tywyll fu eu myfyrio drwy weddill y dydd a doedden nhw fawr nes i ddatrys dim erbyn iddi nosi. Yn ôl Adwen doedd dim gobaith o gyrraedd unrhyw bentref cyn iddi dywyllu 'mhellach ond daliodd Ithel ati nes oedd y cloddiau a'r lôn yr un lliw. Arweinion nhw Medwyn at damaid o wellt glas ar ochr y lôn. Gan ei bod hi wedi hen ddechrau tampio, doedd dim llawer o obaith o wneud tân ac o gofio eu bod nhw ar drywydd rhywun efallai y byddai hi'n well peidio, beth bynnag.

'Ydan ni'n aros yma heno?' holodd Adwen wrth geisio tanio ffagl.

'Yndan.' Gafaelodd Ithel yn ei braich a chymryd honno ganddi.

'Ma 'na le callach rownd y tro, mwy o gysgod. Siŵr i mi fod ffor'ma o'r blaen, neu glywad sôn mewn cân.'

'Cân?'

'Ma caneuon porthmyn yn dilyn gwahanol ffyrdd, sôn am beryglon, llefydd i aros a ballu, haws cofio. Dewch.'

Os mai canu neu gofio oedd Adwen, roedd hi'n llygaid ei lle. Tu ôl i gysgod coeden ddrain rhwng y lôn a'r afon roedd cilcyn sych a digon o wellt dan droed fel na fyddai cysgu ar fat yn beth rhy anghyfforddus. Adwen oedd yr un hefo'r fantais o ran rhai pethau'n amlwg, byddai'n rhaid i Ithel gofio hynny.

Aethon nhw ati i osod y trapiau rhwng y lôn a lle oedden nhw a hongian y bwyd o gangen yn ddigon pell rhag denu ymwelwyr. Siarsiodd Adwen Gel i beidio â mynd yn agos at y trapiau wrth i Ithel forol fod y ceffylau wedi eu clymu wrth foncyff y goeden ddrain. Aeth Adwen a Gel i'w gwlâu, arhosodd Ithel yn effro gan sefyll yn edrych ar y sêr.

Gorweddai Adwen ar ei chefn yn diolch am bwysau cyfarwydd Gel dros ei choesau. Rhywbeth digon hawdd oedd y joban hon i fod. Taith haws nag un arferol heb griw o wartheg, defaid neu wyddau i gadw cow arnyn nhw, heb orfod poeni am fwydo a dyfrhau mwy na dau ych a chi. Rhywbeth handi oedd yn talu'n dda, swydd y medrai Sion fwrw prentisiaeth arni hi, er nad oedd Adwen ei hun fawr mwy na phrentis chwaith.

Teimlodd ei thu mewn yn troi wrth feddwl amdano. Fe fyddai o'n fyw o hyd tasa hi wedi gwneud neu heb wneud cant a mil o bethau. Teimlai rywsut fel ei fod o'n dal yn fyw a bod disgwyl iddo fo fod yn sefyll heibio pob tro yn y lôn yn wên ac yn gefn i gyd. Yn chwerthin am iddo chwarae cast go dda arni tro'ma fel y tro hwnnw y cogiodd o fod yn fwgan yn y winllan wrth y tŷ. Allai hi ddim coelio ei fod o wedi mynd, hyd yn oed ar ôl ei lapio fo mewn amdo.

Trodd ryw fymryn a chododd Gel ei ben. A dyma hi rŵan

yn sownd ar drywydd newydd hefo Gwigyn, hefo Ithel. Os mai'r Andras yma oedd y drwg, oedd o'n mynd i gael ei gosbi? O, mi oedd gan Wigyn hawl i gosbi rhywun meddan nhw ond welodd neb Frenin na thywysog ar ben rhaff 'rioed. Doedd Ithel ddim i weld cynddrwg â hynny, doedden nhw heb ei chrogi hi yn un peth. Ond wedyn mi fuon nhw'n giaidd pan oedden nhw'n holi'r llong-lywydd, mae'n rhaid. Sut arall allai hi esbonio sut oedd y criw ar y llong wedi cadw'n glir rhagddyn nhw fel petaen nhw'n wahangleifion? A waeth faint oedden nhw'n bwyta, yn siarad ac yn aros wrth ochr y lôn i biso, roedd yna rywbeth yn eu cylch nhw nad oedd yn iawn rywsut.

Heddiw clywodd hi nhw'n sibrwd wrthyn nhw'u hunain fwy nag unwaith fel tasan nhw'n cael sgwrs. Ond be oedd Gwigyn ond rhyw flanced glytiau o beth, llwyth o bobol yng nghragen croen un troseddwr? Mae'n debyg fod gan rywbeth felly well hawl i siarad efo nhw'u hunain na neb arall. Oedden nhw'n cael atebion? Mentrodd droi chydig ar ei phen i weld a oedden nhw'n cysgu. Eistedd oedden nhw erbyn hyn, a'u cefn tuag ati yn wynebu'r afon gyda'u pen am i fyny. Bron iawn nad oedden nhw'n dywyllach na'r nos o'u cwmpas nhw gyda'r coed drain a'r cerrig o bob ochr yn edrych yn llai real rywsut. Oedd Gwigiaid yn cysgu ar eu heistedd?

'Dos i gysgu.'

Wnaethon nhw'm symud. Ceisiodd Adwen ateb.

'...'

Trodd yn ei hôl a syllu ar y cymylau'n prysur guddio'r sêr. Llwyddodd yn y diwedd i gysgu rhywfaint ond roedd y carpiau cwsg y medrodd hi fachu yn llawn o lonydd yn troi a chyrff gyda'u hochrau nhw.

Llithrodd meddyliau Ithel ymhell ac agos.

*Noson glir er fod y tarth o dan y lleuad oren yn gwneud i bob dim
ddiferu; y cen ar y cerrig mawr llonydd, y mwsog a'r gelaets. Croen.*

*Ar y gwastadedd yr unig bethau uwch na brwyn ydi'r meini er bod
ambell un yn araf suddo, yn llithro ar eu hochr dan bwysau amser.
Yn dychwelyd i'r mawn. Dyna ydi tynged popeth yn y pen draw.*

*Dyna dynged Dana. Maen nhw'n sefyll yn noeth ar ymyl y pwll
sy'n ymledu o'u blaen. Pwll sy'n styciau brwyn drwyddo a'r tarth
yn byseddu'r dŵr ambr. Mae dafnau'r tarth yn casglu, yn hel at ei
gilydd ac yn twchu cyn rhedeg i lawr eu croen ar y mwsog dan draed
yn ffrydiau.*

Dan olau'r lleuad mae pob dim yn felyn ac yn sgleinio.

Mae'r mawn yn anadlu.

*Ar ôl blasu'r aer a theimlo popeth – yr awel, y tarth a'r diferion
dŵr, mwsog a golau'r sêr, maen nhw'n camu yn eu blaen. Bron nad
ydi'r dŵr yn codi i fyny i'w croesawu.*

*Maen nhw'n cerdded, yn llithro ymlaen yn ddyfnach i'r dŵr gan
deimlo ei ddwylo gwlyb yn anwesu, i fyny heibio'u traed, i fyny
heibio'u coesau. Mae ei oerni fel petai'n llacio eu cymalau ac yn eu
hagor i'r byd.*

*Gydag un cam arall mae wyneb y llyn yn diflannu o'u golwg a
dyfnder lliw y dŵr yn dod yn ei le.*

*Be sy'n digwydd wrth i'r dŵr eu gorchuddio nhw? Oes yna fflach
wrth i bopeth ddadlaith i'r dyfroedd rhwng y gwraidd tywyll?
Adnabyddiaeth? Diffodd? Deffroad?*

Rhaid fod yna suddo, a theimlad o orffwys.

*Lle bu pen Dana unwaith ar wyneb y dŵr, does dim ond crychau'n
ymledu'n dawel.*

*Mae'r crychau'n gostegu a'r mawn yn setlo wrth i'r lleuad symud
ymaith yn yr awyr uwchben y cerrig diog.*

Deffrodd Ithel, neu fe ddaethon nhw i lefel wahanol o ymwybyddiaeth. Gweledigaeth? Breuddwyd? Neu ddychymyg? Waeth beth oedd o, roedden nhw'n gwybod fod Dana yn eu holau bellach.

Cyn gyntad ag y gwelon nhw'r wawr yn dechrau llosgi'r tarth, symudodd Ithel gan ddiferu gwlith fel ci yn dod o afon. Cododd Gel ei ben ac agor ei geg yn ddiog. Roedd oglau'r bora yn dew dros bob man, fel y niwl. Cododd Adwen, roedd hithau wedi bod yn effro yn ôl ei golwg hi. Cafodd y ddau ddarn o fara ceirch rhwng hel eu pethau a pharatoi'r ceffylau. Wrth osod y cyfrwy gwyliodd Ithel yr haul yn llenwi'r diferion ar y gwellt ac yn eu cynnau nhw hefo golau oren. Fe wylion nhw Adwen yn gosod ei chyfrwy hithau, ei hanadl ac anadl y ceffyl yn chwarae drwy'i gilydd yn oerni'r bore. Roedd eu dwylo wedi hen arfer â'r gwaith heb gymorth llygaid. Aeth Ithel ar gefn Medwyn gan adael i Adwen fynd ar y blaen.

'Mae 'na bentra lawr yn y dyffryn acw,' meddai hi. 'Tybed wnaeth y llofrudd hel bwyd a ballu yno? Mi adawodd o ein petha ni, do?'

'Fyddan nhw wedi aros yno dros nos, neu fwy 'da chi'n meddwl?'

Oedodd Adwen. 'Mi fyddwn i wedi gwneud noson ohoni beth bynnag, yn lle cysgu ar lawr.'

'M.'

Yn is yn y dyffryn gallai Ithel weld siapiau toeon tai drwy'r niwl. Doedd yna ddim mwg yn dod o simdde neb chwaith ond efallai ei bod hi'n rhy gynnar. Go brin hefyd. Gwnaethon nhw'n siŵr fod eu harf o fewn gafael.

Pennod 13

ERBYN Y P'NAWN roedd y lôn wedi sychu ac wedi lledu ond ei bod hi'n dipyn mwy caregog. Bwytodd y ddau ginio ar gefn eu ceffylau gan geisio mynd mor gyflym ag y gallen nhw. Er ei bod hi'n weddol gynnes bellach roedd y niwl yn dal i grafangio ar hyd y lôn ac roedd hynny'n bwydo dychymyg. Dechreuodd Gel chwyrnu bob hyn a hyn hefyd ac er nad oedd Ithel yn hoff iawn o'r ci roedd cŵn porthmyn yn ddihafal am synhwyro peryg o bell.

'Sgen ti arf?' holodd Ithel gan gadarnhau ym meddwl Adwen fod y teimlad ym mêr ei hesgyrn hi yn un cywir. Roedd y niwl wedi codi cryd ar y Gwigyn hefyd.

'Ffon go hegar oedd gen i ond mi collish i hi, doedd hi ddim ar y drol, rhaid ei bod hi wedi disgyn ohoni neu wedi ei thaflu. Ma gen i 'nghyllall, ond dydi hi fawr o beth i ymosod ar neb.'

'Ddim ymosod oedd gen i, o reidrwydd. Cadwa olwg ar y ci 'na a bydd yn barod i fynd ar garlam.' Erbyn iddyn nhw ddechrau cyrraedd tir â golwg pobol arno fo, roedd y niwl wedi dechrau ceulo. Cosai cledrau Ithel.

Gwyliadwrus.

Aeth y lôn yn daclusach, a bob hyn a hyn roedd ffensys ffa a da byw, ond edrychai'r rheiny'n sgerbydlyd ym mhylni'r niwl. Dylai pobol fod yn hel cnydau a phethau felly bellach hefyd, meddyliodd Ithel. Dylai fod rhywun o gwmpas.

Arhosodd Ithel wrth y postiau bob ochr i'r lôn dafliad carreg o'r pentref. Ar y rhain byddai bendithion a swyndlysau yn cael eu hoelio i gadw anfadweithiau draw. Byddai pentrefi neu dai unig yn gwneud hynny yn hytrach na chodi muriau uchel ond doedd dim ond hoelion ar y rhain.

'Be sy?' holodd Adwen.

'Fyddan ni ddim saffach yn y pentra na fyddan ni yn ar y lôn. Werth cadw hynny mewn cof.'

Trodd Adwen ei cheffyl a dod at y pyst. 'Fyddai'r un pentra call yn gadael i bostia fynd fel'ma.'

Roedd yn rhaid i Ithel gytuno.

Doedd dim taw wedi bod ar y lleisiau oddi mewn chwaith. Y gair amlycaf oedd yn codi fel broc i'r wyneb oedd *perygl*.

Doedd dim posib gweld fawr pellach na thrwyn pan gyrhaeddon nhw'r pentref. Bob hyn a hyn byddai cysgod adeilad neu wal yn codi o'u blaen. Mygai'r niwl sŵn pob dim, ond er hynny roedd y lle yn teimlo'n wag rhywsut. Doedd dim oglau mwg. Dechreuodd Gel chwyrnu'n ddi-baid.

Estynnodd Ithel eu bwyell yn barod a'i dal mewn un llaw gan gadw carrai'r ffrwyn yn y llall. Daeth Adwen a'i cheffyl yn nes.

'Lle mae pawb?' holodd.

'Mae 'na ôl ffoi, tydan ni ddim yn gwybod yn iawn.'

Chwaraeai'r niwl rhwng olwynion troliau gweigion ac yn y tyllau traed yn y baw. Tyllau rhy ddwfn i bobl a oedd wedi bod yn cerdded. Dim golau yn y ffenestri chwaith. Agorodd Ithel eu clustiau a gadael i'r synau egwan lifo draw. Arafodd pob dim.

Clywon nhw…
wynt drwy wellt sych… anadlu'r ceffyl.. .anadlu a thwrw calon Adwen… yn curo'n gyflymach na'r arfer… ci yn chwyrnu… crensian pedolau… drws yn gwichian yn y gwynt… afon…

drws arall yn agor a chau... tai yn clecian wrth oeri...
adenydd... brân... twrw anadlu arall... trymach... racs...

Ellyll.

Fe agoron nhw eu llygaid, a daeth cyflymder y byd yn ôl. Allai
Ithel weld dim, ond roedd rhywbeth yn eu gweld nhw. Roedd
yn rhaid dod o hyd i loches, un fyddai'n cynnig lle i ddau geffyl.
Ceision nhw gadw'r twrw anadlu yn eu clustiau wrth chwilio.
Roedd y sŵn yn aros, yn cadw'i bellter, ond roedd hi'n t'wllu'n
gynnar. Byddai gan rai pentrefi sgubor ddegwm, am honno
oedden nhw'n mynd.

'Welwch chi rwbath?' holon nhw wrth Adwen.

'Dim, ond mi fedran ni deimlo llgada rwbath ar ein gwar.'

Doedd aros allan yn fawr o beth wrth i'r niwl o'u cwmpas
nhw dduo ond gwelodd Ithel y sgubor yn ymrithio o'r niwl o'r
diwedd. Waliau cerrig, diolch byth, a drysau dwbl ar y talcen.
Mi fyddai lle i'r ceffylau felly. Mater bach oedd agor y drysau.
Cymron nhw gip i mewn, roedd hi'n dywyll ond wnaethon
nhw'm synhwyro fod dim ynddi heblaw am lygod. Roedd
hi'n hen ddigon o faint. Yn y talcen arall roedd drysau eraill i'r
gwynt gael tynnu drwyddi i sychu grawn.

'Ty'd.' Amneidiodd Ithel ar Adwen i frysio.

'Fydda'm yn well i ni ga'l rhyw syniad o be sy 'ma?'

'Ma gynnon ni syniad, ty'd.' Hebryngodd y ddau eu ceffylau
i'r sgubor a dod oddi arnyn nhw. Safodd Ithel yn y drws yn
gwrando.

Fe gollon nhw'r anadlu. Damia. Arhoson nhw yn y drws
gan geisio cael cip ar beth oedd yn y niwl. Oedd cysgodion
draw acw? Yn sydyn, rhedodd Gel yn ei flaen i'r gwyll gan
gyfarth.

'Gel!'

Ceisiodd Adwen redeg ar ôl y ci ond daliodd Ithel hi.

Diflannodd Gel i'r niwl. Estynnodd Ithel eu halbras a thynnu'r bwa ar ôl dewis cwarel o bren cyll o'r casgliad bychan gawson nhw. Roedd y pren hwnnw yn un da i ddelio hefo anfadweithiau. Tawelwch am ychydig eiliadau, yna sŵn Gel yn y niwl yn chwyrnu, sŵn cwffio, a rhywbeth arall yn udo, yna Gel yn ipian mewn poen.

'Mae o 'di brifo, Ithel!' Dechreuodd Adwen am allan eto ond gosododd Ithel eu braich o'i blaen hi. Hyd yn oed hefo arf, peth gwirion iawn fyddai mentro i'r niwl. Yn enwedig, meddylion nhw, ar ôl ci. Peth bychan oedd corgi, byddai'n mynd am bigyrnau pob dim. Mi fyddai anelu fymryn uwch yn saff, fwy na thebyg.

'Taw am funud,' medden nhw cyn gwrando eto, a chau eu llygaid am nad oedd gweld yn ddim byd ond rhywbeth i dynnu'u sylw. Dalion nhw eu gwynt, a saethu. Diflannodd y cwarel i'r niwl gan wneud iddo droelli'n ddel. Rhwygodd sgrech drwy'r tawch a daeth Gel yn ei ôl ar wib. Llusgodd Ithel ac Adwen y drysau dwbl ar gau a chodi'r follt a'i gosod yn ei lle gyda chlec laith.

Roedd drysau'r pen arall wedi eu cau a'u bolltio yn barod. Tenau iawn oedd y ffenestri, lled braich yn unig. Heb gaead ond byddai hynny'n iawn. Rhaid bod drws llai yn rhywle. Brasgamodd Ithel o gwmpas y waliau i ddod o hyd iddo a'i gau. Ar yr ochr arall oedd y clo, roedd yn rhaid rhoi rhywbeth yn ei erbyn felly. Daethon nhw o hyd i ferfa mewn tocyn gwair ac o'i gwthio ar ei hytrawst roedd hi'n ddigon sownd i ddal, gobeithio. Rhedodd Ithel eu llygaid dros weddill y sgubor, tocyn gwair mewn un gongl, ystol i lofft sgubor a fawr ddim arall rhwng y styllod golau yn dod drwy'r ffenestri culion.

Fe oedon nhw.

…twrw anadlu yn nes… deg troedfedd ballu…

'Ithel.'

…oedd yna unrhyw le arall y gallan nhw ddod i mewn?…

'Ithel!'

…mi oedd y llofft sgubor uwch eu pennau nhw…

'Wigyn!'

Chwythodd Ithel drwy'u dannedd.

'Be?'

'Ma Gel 'di brifo.'

Gorweddai'r ci ar ei hyd ar lawr yn anadlu'n gyflym. Roedd hi'n anodd gweld os mai gwaed Gel neu waed beth bynnag oedd o wedi ymosod arno fo oedd dros ei ben. Gan geisio cadw clust am y tu allan penliniodd Ithel wrth ymyl Adwen. Roedd archoll ar ysgwydd dde Gel ond doedd o ddim yn hynod o ddwfn. Edrychai'n hyllach nag yr oedd o. Fe geision nhw weld oedd yna unrhyw olion eraill ond aeth Gel yn ddigon snaplyd felly cafodd lonydd.

'Tydi o ddim yn friw dwfn iawn,' medden nhw.

'Wn i hynny, isio gwybod be sydd tu allan 'na dwi i wybod be'i neud efo fo.' Mwythodd Adwen dalcen Gel a rhoddodd y gorau i'w chwyrnu.

'Ddim trigolion y pentra, 'dan ni'm yn meddwl fod yna neb yma. 'Dan ni'm yn gwbod yn iawn eto, ond ellyll 'dan ni'n feddwl.'

Teimlodd Adwen ychydig yn well. 'Dŵr a halan yn ddigon da i olchi'r clwy felly. Dim brathiad ydi o, nage. Sgynnoch chi halan?'

'Yn y sachyn, mewn blwch pren. Ma symbol halan arno fo.'

'Symbol?'

Doedd pawb, meddyliodd Ithel ddim yn rhai am eu halcemi. Roedden nhw wedi anghofio sut beth oedd gwneud hefo pobl nad oedd yn rhannu'r un corff â nhw.

'Cylch efo llinell drwy'i ganol o.'

Synhwyrodd Ithel fod y ceffylau wedi hen glywed y giwed y tu allan ac roedd eu clustiau yn wastad ar eu pennau a'u llygaid yn dangos eu gwyn mewn dychryn. Aethon nhw at y ddau a'u mwytho i'w cysuro. Byddai cael dau geffyl gwyllt yn rhedeg o gwmpas y sgubor yn gwneud pethau'n beryclach fyth. Clymon nhw'r ceffylau wrth bostyn mor agos ag oedd modd at ganol y sgubor.

Gosododd Ithel eu clust ar y drws y daethon nhw drwyddo a gwrando. Roedd nifer ohonyn nhw rŵan, pump beth bynnag, ac wrth i'r nos ddyfnhau byddai mwy yn siŵr o gyrraedd. Gobeithiai Ithel y byddai'r drysau'n dal. Aethon nhw heibio'r tri eto ac aros a gweld fod Adwen wedi golchi clwy'r ci a bod hwnnw'n llyfu'r dŵr hallt oddi ar ei bysedd. Gosodon nhw'r trapiau wrth y drysau. Yna, aeth Ithel at un o'r ffenestri a mentro edrych y tu allan. Dim byd ond niwl.

Doedd dim i'w wneud ond aros.

Pennod 14

HEB DDIM YMARFEROL i'w wneud a Gel wedi setlo, dechreuodd Adwen sylwi ar y cysgodion yn y sgubor yn tyfu ac yn meinio.

'Gollon ni bedair buwch i gnud o ellyllon unwaith,' meddai.

'Mi fuoch yn lwcus ar y diawl os mai dim ond dyna golloch chi iddyn nhw,' atebodd Ithel o gyfeiriad un o'r ffenestri.

Edrychodd Adwen fel ei bod hi am ateb am ennyd ond trodd yn ôl at Gel.

'Ma' nhw'n hela mewn ciweidia, fel gwnest di sôn,' meddai Ithel. 'Fydda na'm gobaith i ni tu allan. Hefo dau neu dri arall, arfau, cŵn, gyr o wartheg a tharw ella y basan nhw'n wyliadwrus. Ond dau fach eu hunain?'

Edrychon nhw drwy'r ffenest eto a gweld cysgodion yn chwarae yn y niwl fel dail. Dacia.

'Be wnawn ni, Ithel?'

'Cuddiad. Aros yn fa'ma.'

'Ewch chi ddim i'r afael â nhw?'

'Na. 'Dan ni'm yn gwbod be ti'n feddwl ydan ni, Adwen. Ond 'dan ni'm yn wirion. Cyfraith nid hela ydi'n pethau ni.'

Daeth twrw wrth y drws, dim ond sŵn carreg yn disgyn, ond doeddan nhw'm yn tueddu i ddisgyn ar eu pennau'u hunain. Gweryrodd y ceffylau yn isel. Erbyn i Adwen droi yn ôl at Ithel roedden nhw wrth y drws ac wedi cyrraedd yno yn rhyfeddol o ddistaw o gysidro eu bod nhw'n gwisgo sgidiau trymion. Sŵn ysgafn wedyn fel rhywun yn rhedeg ei law ar draws carreg. Cafodd y sleisan o olau gwan o dan y drws ei thorri gan gysgod.

Tawelwch am sbel.

Daeth cwmwl o lwch o dan y drws wrth i rywbeth anadlu. Daliodd ati i ffroeni am hydoedd ac roedd Adwen yn siŵr bod mwy nag un ohonyn nhw yn llechu tu draw i'r drws. Rhoddodd hwnnw wich wrth i bwysau gael ei wthio yn ei erbyn yn araf, araf. Estynnodd Ithel eu bwyell. Gwichiodd y drws eto. Roedd y peth, yr ellyll yn profi ei nerth. Daeth sŵn slap wleb wrth i'r ellyll fynd yn ôl ar ei bedwar. Sgrech fel un llwynog, ond mymryn dyfnach. Cafodd ei hateb. Dim wedyn ond twrw'r sgubor yn setlo.

Gwrandodd Ithel wrth y drws am sbel.

'Tydyn nhw ddim 'di gorffen?' holodd Adwen.

'Megis dechra.'

Ym mhen arall y sgubor, mewn cysgodion trymion rhoddodd y drysau eraill wich. Roedden nhw'n mynd o gwmpas y sgubor, meddyliodd Adwen, i weld oedd ffordd i mewn.

'Nhw sydd wedi gwneud hyn i'r pentra?' holodd.

'M, ella.'

Y tu ôl iddyn nhw mor ysgafn â phig aderyn tapiodd rhywbeth bren y drws bach. Tap tap tap. Fel cymydog yn ceisio cychwyn sgwrs. Tap tap. Cododd blew Adwen i gyd. Roedd hynny, rhyw dynerwch bron, yn waeth na phetai'r pren wedi chwalu'n yfflon. Rhedodd crafanc yn araf deg dros y styllod. Yna, roedd rhywbeth wrth y drysau mawr eto yn gwneud twrw fel petai'n clirio'i wddw o fflem.

H... hu... hûêêlp huêêêlp hûûuêlp

Lledlais tew fel gwaed wedi dechrau oeri.

Cododd Adwen ei phen mewn dychryn a dechrau symud fel ei bod am godi. Amneidiodd Ithel arni.

'Na. Ma' nhw fel trwdwns.'

'Fel be?'

'Drudwy, yn dynwarad petha. Does yna'm pobol tu draw i'r drws 'na.'

Aeth Adwen yn oer.

'Dwi rioed 'di clywad amdanyn nhw'n dynwarad fel hyn.'

'Ma rhai yn well na'i gilydd. Paid â gwrando ar be ddaw nesa. Ma' nhw'n gwybod ein bod ni yma.'

'Sut maen nhw'n gwybod be i ddeud?'

'Gwrando. Dysgu. Ma rhai sy'n byw wrth ymyl pobl yn dysgu'n gynt. Be fasat ti'n weiddi tasa 'na ellyll yn ymosod arnti?'

Hu, Hûêûêlllpwtsh nîîî ôôô n, nu, nâââ

Er fod Adwen wedi gwrando ar Ithel, fedrai hi ddim peidio teimlo rhyw ysfa i ateb, rhag ofn, rhag ofn bod rhywun yno. Daeth cnoc ar y drws eto gan law a oedd hefo llai o fysedd na'r disgwyl. Mwy o ffroeni wedyn a phoer yn gawod ar y cerrig o dan y drws. Newidiodd y lledlais rhyw fymryn, roedd hwn yn uwch o ran traw. Yn fwy benywaidd ei naws rywsut.

C... ch... cuyyymotch... y plât, plââânt huêlp

Daeth tapian ar y drws bach eto. Tap tap.

Iêŵ ŵhŵ ŵ

Tap tap tap.

Yna daeth mwy o dwrw wrth y ddau ddrws mawr. Rhoddodd Adwen ei dwylo dros ei chlustiau, doedd hi ddim am wrando ar eu minsiaith nhw. Estynnodd ei chyllell a'i gosod ar y pridd wrth ei hochr. Roedd hyd yn oed Ithel fel petaent yn anniddig.

Hûêêlp mîîshô mâârŵ

Ngwâig
Plââânt huêlp

Dechreuodd un o'r ellyllon wneud twrw igian crio, ac un arall sgrechian. Rhoddodd y drws wich a chlec. Dechreuodd rhywbeth grafu eto, yn gynt y tro hwn. Ymunodd mwy a mwy nes bod y sgubor yn llawn o'u twrw nhw. Mae'n rhaid fod degau ohonyn nhw, meddyliodd Ithel. Aeth y ceffylau yn wyllt gan geisio tynnu eu penffrwyn a dechreuodd Gel wichian.

Bellach, roedd y drws y daethon nhw drwyddo fo yn gwneud dim ond gwichian ac ysgwyd. Crymodd y follt wrth i fwy wthio gyda'i gilydd. Bob tro y byddai'r drws yn symud byddai crafanc yn ymddangos mewn unrhyw le gwag. Twrw crafu fel ci wrth y pren. Mwy o sŵn a chrafu wrth y ffenestri. Dechreuodd rhai o'r pethau yn y niwl sgrechian fel petaent yn cael eu harteithio.

Doedd dim i'w wneud ond aros a gobeithio am...

Uwchben.

Roedden nhw wedi anghofio am y llofft. Clywodd Ithel un ohonyn nhw ar y to a gwenu. Roeddan nhw'n glyfrach nag y buon nhw. Fe deimlon nhw rywbeth yng ngwaelod eu stumog er eu gwaethaf. Cynnwrf, doedden nhw ddim wedi teimlo cynnwrf ers hydoedd. Aethon nhw ati i ddringo i'r groglofft a gwrando. Heb ffenest o fath yn byd roedd hi'n dywyll. Rhedodd Ithel eu dwylo ar hyd y waliau, roedd yna ddrws ond un bychan wedi'i gloi. Byddai'n anodd i ddim allu torri drwyddo a hwnnw'n bell o'r llawr a go brin fod unrhyw risiau, os oedd rhai, yn llydan iawn. Gwrandon nhw eto. Oedd, roedd un ohonyn nhw'n tyllu. To rhedyn oedd to'r sgubor yn ôl pob golwg. Hen beth cachu rwtsh ond llawn rhatach na gwellt neu frwyn iawn. Gobeithiodd Ithel fod y rhedyn wedi'i bacio'n dynn fel y dylai, byddai hynny'n arafu'r tyllu.

Daliai Adwen Gel yn dynn. Byddai'r hen gi yn iawn, mi fuodd hi'n lwcus yn enwedig am i Ithel allu rhoi cyfle iddo ddianc. Tasa rhywbeth wedi digwydd i Gel hefyd... Rhwng pwnio'i hun y tu mewn yn meddwl am ryw bethau felly a'r gyflafan o sŵn y tu allan, prin y sylwodd Adwen ar Ithel yn mynd i ben yr ystol. Chafodd hi 'rioed ei dal mewn congl fel hyn o'r blaen. O, mi ddigwyddodd rhyw bethau digon annifyr iddi hi fel pawb, mi fuodd mewn mwy nag un gwffas ac roedd hi wedi gorfod mynd benben ag anfadweithiau wrth ddanfon gwartheg cyn heddiw. Roedd pobl, os rhywbeth, yn waeth. Ar y pryd doedd rhywun ddim yn cysidro bod bywyd rhywun yn y fantol.

Ond fel hyn, yn sownd ac yn gweld crafangau o dan y drysau, heb arf ac hefo dieithryn mi oedd hi'n wahanol. Tasa Sion yma mi fyddai hi wedi gorfod cymryd arni ei bod hi'n gwybod yn union be i wneud ond... a dyna'r hen bwll yna'n agor eto. Gwasgodd Gel yn nes a sylwi. Sylwi nad oedd hi wedi crio; dros Sion, na rhyw lawer dros ei thad er pan farwodd o, na'i mam, flynyddoedd yn ôl, na throsti hi'i hun yn sownd mewn sefyllfa gachu fel hon ac angau yn cau amdani. Waeth iddi wneud rŵan felly meddyliodd, gystal amser ag unrhyw un. Torrodd rhywbeth ynddi fel strap cyfrwy wedi ei dynnu'n rhy dynn.

Daliodd Ithel eu bwyell a gwrando am ennyd. Yn araf, symudon nhw fel eu bod yn union o dan y crafu. Fyddai bwyell yn werth dim nes y byddai'r ellyll wedi torri drwy'r to a byddai'n rhy hwyr wedyn. Os byddai twll yna byddai'r ellyllon yn berwi drwyddo fel morgrug. Byddai'n rhaid cael llafn hir ond doedd ganddyn nhw'r un.

Pwyll.

Ia, dyna'u drwg nhw erioed, peidio meddwl. Wedi edrych

o'u cwmpas a'u llygaid bellach wedi dygymod hefo'r twyllwch, cafodd Ithel gyfle i fentro pwt o wên. Aethon nhw at docyn gwair ym mhen pella'r llofft ac estyn y bicwarch oedd yn sticio ohono. Os oedd pen yr ellyll o dan y crafu... yna byddai'r frest... fe droeon nhw eu llaw rhyw fymryn i'r chwith. Yna, gwthion nhw'r bicwarch am i fyny gyda'u nerth i gyd. Aeth y pigau haearn drwy'r rhedyn fel nad oedd o'n ddim ond gwynt. Daeth sgrech led-ddynol a rhoddodd coesyn y bicwarch blwc. Gwthiodd Ithel eto'n ddyfnach a dal yn erbyn y gwingo, symud i'r ochr wedyn i ledu'r clwyf, cyn ei thynnu'n ôl. Clywon nhw'r ellyll yn rowlio ar hyd y to ac yn taro'r llawr gan wneud sŵn fel sach o ddŵr ac esgyrn. Tawelwch.

Daeth mwy o'r sgrechian ond roedd o dipyn pellach nag y buodd o. Gallen nhw fynd allan i hela, lladd yr ellyllon i gyd a chael gwared ar griw arall o anfadweithiau... roedd yr hen gri yn galw, yn tynnu ym mhob gewyn wrth i'r cysgodion tu mewn iddynt ferwi drwy'i gilydd. Cafodd Gwigiaid eu gwneud i ymladd hefyd...

Yna cymerodd Ithel wynt a chrynu drwyddynt. Na, dim ond os oedd rhaid a doedd fyth rhaid yn y bôn. Fe droeon nhw eu meddwl at y sgubor. Er i'r bicwarch gael ei ll'nau rhyw fymryn gan redyn y to roedd tipyn o waed tywyll arni o hyd. Fe sychon nhw'r gweddill ar wair sych a mynd yn eu hôl i lawr yr ystol.

Rhoddon nhw'r bicwarch i Adwen, doedd y gyllell ganddi yn werth fawr ddim. Roedd breichiau ellyll yn hirach na breichiau pobl a phwt o lafn. Byddai'n syniad hel pob arf posib.

'O, y, diolch,' meddai hi a chodi ar ôl mwytho Gel a sychu'i dagrau. Roedd y sgriffiad wedi torri crib y ci ac roedd o i weld yn ddigon bodlon i aros yn llonydd.

'Fedri di saethu?' holodd Ithel gan amneidio ar yr albras ar lawr.

'Dwi'm 'di trin peth fel'na o'r blaen,' atebodd Adwen a chyffwrdd yr albras gyda blaen ei throed. Cododd Ithel y teclyn a sychu'r llwch oddi arno.

'Dyna'u mantais nhw, chydig o waith dysgu sydd. Tynnu'r llinyn yn ôl fel hyn.' Rhoddodd Ithel y lefer yn ei le a'i dynnu. 'Bollt neu gwarel yn y rhicyn, fel hyn, 'nelu fo at be bynnag tisio'i daro a thynnu hwn ar y gwaelod, y stwmpyn yma, y glicied. Gweddïo. Hawdd.'

Wnaethon nhw'm sôn y byddai'n rhaid iddi fod yn lwcus i daro ellyll o gwbl heb sôn am wneud hynny'n ddigon manwl i ladd un ar unwaith.

'Ond ma' nhw 'di mynd bellach dydyn?'

'M.'

Aeth Ithel i edrych ar y drws. Roedd y follt wedi dechrau bochio ac roedd llinell oleuach yn rhedeg yn erbyn y graen. Roedd eu hoglau nhw'n dew yno hefyd. Daeth Adwen o hyd i gribyn a stwffiodd y ddau honno yn erbyn y follt i'w hatgyfnerthu. Estynnodd Ithel un o'r bendithion a stwffio'r rhisgl tenau rhwng y gribyn a'r follt. Byddai'n ddigon i wneud mymryn o wahaniaeth efallai. Dim ond newydd dywyllu'n iawn oedd hi, byddai'n noson hir.

Eisteddodd y ddau gefn wrth gefn yn wynebu'r drysau mawr. Adwen yn dal yr albras ac Ithel hefo'u bwyell wrth eu hochr. Wrth eistedd ynghanol y sgubor gallai'r ddau gadw golwg ar y tri drws. Bob hyn a hyn byddai Ithel yn codi ac yn cael golwg o gwmpas y llofft. Drwy'r oriau duon byddai'r ellyllon yn dod yn eu holau i grio wrth y drws a chrafu ond byth yn y niferoedd ddaeth y tro cyntaf. Chysgodd neb.

Pennod 15

WEDI I'R STREMPIAU o olau a lifai drwy'r ffenestri cul fagu dipyn o nerth, tynnodd y ddau y follt a llusgo'r drysau ar agor. Rhywbryd yn ystod y nos roedd y fendith wedi gwneud ei gwaith, a'r rhisgl wedi llosgi a throdd yn lludw cyn gynted ag y symudodd Ithel hi. Cadwai'r niwl ei afael ac yng ngolau'r bore roedd o'n llachar ac yn ddigon i wneud i lygaid y ddau ddyfrio. Teimlai Adwen fod y byd yn cau amdanyn nhw'n ara deg.

Er eu bod nhw wedi gadael Gel ar docyn gwellt i ddod ato'i hun, cododd y ci a cherdded hefo Adwen gan snwyro'r llawr yn ofalus. Edrychai'r clwyf fel ei fod o'n un iach.

'Ty'd yma,' meddai Ithel wrth y ci gan estyn y potyn mêl.

'Gel,' amneidiodd Adwen.

Rhoddodd Ithel ddipyn o'r mêl ar eu bawd a'i daenu'n ofalus dros y clwyf a phrin chwyrnu o gwbl wnaeth y ci.

'Mi fydd o gymorth efo'r gwella,' nododd Ithel a chynnig y potyn i Adwen.

'Diolch,' atebodd hithau a phlygu i grafu clustiau Gel.

Rhoddodd Adwen y potyn yn ei sgrepan ac ail-godi'r albras. Aeth Ithel heibio ochr y sgubor. Doedd dim corff wrth y wal, dim ond strempan o waed ar y chwyn lle glaniodd yr ellyll yn gymysg hefo llond llaw o'r rhedyn o'r to. Sylwodd Ithel fod pren y drysau'n farciau crafu i gyd a chreithiau'r pren newydd yn wyn llachar.

'Yli,' meddai Ithel gan amneidio ar bantiau yn y pridd o

gwmpas waliau'r sgubor. 'Mi fuon nhw'n tyllu amdanan ni.' Diolchon nhw am sylfeini dwfn.

'Fydda'n syniad i ni chwilio am bobol?' holodd Adwen.

Roedd Ithel yn sicr nad oedd yna neb o gwmpas ond fyddai cael golwg sydyn ddim yn ddrwg o beth. Doedd pethau ddim yn eu taro nhw'n iawn yma.

'Mi fedran ni gymryd golwg wrth i ni fynd drwy'r pentra ond fedran ni ddim aros yn hir.'

Arweiniodd y ddau eu ceffylau drwy'r pentref. Gwaeddodd Adwen am bobl unwaith neu ddwy ond wedi i'r tawelwch ei hateb hi, distawodd. Teimlai fel ei bod hi newydd weiddi ar lan bedd a llyncodd y niwl ei llais. Ceisiodd Ithel chwilio am unrhyw arwydd o'r hyn a wagiodd y pentref wrth gerdded, ond doedd yna ddim byd i weld o'i le ar yr olwg gyntaf heblaw am y gwacter.

Olion traed yn y baw yn awgrymu bod pobl wedi rhedeg. Doedd dim golwg o dân. Afiechyd efallai? Blasodd Ithel fymryn o ddŵr y ffynnon wrth basio heibio ac roedd honno i weld yn iawn hefyd. A doedd afiechyd ddim yn gwneud i bobl redeg beth bynnag. Fe deimlon nhw nad y niwl yn unig oedd yn eu hatal rhag gweld pob dim, roedd rhywrai wedi bod yn ofalus iawn i guddio unrhyw arwydd o be ddigwyddodd yma. Oedd modd i be bynnag oedd ar y drol wagio pentref o wyth o dai hefyd? Eu difa nhw fel nad oedd arlliw ohonyn nhw ar ôl? Corff ac enaid?

Ond doedd yna'm mor fath beth â chuddio pechodau i gyd. A nhwythau'n gwybod fod oedi yn costio, penderfynon nhw gymryd golwg fanylach. Cytunodd Adwen y byddai hynny'n beth call i'w wneud.

'Falla fod 'na gyswllt rhwng y ddeubeth, Sion a fan hyn,' meddai.

'Falla,' atebodd Ithel.

Chwiliodd y ddau rai o'r tai gyda'i gilydd. Dim ond Adwen feddyliodd am ofyn 'Oes 'na bobol?' wrth wneud. Bythynnod bychan oedd pob un, hefo llawr pridd a tho gwellt a simdde yn y canol. Yn ddi-ffael roedd pob un yn dywyll, yn oer ac yn wag. Er nad oedd hi'n hawdd hefo pob un gallodd Ithel weld bod drysau o leiaf ddau ohonyn nhw wedi eu gwthio ar agor gyda dipyn o nerth o'r tu allan. Dim ond un oedd wedi ei gau o hyd ac roedd ellyll wedi tyllu drwy waliau pridd hwnnw ac, yn ôl pob golwg, wedi llusgo rhywun ohono. Roedd Adwen o'r farn fod golwg anhrefnus a blêr ar y tai hefyd, fel bod rhywun neu rywbeth wedi eu sbydu nhw. Bu'r ellyllon ynddynt yn sicr, roedd hoel eu pawennu ac oglau'u pisio nhw lond y tai ond oedd hynny'n cuddio rhywbeth arall? Oedd, roedd gwaed mewn dau dŷ, ond dim cyrff i'w harchwilio felly roedd hi'n anodd dweud be fu achos ei dollti. Doedd dim pall ar chwyrnu Gel.

Wrth i Adwen ac Ithel grwydro drwy gregyn gweigion y tai safai'r niwl yn ddisymud y tu allan.

Yn un o'r tai ar y llawr o dan setl roedd ffon a fyddai'n gwneud fel pastwn hefyd. Cododd Ithel hi, roedd hi'n dod at eu brest a gyda bwlyn go hegar yr olwg ar ei phen.

'Neith honna i chdi?' holodd Ithel a'i chynnig i Adwen.

Cymrodd Adwen hi a gosod yr albras ar y setl cyn chwifio'r ffon o'i blaen. Cadwodd Ithel yn ddigon pell.

'Bach yn fawr ond mae hi'n ffon debol. Dwi'm yn ama fod yr holl beth wedi ei wneud o un darn, y gwraidd oedd y lwmpyn 'ma ar y pen dwi'n meddwl. Welwch chi?' Nodiodd Ithel. Chwifiodd Adwen y ffon eto a dod o hyd i'w chydbwysedd hi gan ei dal yn wastad ar un bys o'i blaen. Yna oedodd, 'Ddim dwyn ydi peth fel hyn?'

Roedd Ithel yn sicr nad oedd yna neb am weld colli'r ffon. Diflannodd y trigolion a hyd yn oed os oedden nhw wedi gadael yn fyw doedd ganddyn nhw ddim llawer o ffydd y byddai pobl y pentref yn dod yn ôl.

'Gadawa rwbath yn ei lle hi os leci di, dyna fyddan ni'n wneud.'

'O?'

'Cydbwysedd.'

Arhosodd Ithel ddim i weld be fyddai Adwen yn ei adael, fe fyddai peth felly'n ddigywilydd. Fe gicion nhw gerrig i ganol gwely pabi a milddail wrth wal y tŷ i aros iddi gyrraedd. Cawson nhw'r albras yn ôl ganddi wedi iddi ddod o'r tŷ, roedd hi'n fwy cyffordus hefo'i ffon newydd.

'Awn ni mewn?' holodd Adwen wrth weld bod drws y bwthyn nesaf wedi bochio. Roedd hwn o dan gysgod onnen fawr a'r tŷ yn dywyllach fyth o achos hynny. Sylwodd Adwen fod y bwrdd wedi ei osod ar gyfer pryd, brecwast neu ginio ond roedd popeth wedi hen oeri. Daliodd Ithel eu llaw uwchben gweddillion y tân a chael rheiny'n rhynllyd hefyd.

'Dim golwg o neb,' meddai Adwen o ben ystol y grogloft.

Aeth Ithel drwy'r pantri er nad oedd yna fawr o ddim yno. Lwmp o gig wrth fachyn, tamaid o gaws, blawd ceirch mewn potyn pridd, twb o saim. Roedd hynny'n od. Doedden nhw ddim wedi gweld fawr o ddim o werth fel arall yn y tai eraill chwaith, a fyddai ellyllon ddim yn clirio lle mor sydyn â hynny. Oedd y rhai a gariai'r gist wedi llwytho ar fwyd wedi'r cwbl? Helion nhw'r bwyd i'w sgrepan a gadael cragen fach yn eu lle. Y tu allan safai Adwen yn edrych ar y niwl, byddai'n well iddyn nhw ei siapio hi. Yna, wrth fynd am y drws fe welon nhw'r lintel uwchben y lle tân yn iawn.

Tamaid o bren digon garw oedd hi wedi ei siapio a'i llyfnu,

rywbryd roedd rhywun wedi cerfio blodau tebyg i'r rhai oedd am gaeadau'r ffenestri arni. Ond rhwng y blodau llonydd roedd twll, a hwnnw'n edrych fel un newydd. Aethon nhw'n nes a rhedeg eu dwylo dros y pren a gweld fod y fflawiau newydd-anedig yn cadarnhau hynny. O graffu a defnyddio'u cyllell, tynnon nhw rywbeth o'r twll a'i ddal at y golau. Darn o haearn, efallai. Bron iawn yn grwn, fel pêl fach. Daliodd Ithel hi yn eu cledr. Rhyfedd. Arafon nhw eu hanadlu a dechrau meddwl. Wrth eistedd ar y setl toddodd y stafell i ddim a throdd golau pŵl y bwthyn yn olau meddal prynhawn mewn dôl yn llawn blodau. Agorodd Ithel eu llygaid a gweld cysgodion yn sefyll yn gymanfa ymysg pwrs y bugail, llysiau'r pladur, pys ceirw, blodau menyn, cas gan gythraul a gwelltiach bras. Roedd carreg wastad yn gynnes gan yr haul o'u blaen ac arni fap, neu fapiau, neu sawl map yr un pryd yn symud drwy'i gilydd. Roedd rhai wedi eu hysgithro ar y garreg neu ar esgyrn, eraill ar grwyn neu ddarnau o ddefnydd neu femrwn.

Pa un yw'r ffordd gyflymaf i Ferin? holodd cysgod a oedd yn cyrcydu wrth y garreg.

Daeth dau neu dri arall a phori dros y mapiau. Cododd glöyn byw a glanio ar yr un blodau dro ar ôl tro. Doedd gan yr hen hen gysgodion fawr o ddim i'w gynnig ond roedd eistedd fel hyn a meddwl yn gymorth i Ithel gael trefn arnyn nhw'u hunain.

Pont y Clogwyr, dyna'r ffordd. Safai Gwidw uwch y mapiau'n pwyntio.

Byddai'n rhaid teithio'n bell heddiw ac nid i geisio dal trol yn unig. Roedd gan bob ciwed diriogaeth fawr a doedd hi'n ddim ganddyn nhw ymosod ar griw bach. Doedd pethau ddim yn eu taro nhw'n iawn chwaith, doedd ellyllon ddim yn ymosod ar bentrefi yn aml iawn. Dim ond yn ystod gaeafau hegar fel arfer. Doedd criw mawr fel'na yn amgylchynu tŷ yn nhwll din nunlla ddim yn eu synnu nhw. Ond pentref cyfan? Na, go brin. Ond, ond… be oedd ellyllon wrth eu boddau yn gwneud oedd ll'nau ar ôl petha eraill a thasa'r lle wedi ei wagio neu'r trigolion wedi'u lladd fasan nhw fawr o dro yn sylwi ar hynny ac yn dod i lenwi'u boliau. Mae ellyllon yn gwylio, yn tendio, felly maen nhw'n dysgu dynwared a gweld pan mae lle ar ei wendid. Roedd yr holl ddulliau o amddiffyn y lle, yn swynion, bendithion a chlychau wedi eu tynnu hefyd…

Be sydd yn ein llaw ni? holodd cysgod plentyn gan wthio bysedd Ithel ar agor. *Be ydi o?*

'Ithel?' holodd Adwen o'r drws.

'M.'

Daeth Ithel yn ôl i'r byd.

'Be sgynnoch chi'n fana?'

Ia, meddyliodd Ithel, be ydi o? Be fyddai'n gallu tyllu pentan fel yna? Aeth Ithel allan i'r pentref ac edrych ar y lle gyda llygaid newydd. Pwy fyddai'n meddwl am dyllau mewn waliau tai pridd? Fawr o neb. Pwy sy'n cyfri tyllau adar, llygod neu gacwn mewn wal bwthyn? Ond wrth chwilio am un, o faint penodol, newidiodd y pentref i gyd.

Brasgamodd Ithel rhwng y tai eto a thynnu pedair pelen arall o dyllau newydd ynddyn nhw, roedd rhai mor ddwfn â llafn eu cyllell, eraill ond ar y wyneb bron. Fe safon nhw am ennyd gan droi'r peli drwy'u dwylo.

Byddai'n well symud. Roedd modd pensynnu ar gefn ceffyl.

Golwg fras iawn gafodd y ddau wedyn a dim ond wrth ddilyn y lôn o'r pentref. Chodon nhw ddim o werth ac ymhen dim diflannodd amlinellau tywyll y pentref y tu ôl iddyn nhw'n ddim.

Pennod 16

HEB EI BOD hi'n teimlo'r ceffyl yn symud oddi tani gallai Adwen fod wedi taeru nad oedden nhw'n symud o gwbl gan fod y niwl mor drwchus. Dyma'r math o niwl fyddai'n gwneud iddi hi a'i thad feddwl ddwywaith neu dair cyn symud anifeiliaid. Ymhen dim gallai rhywun golli golwg ar dda byw yn y fath gaddug ac yna byddai'r rheiny yn mynd o'r golwg i gors, i geg rhyw anfadwaith, dros glogwyn neu'n diflannu heb arwydd o fath yn y byd. Gallai rhywun golli gyr a cholli ffordd fel hyn yn hawdd.

Crynodd.

Cododd y teithwyr o'r niwl erbyn diwedd y prynhawn ac oedodd Ithel a throi i weld y niwl wedi cronni o hyd oddi tanyn nhw. Roedden nhw wedi gadael tiriogaeth yr ellyll fwyaf tebyg ond roedd y noson gynt wedi eu hatgoffa nhw o beryglon bod allan mewn tir gwag heb ddim i'w hamddiffyn.

Cysgai Gel yng nghôl Adwen ac roedd hi'n falch o'r cysur hwnnw o hyd. Edrychodd ar gefn pen Ithel o'i blaen. Ers iddyn nhw adael y pentref doedden nhw ddim ond prin wedi torri gair hefo hi, doedd hynny ddim o reidrwydd yn anarferol er cyn lleied oedd hi'n adnabod arnyn nhw. Doedden nhw ddim yn sgwrsiwr ac yn aml roedden nhw'n bell, wrth gwrs. Eto, roedd yna ryw bendroni heddiw, rhyw syniad bod yna rhyw droi mawr fel olwyn ddŵr y tu mewn i'r penglog o'i blaen. Be oedd y miri hefo'r peli bach, dybed? Bron nad oedden nhw'n edrych fel peli clai y byddai plant yn chwarae gyda nhw neu beli ffon dafl, roedd rhai yn dal i'w defnyddio nhw yn erbyn adar a bleiddiaid o gwmpas Bodira. Cadwodd Ithel nhw beth bynnag.

Edrychodd o'i chwmpas yn falch o weld rhywbeth heblaw am niwl. Roedd y coed drain o'i chwmpas yn fain ac wedi crymu ac roedd y lôn yn arwain at ucheldir. Er iddi geisio'i gorau roedd hi'n methu'n glir â chofio'r ffordd yma ac roedd hynny'n ei gadael yn anniddig. Mi ddylai fod porthmon yn gwybod yn iawn i le oedden nhw'n mynd ac o le oedden nhw wedi dod. Ond dyma hi, fel y cwch afiach 'na fu'n dyrnu pwll ei stumog ar drugaredd rhyw rym fel arall. Ambell i fflach oedd hi'n gael, carreg yn sefyll wrth ochr y lôn, cromlech neu goeden a oedd ar ryw wedd yn gyfarwydd ond roedd hi'n eu troi nhw yn ei phen gymaint nes ei bod yn dechrau amau ei hun. Oedd roedd rhai o'r Olion yn gyfarwydd, pethau fel y cleddau oedd i'w gweld yn y dyffryn islaw, yn uwch nag unrhyw goeden ac wedi disgyn o'r nefoedd yn ystod y Rhyfeloedd meddai rhai. Ond welodd hi mohonyn nhw o'r cyfeiriad yma chwaith – yn lond llaw o lafnau anferth yn trywanu'r tir gwastad a'r llethrau islaw.

Yn straeon ei thad a'i thaid a chaneuon mapio y porthmyn eraill doedd yna ddim llawer o ddim werth ei adrodd am y ffordd yma i Ferin mae'n rhaid heblaw…

'I le ydan ni'n mynd?'

'Ferin,' atebodd Ithel yn swta.

Ochneidiodd Adwen, oedd peth fel'na yn fwriadol yntau'n ddi-glem oedden nhw? Tynhaodd ei llaw ar y cyfrwy.

'Cyn hynny, de. Ydan ni'n mynd at bont, un arbennig?'

Trodd Ithel.

'Sut wyddat ti?'

Oedden felly. Am ennyd meddyliodd Adwen am droi'n ôl, doedd bosib fod Ithel mor wirion. Roedd hi'n amau eu bod nhw wedi synhwyro ei hamheuaeth hi.

'Dyna'r ffordd gyntaf, Adwen.'

Tynnodd Adwen ar ffrwyn ei cheffyl.

'Maen nhw'n beryg bywyd!'

Roedd y ddau wedi oedi wrth dro ar waelod allt. Erbyn hyn roedd hi'n amlwg eu bod nhw'n mentro tuag at bont Clogwyr. Os nad oedd y cilbyst mwsoglyd wrth droed yr allt yn ddigon o awgrym yna roedd y penglogau gwartheg wedi eu gosod ar eu pennau nhw yn arwydd go bendant. Â'r p'nawn yn marw ar ei draed, roedd niwl wedi dechrau hel eto gan droi'r cerrig yn gewri bygythiol.

'Mi wyddon ni nad ydi porthmyn a Chlogwyr bob amser yn cytuno.' Ceisiodd Ithel fod mor ddidaro â phosib ond ffromi wnaeth Adwen a mynd oddi ar ei cheffyl.

'Cytuno!? Ithel, maen nhw'n angheuol. Mi oedd fy nhaid yn nabod rhywun na chafodd eu teulu nhw hyd yn oed asgwrn yn ôl ganddyn nhw. Cadw'n glir os nad oes rhaid, dyna… dyna fyddai 'nhad yn ddeud. Prin ydi'r porthmyn sy'n fodlon mynd heibio nhw, 'dach chi'n gwybod hynny mae'n rhaid.'

Aeth Gel at un o'r cilbyst gerfydd ei drwyn a'i snwyro, yna dechreuodd chwyrnu a chyfarth. Daeth ateb o ben yr allt – twrw dwfn nad oedd yn frefiad mewn ffordd, nac yn udo, ond yn rhywbeth oedd rhywun yn ei glywed yn ogystal â'i deimlo. Trodd Adwen a syllu heibio'r cerrig drwy'r niwl. Tawelodd Gel.

'Os nad oes rhaid,' atebodd Ithel. 'Ac mae rhaid, dyma'r ffordd gyflymaf. 'Dan ni'n ymwybodol o… gamddealltwriaethau.'

'Hy!' Trodd Adwen ei chefn ar y cerrig ac ar Ithel.

'Ddaw ddim drwg i ti, dim ond pasio fydd angen.'

Safodd Adwen am ennyd yn meddwl cyn codi ei hun i'r cyfrwy.

'A be fydd y doll 'sgwn i?'

Pennod 17

WRTH I'R CEFFYLAU ddringo gallai Ithel ac Adwen deimlo eu bod nhw'n anniddig, ac roedd Gel hefyd yn snapio ar bob cysgod a brigyn oedd ar y lôn. Ceisiodd Adwen beidio meddwl gormod am yr hyn oedd o'i blaen ond roedd pob gewyn yn tynnu a'i dwrn yn dynn am y ffon. O'i chwmpas, mewn patrymau rhyfedd ac ofnadwy roedd cerrig o bob math wedi eu gosod, rhai mewn pentyrrau, eraill mewn siapiau troellog o bob maint – rhwng cerrig crwn o waelod afon hyd at glogfeini anferthol. Byddai gwahanol rai yn ymddangos yma ac acw rhwng pyliau o niwl. Ambell garreg ar ei phen ei hun, rhai wedi eu gosod fel cromlechi tra bod eraill ar bennau ei gilydd gan gydbwyso'n amhosib neu wyro yn erbyn rheswm.

Yna roedd yr esgyrn, wedi eu gosod ar y cerrig gan amlaf. Gwyddai Adwen ddigon am wartheg i weld mai dyna oedd y rhan fwyaf ohonyn nhw ond roedd eraill yn styrbiol o annelwig. Eto, roedd rhai o'r rhain wedi eu gosod mewn patrymau a thociau rhyfedd. Pan fyddai'r niwl yn teneuo byddai Adwen yn gweld fod y tir o'u cwmpas am y gwelai hi wedi ei orchuddio gyda'r cerrig a'r esgyrn ac mai'r lôn oedd yr unig ddarn heb ei gyffwrdd. Doedd y disgrifiadau yn y caneuon o 'balasau cerrig' ac 'eglwysi esgyrn' ddim mewn difri yn cyfleu y lle yn iawn.

'Be'n enw'r Fugeiles ydi hyn i gyd?' holodd Adwen wrth iddyn nhw basio o dan fwa troellog wedi ei wneud o gerrig fyddai pob synnwyr yn ddweud oedd yn llawer rhy fychan i wneud dim hefo nhw.

'Dyna ydi'u pethau nhw,' atebodd Ithel, 'mi fyddai'n well i ni arafu, dacw'r bont.' Amneidiodd Ithel tuag at ddwy garreg dal oedd bron â diflannu i'r mwrllwch o'u blaenau. Cam neu ddau eto a daeth gwaelod y bont i'r golwg. Edrychai yn y niwl fel petai'n parhau am byth neu'n fan i groesi i fyd arall. Doedd hi ddim yn bell, dim ond rhyw ganllath wedi mynd heibio carreg ar ochr y ffordd. Carreg a oedd wrthi'n deffro.

Dadlapiodd cysgod y garreg, ymddangosodd breichiau hirion. Yna gan dasgu pridd a mwsog cododd nes ei bod ddwywaith uchder y ceffylau gan wneud twrw a oedd yn crynu drwy rywun. Twrw a oedd yn codi drwy draed ac yn cyseinio yn y frest. Daeth y garreg yn nes i gyfeiliant mwy o'r taranu, a tharodd y llawr gyda dau ddwrn fel gordd. Daeth Ithel oddi ar Medwyn yn ofalus.

'Ithel!' meddai Adwen gan geisio dal ei hun ar gefn ei cheffyl.

'Paid â symud yn sydyn, a phaid â sbio i'w lygaid o.'

'Awn ni heibio! Yn sydyn!' Ceisiodd Adwen droi trwyn y ceffyl at y bont ond cadwodd Ithel eu llaw ar y penffrwyn yn dynn.

'Ddim heb dalu.'

Daeth y garreg yn nes gan roi oergri arall a dechreuodd Ithel daro eu troed ar y llawr. Teimlodd Adwen gri arall yn crynu ei ffordd drwyddi. Roedd y garreg yn symud yn sydyn iawn tuag atyn nhw gan dasgu pridd a cherrig mân. Symudodd Ithel ddim er i Medwyn geisio codi ar ei goesau ôl. Yna, ac yntau ond o fewn pellter poeri, heb arafu na rhoi unrhyw arlliw ei fod wedi symud o gwbl aeth y siâp yn gwbl lonydd.

Daeth twrw tebyg i glwcian neu gnocio dwy garreg wrth ei

gilydd a stampiodd Ithel fel petai'n ymateb. Bu saib. Plygodd Ithel a mynd ar eu gliniau cyn cyffwrdd eu talcen ar y llawr. Saib arall. Yna mor araf deg a gyda phendantrwydd rhewlif yn llithro gwnaeth y cysgod hynny hefyd. Er nad oedd Adwen yn gallu gweld y peth yn iawn roedd hi'n gallu teimlo ei faint o. Dyma sut beth oedd Clogwr felly, y bwystfilod hynny oedd yn dal ac yn lladd porthmyn.

'Wwwwy. Yna?' Roedd y llais yn is o ran sain na'r disgwyl, ond roedd o fel petai o'n atseinio rhwng y geiriau gan ddawnsio o garreg i garreg ac o asgwrn i asgwrn. Teimlodd Adwen o'n crynu'i phenglog.

'Ithel. Adwen.' Tarodd Ithel eu troed ar y llawr a'i throi i'r chwith yn sydyn.

'Wiiig' a gwnaeth y siâp sŵn fel carreg yn disgyn i bwll 'iii.'

'Ia, Gwigyn, a chyfaill.'

Hyd yn oed yn nannedd ofn sylwodd Adwen mai dyma oedd y tro cyntaf i Ithel gyfeirio ati fel cyfaill o bob dim.

Llithrodd Ithel eu troed ar draws y pridd a rhoi tro arall gyda'i blaen hi.

'Golau? I weld?'

'Ooolaaauuu. Iaaa.'

Estynnodd Ithel am ffagl fechan o'u sachyn ac wedi plygu a tharo'r haearn gwreichion, cododd y fflamau. Gallodd y teithwyr a'r Clogwr weld ei gilydd yn well.

Welodd Adwen gawr erioed ond gallai hi ar un olwg weld sut byddai rhywun yn gallu drysu rhwng Clogwr ac un o'r rheiny. Ond doedd hwn ddim fel dylai cawr fod, meddyliodd, dylai cawr fod fel person ond yn fwy. Cododd y Clogwr bawen fel rhaw a rhwbio'i lygaid.

'wwwwwelll*d*.' Y twrw gollwng carreg eto.

Heblaw am y ddwy goes a'r ddwy fraich, doedd yna fawr o ddim dynol yng nghylch y talpyn llwydaidd. Roedd y breichiau yn rhy hir. Edrychai o bron, meddyliodd Adwen, fel rhywbeth y byddai plentyn yn ei siapio o glai neu ddelw wedi ei thorri'n amrwd o graig hefo coesau bach stymplyd. Sylwodd fod y Clogwr wedi clymu brigau a thameidiau o gerrig ar ei freichiau fel llewys neu freichledau ac roedd gwiail wedi'u plethu ar rai o'i fysedd.

Roedd y wyneb fel rhyw ddelw glai blentynnaidd hefyd. Doedd ganddo ddim ond dau dwll ar ochr y pen lle fyddai clustiau. Tyllau oedd ei drwyn o hefyd o dan ddwy lygad fawr a oedd yn sgleinio fel rhai cathod yn y golau. Roedd hi fel petai Adwen yn gweld wyneb lled-ddynol wedi ei lyfnu. Tyfai cen ar hyd ei gorff. Crynodd tagell y Clogwr wrth iddo fo ddechrau taranu unwaith eto.

'Aaa, maaaa o'n weld. Weeell. Beeee buuusnas hein?'

'Ar y ffordd i Ferin ydan ni.'

Cododd y Clogwr fraich hir a chrafu o dan ei ên.

'Mmmm. Itheeel n iaaaawn?'

'Ydan. A sut wyt ti, Twrw Dŵr ar Fwsog?'

Daeth gwich ddofn o gyfeiriad y Clogwr.

'A! Maaaa foo'n cofiooo enwww awyyr! O'n iawwwn, busnas ciaimi. Neewiid. Pethaaa'n newwwid. Bysadd cachu.' Daeth yr 'ch' fel sŵn crensian cerrig mân.

'Ddrwg gen i glywad fod busnas yn giami, Twrw Dŵr ar Fwsog,' atebodd Ithel gan redeg eu dwy droed drwy'r pridd eto. Teimlodd Adwen fod y siarad ar lafar yn fwy er ei budd hi na sgwrsio hefo'r Clogwr.

'Bysadd cachu?' holodd gan sibrwd.

'Rwbath drwg, bwyta hefo'u dwylo maen nhw.'

Trodd y Clogwr yn araf at Adwen a cheisio manylu arni,

plygodd a dod â'i wyneb i lawr yn nes ati. Cofiodd gyngor Ithel ac edrych ar y llawr. Clywodd Adwen oglau llaith mwsog a phridd.

'Pwwwy hi?'

Tynhaodd Adwen drwyddi ac roedd Gel wrth ei thraed fel trap yn barod i neidio.

'Adwen dwi. Adwen erch Robin.'

Gwelodd Adwen o gongl ei llygaid ganhwyllau llygaid Twrw Dŵr ar Fwsog yn meinio wrth iddo edrych arni.

'Croeso,' meddai o'r diwedd. Gan ei fod yn nes gallai Adwen weld ei fod wedi peintio darnau o'i wyneb gyda chlai neu bridd a'r patrymau fel rhai'r cerrig o'u cwmpas.

'Nhw taaalu i fodan 'cw, ochooor araaall.' Gwnaeth Twrw Dŵr ar Fwsog sŵn isel hir a daeth ateb yr un mor swnllyd o ben arall y ceunant yna setlodd Twrw Dŵr ar Fwsog i bant oedd wedi ei wisgo yn grwn yn y graig.

'Da gwweeeld Ithel.'

'A tithau Twrw Dŵr ar Fwsog.'

Arweiniodd Ithel y ceffylau ymlaen.

Doedd dim canllaw na wal ar y bont felly doedd hi'n ddim mwy na darn hir o garreg rhwng bob ochr i'r ceunant. Gan nad oedd yna ddim rhwng y teithwyr a rhyw ddau funud o dwrw gwynt a chlec, fe aethon nhw drosti yn araf gan arwain eu ceffylau'n ofalus. Gallai Adwen weld cysgod yn aros ar y pen arall, un mwy na Twrw Dŵr ar Fwsog.

Pan ddaeth y ddau at ben arall y bont gwthiodd y Gloges gist haearn oedd yn dolciau i gyd o'u blaen.

'Ca nhw daaalu i hiii. Ca nhw baaasioo wedyyyn.'

Estynnodd Ithel eu cwdyn arian a rhoi ychydig o bres yn y twll cul ar ben y gist. Gafaelodd y Gloges ynddi a'i gwthio o'r neilltu fel petai hi'n pwyso dim.

'Diolch,' meddai Ithel a symud eu troed mewn patrwm ar y llawr. Baldorddodd y Gloges.

'*C*a nhwww gaalw hi'n *D*agra *B*riaallu. Enwww awyyyr. *B*leeewogss ddiiim yn *c*aaal eeenw ogooo.'

'Diolch, Dagrau Briallu.'

Edrychodd Dagrau Briallu ar yr awyr.

'Iiithel, ogo laawr looon. Ni gnaaath o i *b*lewogs *c*ysgu. Aawyr maarw ŵaan *c*a nhw aroos.'

Gallai Ithel ddweud nad oedd Adwen yn or-hoff o'r syniad hwnnw, eto byddai gallu cysgu'n iawn yn fendith.

'Y...' meddai hi. 'Dagrau Briallu?'

Gwichiodd Dagrau Briallu'n ddwfn a throi at Adwen. Rhewodd hithau am ennyd ac yna gofyn cwestiwn nad oedd hi wedi'i fwriadu.

'Ddaeth 'na drol fforma?'

Crafodd Dargau Briallu ei phen cennog.

'*T*roool? *D*ooo, looo*t* o *d*roooliaa *d*ooo*d* fformaaa.'

'Yn ddiweddar? Ddoe? Echdoe?'

'Iaaa. *T*roool. *D*aau *b*lewoogs a *b*uuaai*d*.'

'Buaid?' holodd Adwen.

'Gwartheg,' sibrydodd Ithel.

Edrychodd Adwen fel ei bod hi am ddweud rhywbeth eto ond wnaeth hi ddim. Dechreuodd Ithel arwain eu ceffyl ymlaen, dilynodd Adwen o, ond yna trodd eto.

''Dach chi'n gwbod rwbath am borthmyn, Dagrau Briallu?'

'Mmmm. Nhw *d*ŵaa*d* i nool taaaluu. *D*wwwa*d* aaa *b*uuaai*d*. Nhw'n goolew, aros ogo fyyy*d* withia.'

Oedodd Adwen fel petai'n meddwl.

'Iawn... diolch. Ty'd Gel!' Aeth yn ei blaen a'i phen yn troi.

Pennod 18

HEB DRAFODAETH FAWR iawn penderfynwyd y byddai aros yn yr ogof yn iawn er nad oedd Adwen wedi siarad fawr ddim o ran y naill ffordd neu'r llall. Doedd dim lle i'r ceffylau ond gallai Ithel ac Adwen orwedd ynddi a chael digon o le. Sylwodd Ithel fod y waliau'n llyfnach nag unrhyw ogof fyddai'n ffurfio'n naturiol neu dan law pobl a hynny am i'r Clogwyr fwrw iddi i'w siapio. Aethon nhw ati i gynnau tân, roedd rhywrai wedi gadael brigau sychion yn yr ogof o'u blaen ac roedd digon o goed ymhellach i lawr y lôn. Fe wylion nhw Adwen yn ofalus wrth wneud, fe wydden nhw fod hanes rhwng porthmyn a Chlogwyr. Roedd rhyw drefniant o fath gan y Clogwyr a'r Brenin y byddent yn casglu arian tollau ar bontydd pellennig. Roedd Clogwyr yn cael llonydd gan ysbeilwyr, ffortiwn o bres tollau neu beidio. Bob Calan i ganlyn y casglwr, byddai'r porthmyn yn cerdded gyr o wartheg at y pontydd ac yn cerdded yn ôl heb yr un. Ond doedd Clogwyr ddim yn bobl na phobl yn Glogwyr ac roedd hynny'n gallu arwain at ddryswch a thywallt gwaed.

Ar ôl i'r tân gydio rhannodd Ithel fara ceirch rhyngddyn nhw ac Adwen. Rhoddon nhw ddarnau o gig sych ar frigyn i gynhesu uwchben y tân, byddai bwyd cynnes yn foeth bach i bawb heno.

'Fydda 'nhad yn sôn bo nhw'n byta pobol.'

Trodd Ithel y cig yn araf gan adael iddo ddechrau poethi ac i'r saim boeri.

'Choelia ni fyth fod Twrw Dŵr ar Fwsog a Dagrau Briallu yn gwneud, 'dan ni'n nabod nhw ers sbel.'

'O'n i... dwn im, wedi disgwyl rwbath gwahanol falla.'

Saib wedyn.

'Fydda 'nhad yn deud celwydd?'

Meddyliodd Ithel am hynny.

'Mae pawb, ond nid yn fwriadol bob tro.'

Tynnodd Ithel stribed o gig a'i dorri'n ei hanner yn sydyn rhag llosgi, cynigon nhw ddarn yr un i Adwen a Gel.

'Maen nhw'n sôn fod Gwigiaid yn dwyn plant hefyd,' meddai Ithel wrth wylio darn arall o gig yn troi rhag iddo gydio. Cnodd Adwen ei chig gan feddwl.

'Ydyn,' oedd yr unig beth allai hi ddweud.

Daeth rhyw dwrw o rywle yn y ddaear bron, nodau hir oedd yn codi croen gŵydd dros Adwen.

'Canu maen nhw, paid â phoeni,' meddai Ithel wrth osod y cig rhwng dau damaid o fara ceirch a'i wasgu.

'Pam bo nhw'n siarad, neu brin yn siarad, fel'na?' holodd Adwen.

'Ail iaith ydi hi iddyn nhw, tydi eu gyddfau nhw ddim wedi eu gneud i eiria, tria di ddynwared eu canu nhw. Chei di fawr o hwyl arni. Dyna pryd maen nhw'n siarad go iawn, ac am bethau na fyddai pobol yn ddirnad.'

'A be ydi'r cerrig 'ma a'r esgyrn, Ithel? 'Dan ni mewn lladd-dy?'

Cnodd Ithel eu bwyd.

'Faint o esgyrn fyddai gen ti tasat ti'n cadw pob un o bob pryd bwyd yn lle taflu nhw ar y domen? Mae ganddyn nhw goel am esgyrn, am farw. Sgynnyn nhw ddim help am y ffordd y'u gwnaed nhw. Fwy na sgynnon ni.' Trodd Ithel ac edrych ar yr awyr drwy geg yr ogof.

Cnodd Adwen ei bara ceirch ac edrych ar y Gwigyn a oedd, am eiliad, i weld yn llai rhywsut.

'Felly... y Derwyddon na'th eu creu nhwtha hefyd?'

Daliodd Ithel i syllu ar y sêr am sbel.

'Nid creu. Duwiau sy'n creu. Newid, siapio, addasu. Troi rhyw beth neu bethau arall yn erfyn at ddiben. Rhai felly oedden nhw. Mi oedd yn rhaid wrth adeiladu, a siapio'r byd felly fe wnaethon nhw ddod â'r Clogwyr iddo fo. Roedd angen trefn felly cafodd yr euog eu troi yn Wigiaid.'

Gwrandawodd Adwen ar y tân yn clecian.

'Doeddwn i ddim yn meddwl dim drwg wrth holi, maddeuwch i mi.'

'Chymron ni ddim mo'n pechu. 'Dan ni'n lwcus o gymharu. Wedi i ni wneud yn iawn, a throi y glorian o bechod fe gawn ni orffwys ond roddwyd ddim dyfais o'r fath mewn Clogwyr. Felly maen nhw'n adeiladu, yn ailwampio'n ddiddiwedd. Peth bach ydi casglu tollau iddyn nhw, nid pwrpas.'

'Fyddai'm yn well iddyn nhw godi cestyll neu dai?'

Chwarddodd Ithel yn isel.

'Dim ond un meistr oedd ganddyn nhw a dilyn adleisiau rheiny maen nhw o hyd. Does ganddyn nhw ddim diddordeb mewn cestyll na thai fwy na sydd ganddyn nhw mewn cregyn malwod neu nythod dryw.'

Cododd cân newydd o ganol y cerrig y tu draw i geg yr ogof a theimlodd Adwen ryw dristwch y tu mewn iddi yn crynu a chrychu fel wyneb llyn. Doedd y darluniau gwaedlyd na'r sibrydion wrth y tân ar nos Glangaea yn sôn dim am hyn.

Llosgodd y tân yn is. Erbyn hyn roedd y ddau Glogwr yn griddfan yn isel gan achosi i'r dŵr yn y pwll wrth geg yr ogof grynu. Taerai Adwen iddi weld fflamau'r tân yn dilyn y sŵn hefyd. Adleisiai'r grwnian yng ngherrig yr ogof gan achosi i'r cerrig ganu, daeth nodyn o draw uwch wrth i fwyell Ithel ymuno. Wrth i'r gân newid, teimlodd Adwen ei chroen a'i thu mewn yn dirgrynu a phob blewyn yn codi i ateb y sŵn. Cododd ei llaw a gweld fod y baw a oedd wedi hel arni dros y daith heddiw yn codi ac yn troelli uwch ei chroen.

Aeth amser yn rhyfedd i gyd wrth i Adwen fynd yn binnau bach drosti. Teimlai'r gân wrth ei chlywed. Nid ei chorff yn unig oedd yn cael ei grynu drwyddo chwaith. Roedd pethau eraill yn codi hefo'r sŵn hefyd; gydag un hyrddiad teimlai'n hapus, neu mor agos ag y gallai hi, yna'n flin. Bob hyn a hyn byddai rhyw dôn ddofn yn codi a byddai galar yn sgubo drosti. Ei galar hi, ia, ond roedd galar yn y gân ei hun hefyd. Wrth gael ei thaflu gan lanw a thrai y sŵn fel hyn doedd ganddi ddim dewis ond gweld mymryn ar siâp y peth oedd wedi bod yn hongian drosti ers dyddiau. Ers misoedd, go iawn.

Rhywsut roedd y gân yn cynnig mymryn o bellter neu amddiffyniad. Fel gafael mewn rhywbeth ofnadwy o oer fyddai'n codi gwayw gyda menig neu ddarn o fetel poeth gyda gefel. Gallai deimlo'r peth heb ei deimlo fo'n iawn, yn ail-law er nad oedd hynny yn gwneud synnwyr. Y peth agosaf gallai hi feddwl amdano oedd gwylio anterliwt yn ferch a theimlo yr hyn oedd y chwaraewyr yn ei berfformio: y cariad a'r chwant gan y Llanc, gwylltineb y Tad neu'r Gwigyn, tristwch y Ferch neu'r Fam. Fel byddai tiwn hapus yn siŵr o godi calon, roedd Cân y Clogwyr yn siŵr o'i thynnu at y golau a rhoi cyfle i rywun ei gweld hi'n iawn. Cafodd ei suo i gysgu i gerdded llwybrau diddiwedd gyda gwartheg rhwng meini hirion. Bob ochr iddi cerddai ei thad a Sion. A hyd yn oed weithiau, fel dynes ddiarth bron, ei mam. Tywynnai'r haul, ac roedd popeth yn dda.

Syllodd Ithel ar yr awyr gan deimlo'r gân ym mêr eu hesgyrn, bydden nhw'n ddiogel yma o fewn clyw i'r Clogwyr. Crwydrodd eu meddwl yma ac acw fel deilen ar lif. Cysgodd Ithel, neu'n sicr fe wnaeth eu corff nhw hynny.

Mae o'n cerdded ar draws mawndir eang sydd fel ei fod o'n mynd ymlaen am byth o dan leuad melyn. O'i flaen ac y tu ôl iddo mae pobl eraill yn camu'r un camau. Rhaid bod llinell ohonyn nhw'n ymestyn yn bell, bell o le bynnag ddechreuon nhw at le y byddan nhw'n gorffen sef pwll rhwng y meini a'i wyneb o'n llonydd.

Ond am y tro, cerdded mae o a'r cadwyni efydd yn dal i deimlo'n oer yn erbyn ei arddyrnau ac o gwmpas ei wddw. Ond mae'r rheiny'n bell hefyd. Mae ei gorff o rhywsut yn bell a'r ffaith ei fod o'n noeth yng nghanol pobl yn fawr mwy na rhyw sylw bach yng nghefn ei ben. Tydi o ddim hyd yn oed yn teimlo'r gwynt na'r grug o dan draed erbyn hyn. Ond mae o'n teimlo'r sêr, a golau'r lleuad.

Mae'n rhaid... mae'n rhaid fod rhywbeth wedi bod yn yr uwd. Neu'r medd. Yr uchelwydd oedd y drwg, beryg. O'i flaen ac y tu ôl iddo roedd y llinell ddiddiwedd o bobl yn dal i gamu. Oedden nhw yno? Go iawn? Meddyliodd am estyn tuag at un ohonyn nhw ond doedd o prin yn gallu teimlo'i fysedd beth bynnag.

Teimlai'n wag y tu mewn hefyd. Does yna fawr o ddim yno, heblaw am deimlad o euogrwydd. Rhyw lwmpyn trwm rhywle y tu mewn iddo fo. Mae'n rhaid iddo wneud rhywbeth ofnadwy i fod yma. Mae'n rhaid. Felly mae'r uchelwydd yn sibrwd beth bynnag.

Wrth iddo godi ei droed coda pob troed o'i flaen o. Wrth iddi ostwng, gostynga pob un arall. Ar draws y mawndir, ar draws y byd mae cylch perffaith yn dilyn pob symudiad fel adlewyrchiad mewn dŵr.

A dyma fo gyda'r lan.

O'i flaen mae'r pwll sydd bron yn lyn gyda'i ochrau blêr yng nghysgod y meini a'r brwyn yn llonydd a diog.

Nid y cerrig yn unig sy'n gwylio.

Maen Nhw yno yn sefyll yn eu mantelli, y rhan fwyaf yn wyn, a'r penwisgoedd yn dal ac yn plygu'r golau o'u cwmpas. Mae ambell un yn gorffen y paratoadau.

Ac nid y Derwyddon yn unig sy'n aros, yn paratoi. Mae llond y gors ddu o bethau hefyd, o dan y dŵr mae llygaid i'w gweld.

O'i gwmpas mae'r cylch meini yn dechrau canu ac wyneb y dŵr yn siffrwd. Sylwa fod y cadwyni wedi mynd a bod ganddo ddarnau tenau o ledr am bob braich a choes. Maen nhw'n dynn, dynn, ac wedi eu plethu'n gain.

Caiff ei wthio ar ei liniau. Neu ai disgyn mae o? Fuodd o rioed mewn unrhyw siâp heblaw hyn?

Cwyd ei ben.

Mae'r Derwyddon yn llafarganu gan ddweud rhyw bethau sy'n cracio'i enaid yn agored ac yn ei sgwrio. Mae'r llygaid o dan y dŵr yn gyfeillgar erbyn hyn, bron.

O'r dŵr mae'r gwiail yn codi fel nadroedd neu fysedd yn barod i'w ddal o dan y wyneb. Dacw deimlad o ofn yn bell yn rhywle.

Daw fflach o boen sy'n torri drwy niwl yr uchelwydd. Mae'n disgyn tuag at y dŵr ac yn gweld ei hun yn dod yn nes ac yn nes i'w adlewyrchiad; yn pellhau oddi wrth y lleuad, y meini a'r cryman sy'n diferu. Mae'n uno gyda'r fo arall ar wyneb y dŵr ac yn mynd heibio.

Mae'r dŵr chwerw yn braf. Daw'r gwiail i gau amdano. Llifa'r dŵr a'r rhai sy'n aros i mewn iddo a'i lenwi.

Deffrodd Ithel yn sydyn gan wthio drwy ddŵr nad oedd yn bod bellach. Adlais? Atgof? Dychymyg? Ond y wyneb maen nhw'n weld ym mhob pwll a llafn yn edrych yn ôl arnyn nhw oedd yr un oedd yn syllu i fyny o'r dŵr dim ond ennyd ynghynt.

Pennod 19

CODODD Y DDAU yn gynnar ac wedi sicrhau fod y tân wedi diffodd a'u bod nhw wedi rhoi ychydig o frigau yn ôl yng nghefn yr ogof, fe aethon nhw ar eu taith unwaith eto. Doedd Ferin ddim yn bell. Daeth yr haul i'r golwg a chafodd y ddau fore cynnes yn pasio drwy bentref a chaeau ceirch bob ochr iddo. Wedi i'r ddau adael hwnnw heibio'r gorwel, fe ddaethon nhw at olion eglwys wedi ei gadael i bydru.

'Pla,' meddai Ithel. 'Paid ag yfed o'r ffynnon, mae hi wedi troi.'

Oedi.

Tynnodd Ithel ar ffrwyn Medwyn yn syth a dal eu braich i Adwen wneud yr un peth.

'Be sy?' holodd Adwen.

Tawodd yr adar. Daliodd Ithel eu bys at eu gwefus wrth i'r gwrychoedd o'u blaen nhw ar y dde ddechrau siffrwd. Roedd sŵn arall hefyd – sŵn gwichian a chlecian a llusgo. Daeth llaw rhwng y danal poethion a'r blodau arian pladurwyr, llaw nad oedd yn ddim ond esgyrn bron. Llaw arall wedyn ac yna penglog gwyn hefo ambell i lyweth o wallt yn hongian arno. Llusgodd y breichiau ryw blwc eto a gwelodd Adwen mai dim ond yr asennau oedd yn sownd wrth y sgwyddau a rhyw garpyn o asgwrn cefn fel cynffon yn llusgo ar eu holau nhw.

'Meirw byw,' meddai, gan estyn y ffon yn araf.

'M, cyrff sy'n cerddad, neu sgrytion. Mi adawn ni iddyn nhw basio.'

'Nhw?' holodd Adwen.

Yna wrth i'r hanner peth hercian ei ffordd at ganol gwelltog
y ffordd, baglodd dau arall o'r brwgaij. Roedd y rhain gyda'u
coesau o hyd a'u croen hefyd er ei fod o wedi ei dynnu'n dynn
dros un gan ddangos pob asgwrn a throi ei fol o'n bant hegar.
Roedd y llall wedi chwyddo gan bydredd gyda'i wyneb wedi
cleisio a'r amdo yn socian gan wybr a gwaed. Clepiodd y ddau
eu dannedd bob hyn a hyn ac ochneidio wrth lusgo'n ddall am
ymlaen.

'Aros, Gel,' meddai Adwen wrth i'r ci chwyrnu.

Fu dim llawer ers i'r rhain godi, meddyliodd Ithel wrth weld
eu bod nhw'n eu dillad claddu o hyd. Gwisgai un yr amdo fel
clogyn neu siôl tra bod un y llall dros ei ysgwydd ac o gwmpas
ei ganol yn flêr. Fe ddiolchon nhw fod y gwynt ar draws yn
hytrach na tuag atyn nhw, gwydden nhw'n iawn sut beth oedd
oglau melys-gyfoglyd cyrff yn llawn anfadwch a lwc ddrwg.
Estynnon nhw un o'r bendithion i Adwen yr un fath.

Sylwodd Adwen fod yr un a wisga'i hamdo fel siôl hefo'i
gwallt mewn plethan o hyd mewn dull tebyg iawn i'w hun hi.
A byddai'r llall yn oedi bob hyn a hyn ac yn mynd i'w gwman
ac yn symud ei freichiau am i fyny. Dalltodd wedi ei wylio fo
am y trydydd tro mai cymryd arno i balu neu fforchio oedd o.
Doedd eu bywyd nhw ddim wedi llawn adael y gragen felly
mae'n rhaid, ond rhyw watwar byw oedd hwn.

Clec Clecclec. Wrth i'r coesau a'r breichiau symud fel
dynion pren. Cyrhaeddodd y darnyn corff cyntaf ochr arall y
lôn a llithro rhwng y dail fel llyffant melyn. Aeth y fforchiwr
yn ei flaen hefyd gan oedi i hel llwyth gwynt cyn gwthio'i
ffordd drwy'r clawdd. Cerdded yn ei unfan oedd y sgrwd arall
a hynny am fod yr amdo wedi bachu mewn brigyn. Wnaeth
hi'm meddwl tynnu na throi na gwneud dim. Dim ond dal

ati i hercian cerdded a chlecian a gwichian nes i'r darn amdo rwygo. Disgynnodd y sgrwd ar ei hyd a gorwedd ar y lôn ac aros yno am ennyd cyn llusgo'i hun ar ei thraed a dilyn y lleill.

Arhosodd Ithel ac Adwen i'r twrw clecian bellhau cyn dechrau arni eto. Doedd dim golwg y byddai'r rheiny wedi gwneud dim iddyn nhw ond roedd hi'n well peidio mentro. Oedodd Adwen wrth y darn o'r amdo a hongiai o ddraenen wrth y lôn. Aeth Gel ati i snwyro llwybr yr hanner corff ac yna rhwbio ynddo. Roedd defnydd yr amdo yn wyn o hyd er gwaetha'r pydru ac i'w weld yn beth llawn gwell na'r dillad oedd hi'n ei wisgo.

'O'n i'n meddwl mai ond rhai heb eu claddu neu losgi oedd yn codi?' meddai.

'Dydi Angau ddim yn un am ddilyn rhyw reola felly, dyna pam fod yna betha fatha rheina o gwmpas. I'n hatgoffa ni o hynny. Pawb yn marw.' Ac yna fel petaen nhw wedi clywed rhywun yn eu cywiro, 'Wel, waeth i ti ddweud 'lly.'

Oedodd Ithel a gwrando eto.

'Mi fyddai'n well i ni gael gwared arnyn nhw. Tydyn nhw ddim yn bell o'r pentref, mi allen nhw ddisgyn i ffynnon neu gario pla.'

Edrychodd Ithel dros y clawdd a gweld fod y tri sgrwd bellach yn baglu a llusgo ar draws dôl o wellt uchel a blodau. Byddai'n well i'r meirw byw gael gorffwys ond byddai'n rhaid paratoi.

Gwyliodd Adwen Ithel yn gwisgo eu cwfl a chôt drom fel tasa hi am fwrw, yna fe estynnon nhw am berlysiau a mwgwd a'u pacio iddo ar ôl rhoi dafnyn o beraroglau arno.

'Ymhellach i lawr y ffordd,' medden nhw wrth estyn eu bwyell a gwisgo menig lledr, 'mae tociau o rosmair. Helia gymaint ag y medri di, ac unrhyw bren sych. Bydd yn wyliadwrus.'

Nodiodd Adwen a chychwyn i lawr y ffordd gyda Gel wrth draed ei cheffyl. Clymodd Ithel y mwgwd at eu hwyneb ac anadlu unwaith neu ddwy i sicrhau fod y perlysiau yn gwneud eu gwaith. Aethon nhw ar gefn Medwyn gyda'r fwyell yn barod a'i sbarduno ymlaen am bwl cyn neidio'r clawdd isel. Byddai'n rhaid morol i gadw'r gwynt o'u plaid.

Cododd Adwen ei phen o'r llwyni rhosmair wrth glywed ceffyl yn carlamu a gweryru. Yn marchogaeth gyda'r gwynt oedd Ithel yn dal eu bwyell led braich. Daethon nhw'n nes ac yn nes at y cyrff gan godi ychydig yn y cyfrwy wrth ddod at y ddau sgrwd y gallai hi weld o le oedd hi'n sefyll. Tynnon nhw'u braich yn ôl ac yna, gyda symudiad llyfn yn gynt nag y gallai Adwen ei weld torrwyd pen un sgrwd i ffwrdd. Marchogodd Ithel i ffwrdd gan droi tua'r gwynt ac yna marchogaeth gydag o eto a tharo pen yr un arall i ffwrdd yr un mor ddi-lol. Baglodd un o'r sgrydiau ar ei hyd tra bod y llall yn dal ati i gerdded. Trodd y ceffyl eto ar ôl ei farchogaeth yn ddigon pell a chamu o'r cyfrwy. Gwelodd Adwen Ithel yn cerdded tuag at y sgrydiau a rheiny'n troi ac yna fe symudodd Ithel mewn rhywbeth a allai Adwen ond ei ddisgrifio fel dawns bron. Doedd hi ddim wedi gweld ymladd gydag arfau rhyw lawer o gwbl, ac yn sicr ddim gydag arf fel un Ithel, un a gafodd ei wneud i ladd a lladd yn unig. Er bod yr holl beth yn giaidd roedd yna ryw geinrwydd i'r peth rywsut. Symudodd Ithel rhwng y sgrydiau gan gadw mor bell â phosib gan ddefnyddio'r arf heb unrhyw wastraff egni – toriadau uchel i ddechrau ac yna rhai isel. Disgynnodd y sgrydiau'n sypiau fel pypedau ar ôl i'w llinyn dorri.

Tarodd Ithel y fwyell ar wddw'r sgrwd oedd wedi bod yn llusgo'i hun ar hyd y llawr cyn symud fel eu bod nhw o afael unrhyw arogleuon neu waed. Rhoddodd y breichiau herc fel pry cop yn marw. Doedd hi'n fawr o waith i dorri'r breichiau wedyn chwaith. O'u cwmpas roedd gweddillion y sgrydiau yn dal i geisio symud, doedd y datgymalu ddim yn anodd i rywun a oedd yn hen law ar drin bwyell fel oedd Ithel. Gwaith digon tebyg i dorri coed tân neu farbio gwrych, heblaw fod yn rhaid bod yn wyliadwrus rhag dal dim. Wrth sibrwd y swyndlws hwnnw y ffeirion nhw gyda Dana, aeth Ithel ati i hel y darnau at ei gilydd yn docyn. Roedd y sgrwd chwyddedig wedi tasgu fel casgen cyn gynted ag y daeth ei ben i ffwrdd a'r corff oedd bellach heb freichiau, coesau na phen yn dal i ollwng ei hylifau. O gwmpas hwnnw y pentyrrodd Ithel y darnau, gan ofalu cymysgu digon arnyn nhw fel nad oedd darnau o'r un corff yn cyffwrdd yn ormodol.

Cyrhaeddodd Adwen gyda beichiad o rosmair a sefyll yn ddigon pell ond gwelodd ddigon ar y tocyn cnawd. O, roedd hi wedi eistedd gyda chyrff ar wylnos cyn hynny ac wedi eu golchi nhw ond roedd gweld rhai wedi eu darnio yn rhywbeth nad oedd hi eisiau manylu arno. Heliodd frigau a gosod y tocyn hwnnw ymhellach i ffwrdd.

Wedi i Ithel osod y perlysiau a'r brigau o gwmpas y cyrff a hel gwellt sych a thorri ffaglau eithin a gosod y rheiny, fe wnaethon nhw gynnau tân bach yn agos at waelod y domen. Yna fe godon nhw y swyn hwnnw fyddai'n poethi eu sêl i'w meddwl. Dalion nhw o yno a chanolbwyntio ar y fflamau bychain a oedd yn magu. Fe feddylion nhw am y gwellt, a'r pren a'r cyrff cyn canolbwyntio eto'n galetach gan fanylu ar y swyn. Lledaenodd y fflamau gan godi mwg llwyd i ddechrau ac yna, wrth i'r cyrff ddechrau dal, yn felyn soeglyd. Fe ddalion nhw'r swyn gan ei siapio mor eglur ag y gallen nhw a rhuodd y fflamau gan droi'r mwg yn wyn claer. Newidiodd y fflamau o goch diog, i felyn-oren tanbaid ac yna troi'n wynnach nes eu bod nhw'n wynias ac yn anodd eu gweld o gwbl.

A hithau'n sefyll yn bell a'r gwynt yn cario'r mwg oddi wrthi, gallai Adwen hyd yn oed deimlo gwres ffyrnig y fflamau. Sut nad oedd Ithel yn eu teimlo nhw mor agos?

Daliodd Ithel y swyn nes iddyn nhw deimlo eu coesau'n bygwth gwegian. Yna dechreuon nhw gerdded am yn ôl gan gadw'r goelcerth yn eu golwg a'u meddwl. Wrth ollwng gafael ar y swyn er mwyn adrodd bendith, trodd rhywbeth yn y cydbwysedd rhwng corff, meddwl a grym anystywallt yr hud ac fe aeth eu coesau nhw'n llac fel lliain. Cafodd Ithel eu hunain yn edrych ar yr awyr ac yna ar wyneb Adwen.

Cododd Adwen ei thiwnig i allu rhedeg yn iawn a brysio at Ithel ond erbyn iddi gyrraedd roedden nhw wedi dechrau symud eto. Gwelodd fod eu cwfl lledr yn stemio ar ôl y gwres o hyd.

'Y gwres?' holodd Adwen wrth gyrcydu o flaen Ithel.

'Beryg.' Tynnodd Ithel y mwgwd a'u cwfwl a gwylio'r goelcerth yn clecian llosgi. Doedd dim amser i'w claddu nhw'n iawn, byddai'n rhaid eu llosgi'n lân felly. Wedi codi fe wnaethon nhw fwmial y fendith o dan eu gwynt. Erbyn i Ithel ac Adwen gychwyn yn ôl ar y ceffylau roedd gweddillion y goelcerth yn mudlosgi a'r lludw yn berffaith lonydd.

Pennod 20

PRIN EI BOD hi wedi gwawrio ac roedd Adwen ac Ithel ati'n marchogaeth eto gan fwyta yn y cyfrwy gyda Gel yn dilyn. Roedd ias ynddi a'r gwlith ar hyd y cloddiau i gyd a dim ond ambell i fwyalchen allan yn twt-twtian ar y lôn. Er i'r haul godi, daliodd yr oerni ei afael ac roedd awel fain yn cripian rhwng haenau eu dillad nhw. Roedd Adwen yn falch o weld coed yn y pellter, heibio i Olion pentwr a edrychai fel dwylo mawr wedi cyd-blethu. Byddai'r lôn yn fwy cysgodol ar ôl cyrraedd y rheiny.

Er bod yr awel i'w chlywed rhwng y dail uwch eu pennau roedd hi'n fwy clyd rhwng y coed fel yr oedd hi wedi'i ddisgwyl. Gydag ochr y ffordd, lle'r oedd rhyw synnwyr y tu mewn i bawb yn dweud eu bod nhw mewn coedwig yn hytrach na choed yn unig, roedd ffynnon a chysegrfa fach wedi ei gosod i ryw sant neu'i gilydd. Uwchben y pwll o ddŵr croyw a oedd yn codi i ganlyn swigod o'r ddaear roedd mainc garreg ac wrth dalcen honno cilfach fechan lle'r oedd pinnau wedi eu gosod drwy dameidiau o ddefnydd. Gwelodd Adwen fod y gwyngalch arni'n daclus a rhai o'r pinnau'n newydd – roedd dipyn o fynd ar ddŵr y ffynnon felly.

Penderfynodd Ithel a hithau oedi am sbel a gadael i'r ceffylau a Gel yfed o'r cafn oedd ychydig islaw'r ffynnon tra'u bod nhw'n yfed y dŵr uwchben ac yn golchi llwch y daith oddi ar eu hwynebau a'u gwalltiau. Hwn oedd y cyfle olaf cyn mynd i olwg pobol mwya'r tebyg.

'Ffynnon at be ydi hon?' holodd Adwen wrth sychu ei cheg gyda chefn ei llaw.

Syllodd Ithel ar y swigod yn codi. 'Dibynnu pryd. Mae gennym ni sawl cof amdani. Gwella llygaid am dro, yna'r croen, traed erbyn hyn.'

'Synnu dim,' atebodd Adwen. 'Mi fyddai hi'n daith galetach o'r hanner heb geffylau.'

Roedd rheiny wedi crwydro rhyw fymryn ac yn pori dail collen wrth y lôn gan dynnu'r brigau i lawr ac yna'u rhyddhau nhw i fyny'n sydyn gyda 'wsh' ar ôl cael digon o gegiad.

Gwasgodd Adwen ei gwallt cyn syched ag y gallai. Aeth y daith yn ei blaen eto gydag Adwen yn gwneud plethen wrth fynd ac Ithel yn syllu'n hir i'r coed. Doedd bosib nad oedd y drol yn bell iawn.

Erbyn awr cinio dechreuodd Ithel weld olion gwareiddiad, neu yn hytrach, pobol. Ambell lannerch gyda chnydau ynddyn nhw i ddechrau. Meddylion eu bod yn clywed oglau mwg coed wedyn. Cododd torrwr gwiail ei ben yn araf wrth iddyn nhw basio yn rhyw hanner cnoi dim byd, hanner mwmial cyn troi yn ôl at ei waith.

O'r tomennydd gwneud golosg oedd yr oglau mwg yn dod erbyn gweld ac roedd dynion, merched a phlant wrthi'n eu tendio. Codai'r mwg gwyn yn ddiog rhwng y gorchudd pridd a mwsog. Rhoddodd pawb y gorau iddi wrth i'r ceffylau fynd heibio, a chadwyd llygaid arnyn nhw am sbel wedyn. Yna, wedi i Medwyn a'r ceffyl arall droi gyda'r lôn, gwelodd Adwen fur yn y pellter yn llachar o ddu yn erbyn gwyrddni'r coed fel ôl colsyn poeth ar garthen.

Roedd mwy o bobol allan yng nghanol y coed yma yn hel

aeron neu'n tendio'u moch a chododd ambell un ei law arnyn nhw wrth basio.

'Hawddamor!' meddai gwraig wrthi'n cadw golwg ar hwch yn tyrchu.

'Sut hwyl?' holodd Adwen.

'Eitha! Dduthoch chi'n mhell? Pobol ddiarth ydach chi'n de?'

'Do wir, yn ddigon pell.'

'Ewch i'r Tocyn Twrch, mi gewch groeso a chwrw. 'N chwaer sy'n cadw'r lle!'

'Diolch!' gwaeddodd Adwen. Wnaeth hi ddim oedi mwy nag oedd rhaid, ond byddai peidio siarad o gwbl wedi bod yn ddigywilydd, nid bod Ithel yn poeni llawer am hynny yn ôl pob golwg. Rhedodd ychydig o blant ar ôl y ceffylau am sbel a mentrodd ambell un hanner dawnsio o gwmpas Gel.

Yna, lledodd y ffordd i dir gwastad clir a orweddai o flaen y mur ac ambell un wrthi eto yn chwynnu neu dendio gwyddau. Cododd y llwyth o glagwydd agosaf dwrw mewn corlan wiail. Roedd gwyddau yn handi i rybuddio os oedd pobl ddiarth, neu anfadweithiau ar y ffordd. Dyna oedd y drefn bron ym mhob pentref a thref mewn coed wedi mynd, cadw gwyddau neu gŵn a chadw'r tir o gwmpas y muriau yn rhydd o unrhyw guddfan i anfadweithiau. Byddai rhai fel slumod cropian a'r hongwyr, neu hen ŵr y coed, yn gallu estyn o frigau'r coed talaf at ochr muriau fel arall.

Gan ei bod hi'n ddydd roedd y porth yn agored a chafodd y teithwyr ddim trafferth mynd drwyddi ond gwyddai Ithel y byddai'r gair yn mynd ar led eu bod nhw yno ac y byddai rhywun yn siŵr o holi pam. Byddai'n rhaid brysio felly, rhag i rywrai geisio dianc.

Bychan ddigon oedd y dref, wedi ei gwasgu rhwng y mur

allanol a mur arall i'r castell lle roedd Andras a'i dylwyth, er nad oedd y castell hwnnw yn fawr mwy na thŵr unig mewn difri. Doedd dim baner na dim wrtho ac roedd y ffenestri'n gul. Roedd o'n dŵr llydan wedi ei wneud o gerrig bras a'i ben yn wastad. Lle digon digysur a diarffordd, nid Andras oedd y ffefryn o'r brodyr felly.

Tai coed oedd pob un a basiai'r ddau wrth ddilyn y stryd droellog. Crwydrai pobl, plant a chŵn drwyddi gan lamu dros y ffos yn ei chanol. O dipyn i beth daeth y ceffylau i fyny at sgwâr lle byddai marchnad, mwya'r tebyg. Roedd o'n sgwâr taclus, a cherrig dan garnau'r ceffylau. Ar y pen arall oedd y porth i'r ail fur. Yma roedd y tŵr fel petai o'n plygu dros Ithel ac Adwen ac er bod pobl yma ac acw a rhai'n sgwrsio wrth y ffynnon ym mhen pella'r sgwâr, teimlodd Adwen yn annifyr yn fwya sydyn.

'Yn y tŵr acw mae'r rhai laddodd Sion?' holodd.

'Pwy a wŷr, ond yna mae'r un sy'n gyfrifol am eu hymddygiad nhw beth bynnag.' Oedodd Ithel. Byddai croesi'r porth yn siŵr o dynnu sylw gwylwyr os nad oedden nhw wedi eu gweld nhw'n barod yn llyffantian ar ben arall y sgwâr. Byddai'n rhaid bod yn ofalus.

Pwyll.

'Lle mae'r Tocyn Twrch, ti'n meddwl?'

Heb fod yn bell o'r sgwâr oedd yr ateb gyda darn o liain uwchben y drws a oedd gyda llun rhywbeth a edrychai'n debycach i lwmp o gachu na thocyn o ddim arall. Roedd y croeso'n gynnes fel yr addewid a'r cwrw bach yn ysgafn hefo blas tebyg i flodau eithin arno ond digon rhynllyd oedd y sgwrs rhwng y ddau newydd ddaeth i mewn ar ôl clymu'r ceffylau yn y cefn.

'Mi gewch chi fynd i chwara,' meddai Adwen gan hanner sibrwd. 'Dwi'n dod hefo chi.'

Yfodd Ithel gegaid o gwrw.

'Nid felly mae'r drefn, o reidrwydd. Mi drefnwn ni dalu iawn am y drosedd, neu gosb yn unol â thelerau'r Gyfraith…'

'I'r diawl â chyfraith!' tarodd Adwen y bwrdd a throdd ambell un i edrych ar y ddau yn y gongl. Dechreuodd Adwen sibrwd yn ffyrnig, 'Efo'r holl bobol sydd wedi eu gwasgu i fewn i'r gragen 'na sgynnoch chi fel corff fedrwch chi'm meddwl, am unwaith, sut fydda rhywun yn *teimlo* am y peth.'

'Does gan hynny ddim oll…'

'Mae ganddo fo bob dim i wneud efo'r peth, Ithel.'

Edrychodd Adwen ar y bwrdd a sychu ei llygaid yn sydyn. Pesychodd. 'Rhaid mi ga'l eu gweld nhw a…'

'A be?' holodd Ithel gan geisio dal llygaid Adwen. 'A'u tagu nhw? Curo nhw? Rhegi nhw? Nid cyfiawnder ydi peth felly.'

'Fwy nag ydi cael cildwrn am fywyd rhywun!'

Teimlodd Adwen ei bod hi'n taro'n agos at yr asgwrn erbyn hyn, ond dyna ni, mi oedd eisiau ysgwyd mymryn ar y Gwigyn. Gosododd Ithel eu cwpan ar y bwrdd a chymryd cip i weld a oedd rhywun yn gwylio cyn ateb.

'A be fyddai'n gwneud yn iawn? Bywyd arall? Sut mae cymharu'r swmp o'r naill fywyd neu'r llall? Fesul blwyddyn? Fesul faint o geirch mae'r naill a'r llall yn fwyta mewn mis? Fesul faint gaiff eu gadael ar ôl?'

Wfftiodd Adwen.

'Mi wyddoch yn iawn eich bod chi'n crogi pobol am dorcyfraith. Neu waeth.'

'Nawn ni ddim gwadu hynny… ond o le oer fyddwn ni'n gwneud, nid lle poeth.'

'Lol botas.'

Ac yna fe ddywedodd Ithel rywbeth a oedd yn syndod i Adwen ac iddyn nhw'u hunain hefyd.

'Falla.'

Wnaeth yr un o'r ddau siarad am sbel. Daeth y perchennog draw gyda'r jwg gwrw ond amneidiodd Ithel arni nad oedden nhw am gael mwy ar hyn o bryd.

'Does gynnom ni ddim syniad,' meddai Ithel o'r diwedd, 'sut bu i Sion, na'r gof a'i deulu, farw. Dim clem be'n union achosodd y ffasiwn farwolaeth. Does gan neb hawl i wneud dim i ni fel Gwigyn, ond tydi hynny ddim yn golygu na fyddai neb yn meiddio mentro gwneud, heb sôn am rywun arall fyddai'n baglu i mewn hefo ni.'

'O, felly fy amddiffyn i ydach chi?' wfftiodd Adwen eto.

'Falla. Neu'n hytrach cael gwell syniad o bethau, falla hefyd nad ydi hi'n syniad i'r llofrudd neu lofruddwyr wybod dy fod ti yma.'

'Ond fedrwch chi mo'n atal i rhag gwneud dim.'

Gorffennodd Ithel eu cwrw. 'Mae gan bawb hawl i wneud fel fyd fynnan nhw, ac i weld be ddaw o hynny. Fyddan ni'n ôl yma heno erbyn iddi nosi.'

Gadawodd Ithel arian ar y bwrdd a mynd am y drws.

Ceisiodd Ithel beidio meddwl am sylwadau Adwen wrth gerdded ar hyd y sgwâr at borth castell Andras, nac am yr ansicrwydd oedd wedi codi o rywle y tu mewn iddyn nhw. Roedden nhw'n sicr o un peth, ei bod hi'n talu i gadw pethau dan gêl tra medran nhw. Doedd dim i'w ennill wrth osod pob dim o flaen Andras ar y dechrau fel hyn.

Roedd y porth wedi cau a'i gloi pan ddaeth Ithel ato. Edrychai fel ei fod o wedi cael ei drwsio'n o ddiweddar gyda rhai o'r styllod trwchus yn newydd. Roedd crempog o faw gwartheg o flaen y porth hefyd nad oedd wedi sychu'n grimp, cadwodd Ithel hynny mewn cof. Wedi iddyn nhw daro ar y porth daeth pen i'r golwg ar y mur uwchben.

'Pa un sy'n curo?' holodd y pen. Synhwyrodd Ithel fod eraill gerllaw, mi oedd tylwyth Andras ar bigau'r drain yn ôl pob golwg.

'Boed yn hysbys ein bod ni'n alwedig yn Ithel, yn Wigyn ac yn Weis i'r Gyfraith.'

Chwarddodd y pen. 'Mi fedrith unrhyw un ddatgan eu bod nhw'n Wigyn, yn Frenin neu'n gacan afal, medran? Profi'r mater ydi'r peth!'

Camodd Ithel yn ôl o'r porth ac edrych i fyny at y pen yn iawn, llanc ifanc oedd yno yn gwisgo cwcwll melyn am ei ben. Hoeliodd Ithel eu llygaid arno. Gwnaeth y llanc sŵn fel fod rhywun wedi cicio'r gwynt ohono.

'Rydym ni ar wŷs achos. Mae'r achos yn ymwneud â llofruddiaeth a chamdystio, gan hynny rydych yn ddarostyngedig i ni nes y byddwn wedi bodloni pa bynnag ofynion a roddid arnoch chi. Agorwch y porth.' Ac yna am fod teithio am ddyddiau ar ôl chwarter stori yn blino hyd yn oed Gwigiaid, 'Rŵan!'

Rhoddodd y porth wich ddofn a dechreuodd y drysau symud.

Pennod 21

SAFODD Y DYNION wrth y porth yn lletchwith wedi i Ithel gerdded drwyddo. Sefyll wnaeth Ithel hefyd a chribinio'r buarth o fath oedd rhwng y porth a'r castell gyda'u golwg. Un crwn oedd o yn dilyn y mur allanol. Roedd adeiladau o gwmpas y wal gron, barics efallai, stordai, beudai, cegin ac yn y blaen. Er bod golwg dlodaidd ar yr adeiladau, unwaith eto sylwodd Ithel fod ôl trwsio diweddar arnyn nhw a bod y sgaffald pren oedd yn galluogi milwyr i sefyll wrth ben y waliau heb fod yn hen chwaith. Ynghanol y buarth wrth gwrs oedd y tŵr, ac ar ben grisiau oedd yn troi gyda'i ochr, y drws i fynd i mewn iddo wedi ei gau. Tŵr a edrychai fel y byddai'n gallu dal yn erbyn beth bynnag fyddai rhywun yn ei daflu ato. Tybed oedd rhywun yn un o'r ffenestri? Aeth Ithel at un o'r beudai, ceffylau; dau stalwyn bras. Cesig mewn un arall wedyn ac yn y trydydd dau ych yn cnoi eu cil yn braf.

Aethon nhw'n ôl at y porth a gweld fod y drysau'n cael eu cau, roedd y colfachau'n newydd hefyd ar un ochr ac fe welon nhw fod lle i osod bollt drom pe byddai angen.

'Lle mae'r Penteulu?'

Gwywodd un o'r porthorion dan y cwestiwn.

'Ar ei ffordd, fe wnaethon ni yrru gair ato.'

Roedd pob un o'r rhain wedi eu gwisgo'n o debyg, mewn melyn a lliw gwinau, cwcwll neu helmed, actwn ledr dros eu crysau a throwsus cryf. Nid cymaint am fod ganddyn nhw lifrau ond am fod y tylwyth yn morol am ddillad i bawb oedd yn rhan ohono a'u bod nhw'n cael defnydd o'r un lle. Roedd y rhan fwyaf ohonyn nhw gyda'u harfau hefyd.

Daeth twrw cyfarth o ben arall y buarth a gwelodd Ithel ddyn yn brasgamu tuag atyn nhw mewn cwlwm o filgwn. Dyn moel. Roedd o'n gwisgo lifrai coch tywyll gyda gwaelod llaes, arwisg o fath, yn un darn heblaw am y llewys. Manylodd Ithel ar ei gwaelod hi wrth i'r dyn frasgamu'n nes. Dyna'r lliw melyn eto ar ei grys. Doedd yna ddim golwg rhy hapus arno, na thaclus sylwodd Ithel. Byddai'n disgwyl i Benteulu allu cadw gwell trefn ar ei locsyn ond er bod ôl tocio gofalus arno unwaith, roedd hi'n amlwg fod hwn wedi cael rhwydd hynt i dyfu am sbel. Cadwai gledd hir ar wain am ei ganol a'r wain yn un ledr coch, gyda gwaith metel wedi ei blethu arni. Dyma ddyn heb fod yn dlawd, na di-chwaeth. Dyma Cadell.

Neidiodd y cŵn o gwmpas Ithel gan gyfarth a llyfu.

'Lawr!' gwaeddodd y Penteulu ac ufuddhaodd y cŵn yn syth. 'Mae isie bach o drefn ar rhain, fel popeth. P'nawn da, Cadell ap Tewdrig ab Ethrys ab Edric neu Cadell Foel, y Penteulu.' Estynnodd ddwylaw mewn menig lledr meddal a gwasgu dwylo Ithel. 'Croeso,' meddai a chynnig gwên gyda'i wefusau.

Cafodd Ithel eu harwain i fyny'r grisiau drwy ddrws y tŵr ac yna i fyny'r grisiau tu mewn a oedd gyferbyn ag o i stafell wledda neu neuadd yn ôl pob golwg. Roedd bwrdd hir ar ei hyd a thair cadair fawr wrth ei ben. Ond digon moel oedd hi fel arall gyda dim ond ychydig o lieiniau a brethyn neuadd ar y waliau a'r rheiny'n dangos gwaith pwytho manwl o wahanol fathau o hela.

Tân yn crino ar damaid o bren yn y grât a'i glecian gwantan o'n cymysgu hefo briwsion sŵn Ferin islaw. Dim pwt o ddillad ar y dodrefn. Powlen a'i hanner llond hi o afalau cynnar ar y bwrdd. Drafft. Stafell fodoli nid stafell fyw. A stafell nad oedd yn cynnig llawer o groeso chwaith, yn enwedig o gofio statws ei pherchennog.

Gadawyd Ithel ar eu pen eu hunain heblaw am y cŵn wedi i Cadell sôn y byddai'n mynd i alw ar Andras. Diflannodd drwy ddrws ym mhen pella'r stafell ac wedi ychydig o amser clywodd Ithel draed ar y llawr pren uwch eu pen a sŵn sgwrsio er na allen nhw glywed geiriau chwaith. Roedd hwn yn gyfle i fusnesu ac er bod y bwndel o gŵn o flaen y tân yn cadw golwg fanwl ar Ithel, wnaeth yr un gyfarth na chodi wrth iddyn nhw grwydro'r stafell.

Chafodd Ithel ddim llawer o hwyl ar ddod o hyd i dystiolaeth gan fod y stafell mor foel. Yr unig beth peryglus mewn cist wrth un o'r waliau oedd cyllyll i fwyta hefo nhw. O dan y ffenest roedd pulpud bach i ddal llawysgrif i'w ddarllen ac er bod y llawysgrif wedi ei symud roedd ei hôl ar y pren. Roedd darn tywyllach lle byddai hi wedi ei gadael am amser hir i'w weld yn eglur. Pam symud rhywbeth o le cyfarwydd ar ôl ei adael yno cyhyd? Edrychodd Ithel drwy'r ffenest a gweld y buarth a'r porth islaw gydag ambell i filwr yn edrych ar y tŵr.

Daeth sŵn symud ar y pren uwchben a chlepian drws. Yna, agorodd drws arall ym mhen pella'r stafell gan wthio chwa o oerni a wnaeth i'r tân rwgnach. I ganlyn yr oerni hwnnw daeth arlliw o ryw oglau na fedrai Ithel roi enw arno ond oedd eto'n gyfarwydd. Y tu ôl i Cadell safai dyn mewn gwisg chwaethus ond ddigon plaen gyda charthen frethyn coch wedi ei gosod dros ei ysgwyddau a'i dal gyda broetsh arian. Safodd yn lletchwith am eiliad cyn mynd at Ithel a gosod ei law ar eu hysgwydd. Clywodd Ithel yr oglau eto'n sydyn, yn gryfach y tro hwn. Oglau tebyg i wyau wedi drewi, bron.

'Gadewch i mi estyn croeso i chi yn swyddogol,' meddai a

gollwng ei afael. 'Andras ab Iddon ab Ethrys ab Edric ydw i, ac rydw i, fy holl deulu, a'm gallu at eich gwasanaeth. Cadell, fedri di forol am groesawu ein gwestai yn y dull cywir? Bara, halen, dŵr at eu traed ac yn y blaen?'

'F'argwlydd.' Moesymgrymodd Cadell a mynd yn ei ôl i lawr y grisiau. Safodd Ithel ac Andras yn wynebu'i gilydd.

'Ithel ydan ni.'

Gwenodd Andras yn sydyn. Astudiodd Ithel ei wyneb, gallai weld llinach ei dad a'i fam ynddo, ond mwy ar ochr ei fam, Gwenllian, efallai, yn enwedig o gwmpas y trwyn main a'r bochau uchel. Roedd o'n denau a fymryn yn gefngrwm a'i wallt tywyll wedi dechrau britho'n gynnar. Ar un wedd edrychai'n ddigon di-nod, heb olwg fwy traddodiadol frenhinol ei frawd ac eto... Doedd dim byd yn ddi-nod am yr olwg yn ei lygaid lliw eira'n toddi. Llygaid deallus, craff a gallai Ithel synhwyro rhywbeth yn llosgi ynddynt wrth iddyn nhw fanylu arnynt. Safodd Andras yn edrych arnyn nhw am ennyd cyn fflachio gwên denau.

'A dim tras nac ach i sôn amdani. Purion, mi fydda i'n meddwl weithiau y byddai'n haws i bawb fod felly. 'Steddwch Ithel! Os mynnwch chi. Yng ngolau'r ffenest acw os medrwch chi.' Chwifiodd ei law at y ffenest agosaf. Aeth Andras at y gadair fwyaf o'r tair ar ben y bwrdd. 'Mae 'ngolwg i'n pallu. Darllen gormod yn blentyn, fe soniodd fy nhad... ond dyna ni.'

Eisteddodd Ithel ar gadair yng ngolau'r haul ac aros iddi roi'r gorau i glecian a gwichian. Edrychodd Andras ar ei ddwylo a phlethu'i fysedd hirion.

'Doedden ni ddim wedi disgwyl cael y fraint o groesawu Gwigyn.'

Celwydd.

'Rydan ni wedi teithio'n bell ar fater difrifol.'

'Felly? Wel, mi helpwn ni fel medrwn ni, Cadell a minnau.'

Ar y gair daeth Cadell i mewn gyda morwyn y tu ôl iddo. Cariai Cadell gawg tra'i bod hithau gyda jwg o ddŵr, torth, darn o gaws a photyn halen ar hambwrdd. Gwisgai ffedog wen a chap am ei phen a rhaid nad oedd hi fawr hŷn na dwy ar bymtheg oed. Gosododd Cadell y cawg ar y llawr o flaen Ithel gan foesymgrymu. Clywodd Ithel yr hambwrdd yn crynu cyn iddo gael ei osod ar y bwrdd. Moesymgrymodd y forwyn yn sydyn a gadael.

Teimlai Ithel fel bod y ddau yn aros am gyhuddiad, neu ddatgeliad. Felly fe aethon nhw ati i dynnu eu hesgidiau a golchi eu traed a chymryd darn o fara a chaws a halen wrth eu pwysau. Wrth i'r amser ymestyn gyda dim byd ond sŵn dŵr a thraed yn trochi, neu gnoi edrychai Andras a Cadell ar ei gilydd neu ar y bwrdd. Roedd hi'n ddefod hynafol y byddai'n ddigywilydd i beidio ei dilyn felly allai'r un o'r ddau wrthwynebu, ar lafar beth bynnag. Bu Ithel yn fanwl iawn wrth ei chyflawni.

Ymhen sbel gwthiodd Ithel yr hambwrdd i ffwrdd yn y dull traddodiadol.

'O le ddaeth y drol?' holon nhw'n sydyn.

Edrychodd Cadell ar Andras am eiliad cyn cofio'i hun a throi ei ben i edrych ar y wal gyferbyn ag o. Craffodd Andras ar Ithel gyda'i lygaid llwydaidd.

'Fedrwch chi fod yn fwy manwl? Mae sawl trol yn mynd a dod yma.'

Daliodd Ithel lygaid Andras ac er syndod iddyn nhw fe ddaliodd yntau eu golwg, am ennyd.

'Y drol a oedd yn cael ei gyrru gan ddau ych, gan eich

Penteulu Cadell a rhywun arall o'ch teulu pan gyrhaeddodd hi yma.'

Brathodd Andras un o'i ewinedd 'O, honno, wrth gwrs.' Edrychodd ar ei fys a'i sychu ar y garthen. Trodd Ithel at Cadell ac edrych arno.

'Pont ar Gof,' meddai hwnnw'n sydyn.

'Be oedd yn y drol?'

Llyncodd Cadell wrth i lygaid Ithel sgubo drostyn nhw. Ochneidiodd Andras.

'Och, yn neno'r tadau. Mi ddangosa'i i chi.' Trodd Ithel ato ac fe glywon nhw Cadell yn chwythu anadl o ryddhad.

Arweiniodd Andras Ithel ymhellach i fyny'r tŵr ac agor drws pren i'r stafell uwchben y neuadd islaw. Roedd hon yn fwy cartrefol gyda chrwyn defaid dros ddarn o'r llawr. Cyfrodd Ithel bron i ddwsin o lawysgrifau wedi eu gosod yma ac acw gydag ambell un yn agored ar ddalen neu'i gilydd. Wrth ymyl gwely oedd wedi'i osod gyda'r wal oedd cist bren ac ôl defnydd arni. Amneidiodd Andras y dylai Ithel gael golwg arni ac fe wnaethon nhw hynny.

O'r hyn oedden nhw wedi eu teimlo o dan y llwyth gwair gallai'r gist fod yr un un. Doedd dim clo arni, ac agorodd Ithel ei chaead.

Yno, o dan liain oedd dau ddarn hir o haearn gyda thraed ar eu gwaelod a gwddw'n troi am i fyny. Ar ben y gyddfau roedd pen tebyg i darw gyda chyrn a mwng amlwg ac roedd yr holl haearn wedi ei droi a'i blethu'n gelfydd a dolenni a phlygiadau drosto. Gosododd Ithel y ddau ar y llawr wrth ochr y gist, roedd pennau'r teirw yn cyrraedd tuag at eu clun a'r gwaelod tua'r un hyd.

'Pentan,' medden nhw a chodi un eto, roedd o'n drwm.

'Mae hi wedi bod yn chwith heb bentan yn y lle tân yn y

neuadd,' atebodd Andras. 'Fedrwn i ddim cael llys heb bentan. A dim i ddal coed yn unig, mi oedd angen un cain.'

Roedd y rhain beth bynnag yn gain eithriadol, rhaid eu bod nhw wedi costio'n arw.

'Oedd, fe oedd Dafydd yn of at waith manwl,' meddai Ithel gan osod y pentan ar lawr eto a chymryd golwg yn y gist.

'Mae o o hyd, dwi'n gobeithio,' atebodd Andras yn gwenu gan iddo neidio heibio'r fagl oedd Ithel wedi'i gosod.

'Mae Dafydd y Gof a'i deulu yn farw.'

'Tewch,' meddai Andras. 'Sobor o beth.'

Doedd dim gwaelod ffug i'r gist na dim arall wedi ei guddio ynddi. Archwiliodd Ithel yr ochrau, doedd dim marciau bod dim wedi bod yn rhwbio neu daro yn ei herbyn yn ddiweddar, dim sgriffiadau. Eto, doedd y lliain ddim yn ddigon i bacio'r pentan yn glyd ac roedd cryn dipyn o le bob ochr iddyn nhw.

'Fel hyn gyrhaeddon nhw?'

Oedodd Andras.

'Wrth gwrs. Tydi Cadell ond prin wedi cyrraedd yn ôl.'

Byddai Ithel wedi disgwyl gwair, mwsog neu lwch lli yn y gist, doedd dim golwg o ddim o'r rheiny o gwmpas chwaith, yn y gist nac ar lawr. Roedden nhw'n amau nad y rhain oedd wedi cyrraedd ar y drol o gwbl.

'Cryn dddipyn o drafferth i ddod â phentan yn unig i dref fel hon, talu porthmyn i gario'r gist ac yn y blaen.'

Aeth Andras at un o'r llawysgrifau a gwneud sioe o ddarllen tudalen.

'Mae rhai pethau'n werth trafferthu yn eu cylch nhw.'

Gallai Ithel synhwyro fod Cadell yn anniddig ond roedd hi'n anos cael syniad o Andras, bron nad oedd rhyw hyder tawel yn rhywle, fel bod popeth yn ei le.

'Ymhellach at y marwolaethau hynny fe lofruddiwyd un

o'r porthmyn oedd yn cario'r cargo. Sion oedd ei enw o ac mae gen i achos i gredu mai aelod o'ch tylwyth chi oedd yn gyfrifol.'

Gwenodd Andras.

Pennod 22

AETH Y TRI yn eu holau i lawr y grisiau ac i'r neuadd. Eisteddai Andras ar ben y bwrdd yn ei gadair gyda'i ddwylo wedi eu plethu tra bod Cadell wrth ei ochr ar ei draed. Safodd Ithel ar ben arall y bwrdd.

'Gosodwch yr achos ger bron i ni felly, Ithel,' meddai Andras gan amneidio at Ithel fel petaen nhw'n fardd clêr ar fin adrodd cerdd ddychan.

'Cafodd y porthmyn eu talu i ddod â chargo i Lanfarudd a chyfarwyddiadau i aros yno er mwyn dadlwytho'r drol ymlaen i bwy bynnag fyddai'n ei chario at ben ei thaith. Llofruddiwyd un o'r porthmyn hynny a dygwyd y drol ymaith ar frys. Gwnaethpwyd ymgais fwriadol i atal unrhyw un rhag ei ddilyn, drylliwyd cychod, cafodd hynny ei gadarnhau gan dyst. Cadarnhaodd y tyst hwnnw hefyd fod y Penteulu yn bresennol gyda'r drol pan lwythwyd hi ar y llong yn ogystal ag unigolyn arall. Cadell ap Tewdrig, chi oedd hwnnw, roeddech chi hefyd yn bresennol pan lofruddiwyd Sion ap Seillyg ap Morgant.'

'Does yna ddim modd i chi gadarnhau hynny,' meddai Andras yn ddistaw gan wylio Ithel dros ei ddwylo.

'Oes,' oedd yr unig beth ddywedodd Ithel.

Cleciodd y tân a chododd y cŵn eu pennau wrth i'r awyrgylch suro.

'Drwy dyst, neu sêr ddewiniaeth neu edrych ar berfedd madfall? Sut?' holodd Andras eto gyda'i lais yn bradychu mwy na'i wyneb llonydd.

Estynnodd Ithel i'w sachyn a gafael yn y cwdyn bach a thynnu darn o wlanan goch tywyll ohono.

'Rydan ni'n gwybod ers i ni gyrraedd a gweld Cadell, o'r ennyd y croesawodd o ni yma. Mi fuoch yn trwsio'ch arwisg yn ddiweddar, do?' Edrychodd Cadell arno'n syn a symudodd ei law yn sydyn at ei lodrau cyn iddo gofio'i hun a'i chau.

'Tynnwyd y darn yma o ddefnydd o safn ci oedd yn bresennol yn ystod y drosedd.' Cerddodd Ithel tuag at Cadell gan ddal ei lygaid a safodd hwnnw wedi ei rewi fel pry mewn gwe. Cyrcydodd Ithel a dal gwaelod ei arwisg at y golau. Yno roedd rhwyg wedi ei thrwsio gydag edau fymryn goleuach na'r wlanan goch.

'Mae'r pwyth yn un newydd,' nododd Ithel. Yna heb i'r ddau arall allu gweld bron, fe estynnon nhw gyllell yn sydyn o'i gwain a'i chyffwrdd ar yr edau, torrodd honno a thynnodd Ithel hi gan ei dal rhwng eu bys a'u bawd. Gwyliodd Cadell yr edau'n codi ac yn sgleinio gyda'i galon yn ei wddw. Wedi i'r edau ddatod, gosododd Ithel y darn yn y rhwyg a'i gael yn ffitio'n union.

'Mae'r wisg yn gyflawn unwaith eto. Roeddech chi yno, Cadell, fel tyst neu droseddwr.' Cododd Ithel a dal llygaid y cyhuddiedig. Ysgwydodd Cadell ei ben yn anghrediniol.

'Y ci...'

Cododd Andras ei law arno i'w dewi, yna chwarddodd.

'Ci, wel wir.' Chwarddodd eto. 'O'r holl bethau. Mae yna drafferth hefo nhw, does?'

'Rydych chi'n derbyn y cyhuddiad felly?'

Trodd Andras fel cwpan mewn dŵr unwaith yn rhagor.

'Mi wna'i siarad ar ran Cadell, fi ydi pennaeth yr holl dylwyth a fi sydd yn gyfrifol am unrhyw ymddygiad ar eu rhan nhw. Nid Cadell laddodd y porthmon, ond yn hytrach y gwreang hefo fo. Gwas bach, un dibrofiad gyda gwaed poeth. Mae o eisoes wedi ei gosbi.'

'Mi fydd rhaid i ni ei gwestiynu,' meddai Ithel wrth gerdded at ben arall y bwrdd i osod y darn gwlanan yn ôl yn y cwdyn am y tro.

'Fydd dim modd i chi wneud hynny, mae o'n farw.'

'Yn farw?' holodd Ithel.

Plethodd Andras ei ddwylo eto.

'Fi sy'n dewis pa gosb mae fy nhylwyth i'n dderbyn, ynte? Ac mae bywyd am fywyd yn dderbyniol o fewn y Gyfraith.'

'Fe ddylai'r drefn briodol fod wedi ei dilyn.'

Wfftiodd Andras.

'Pa drefn? Ithel, mae Gwigiaid mor brin â thraed nadroedd. Does yna ddim ynad ar gael i ni. Ond… dwi'n cydnabod fod yna ddulliau eraill o'i chwmpas hi. Dwi'n fodlon talu'n iawn am fywyd y porthmon, Sion ia? Fe dala'i, i ni gael cau pen y mwdwl, mi gewch chi fynd â'r arian galanas at y teulu.' Cododd Andras fys ymysg y rhai oedd wedi eu plethu o'i flaen. 'Cadell.'

Estynnodd Cadell bwrs arian o'r god ar ei wregys a'i daflu ar draws y bwrdd at Ithel. Glaniodd ar y pren tywyll gyda sŵn trymaidd. Estynnodd Ithel o a chyfri'r arian, roedd o'n swm hael iawn.

'Mae yna swm yno i wneud yn iawn am y dryllio, er synnwn i ddim fod peth o'r iawndal hwnnw wedi ei dalu eisoes, ac mae swm er cof am fy nghyfeillgarwch â Dafydd hefyd, a chydnabyddiaeth o'i allu rhyfeddol fel gof i unrhyw deulu sy'n weddill. Tydi hynny'n ddim cydnabyddiaeth o unrhyw euogrwydd, Ithel, dim ond ewyllys da ar fy rhan i.'

'Hael iawn,' atebodd Ithel wrth roi'r pres yn ôl yn y pwrs a'i glymu.

'Mi fedra i gynnig tâl mewn dull arall os ydi hynny'n well gan y teulu; gwartheg, gwenith, defnydd, medd ac ati, dim ond iddyn nhw sôn. Ond roeddwn i'n meddwl y byddai arian yn haws i'w gludo. Mi fyddwch yn mynd â fo draw at y teulu, dwi'n cymryd? Mae croeso iddyn nhw godi apêl yn erbyn y pris, dim ond i chi ddod yn ôl.'

'Mae yna ôl meddwl gofalus yma, Andras.'

Gwenodd Andras wên araf.

'Diolch. Canmoliaeth uchel gan Wigyn, dwi'n siŵr. Dwi'n cymryd gyda llaw, nad oes yna dystiolaeth gennych chi am ei farwolaeth o, Dafydd, neu mi fydden ni wedi clywed.'

'Mae'r sefyllfa'n un amheus, ac mae yna awgrym cryf o gysylltiad rhwng y naill achos a'r llall. Efallai y byddai sgwrs gyda Cadell o gymorth i ni. Mae'r mater o sut laddwyd Sion yn un yr hoffem ni wybod mwy amdano hefyd.'

'Twt, mae'r mater wedi ei olchi'n lân erbyn hyn.' Cododd Andras gan wthio'r gadair yn swnllyd ar hyd y llawr. 'Mae gennych chi daith yn ôl at y teulu, neu deuluoedd hyd yn oed, Ithel. Da boch.'

Ym merw'r rhai oddi mewn, wrth iddyn nhw droi am y drws i adael gwyddai Ithel yn iawn nad oedd y llechen mor lân ag yr honnai Andras.

Pennod 23

TRIN Y CEFFYLAU oedd Adwen pan glywodd hi draed Ithel y tu ôl iddi. Treuliodd y prynhawn yn y cefn lle roedd cwt pren yn gwneud y tro am stablau o flaen buarth bach. Aeth ati i dynnu'r geriach marchogaeth oddi arnyn nhw, yna eu sgrafellu gan gribo'u myngau a'u cynffonnau a morol fod ganddyn nhw ddigon o fwyd a dŵr. Cymrodd olwg ar eu carnau hefyd a'u harchwilio am unrhyw beth fyddai'n talu i roi sylw iddo. Nid ei cheffylau hi oedden nhw ond yn hytrach rhodd i geisio dod o hyd i lofrudd, a theimlai gyfrifoldeb drostyn nhw. Roedd hi'n talu i fod yn fanwl felly ac roedd gwaith fel hyn yn tynnu ei meddwl oddi ar y sgwrs yn y dafarn a phopeth arall. Fwy nag unwaith gwelodd y tŵr yn sefyll uwchben y dre wrth ei gwaith a meddwl estyn ei ffon a mynd yno ond wnaeth hi ddim. Roedd hi'n gwybod y dylai hi wneud rhywbeth, mi fyddai'n rhaid, ond sut? Trodd a gwelodd fod gan Ithel bwrs lledr yn eu llaw.

Yn hytrach na mynd i mewn i'r dafarn arhosodd y ddau yn y cefn ac eistedd ar gongl y cafn dŵr carreg oedd gyda'r wal. Rhoddodd Ithel y pwrs rhyngddyn nhw.

'Arian galanas.'

'Wn i.'

Wnaeth Adwen ddim estyn amdano, dim ond syllu yn ei blaen gan ddal cudyn o'i gwallt o dan ei thrwyn fel byddai hi weithiau pan oedd hi'n meddwl.

'A dyna ni felly?'

Wnaeth Ithel ddim ateb. Trodd Adwen ar ôl aros am sbel a gweld eu bod nhw'n syllu o'u blaenau a'u ceg nhw'n symud yn ddistaw fel pe baen nhw'n sgwrsio.

'Ithel?'

Edrychodd Ithel fel eu bod nhw'n dod yn ôl i'r byd.

'Nage,' medden nhw. 'Nage, ddim eto, mae 'na fwy.'

'Ond mi gawsoch chi lofrudd Sion?'

'Do a naddo. Mae Andras wedi cymryd cyfrifoldeb dros y peth, ar ran gwas, a Cadell y Penteulu efallai. Mae ganddo hawl, ac mae o wedi trefnu am yr alanas felly o ran hynny does dim mwy i'w wneud.'

Cododd Adwen y pwrs a'i wasgu.

'Heblaw ei dagu fo.'

Teimlodd bresenoldeb Ithel yn newid wrth ei hochr a chododd y blew ar ei breichiau, daeth rhyw bwysau aruthrol o'u cyfeiriad, wnaeth hi ddim meiddio troi i edrych arnyn nhw.

'Na,' meddai llais Gwigyn 'Ti wedi cael galanas, does yna ddim dial i fod. Os wnei di hynny, yna mi fyddwn ni yn dy erlid di.'

'Ia, ia iawn. Cellwair o'n i.' Teimlodd Adwen y pwysau oedd yn dod o gyfeiriad Ithel yn cilio.

'M.'

'Ond be am deulu'r gof, Ithel, a be am be'n union laddodd Sion? Sut ddigwyddodd o? Be am be bynnag oeddwn i'n gario?'

'Mi honnodd Andras mai pentan oedd o.'

Wfftiodd Adwen.

'Os na pentan oedd yn y gist yna mi wna'i fynd yn noeth i'r coed.'

'Celwydd oedd hynny, mi wyddon ni.'

'Mi oedd y gist yn drymach na hynny Ithel.'

Gwasgodd Ithel eu trwyn rhwng eu bys a'u bawd.

'Mae sut yn fater sy'n ein poeni ninnau hefyd, a'r cargo. Mae rhywbeth ar droed, rhywbeth mwy na wyddon ni ar hyn o bryd. Ond be? Roedd Andras yn eiddgar iawn i ni adael i fynd â'r alanas yn ôl i'r teulu gan feddwl y bydden ni'n gorfod dychwelyd i Bont ar Gof a Bodira.'

'Wel mi geith socsan o'ch gweld chi yma o hyd am mod i wedi dod efo chi.'

'Doedd y cynllwyn brysiog ddim yn gwybod am gydymaith, mae'n rhaid. Eisiau cael ein gwared ni, pam hynny? Be sydd ar ddigwydd nad ydi o am i ni weld?'

'Fedrwch chi'm llusgo nhw allan a gwneud be bynnag wnaethoch chi i'r llong-lywydd, yr Ynyr 'na?'

Ystyriodd Ithel hynny.

'Tydi Chwilysu ddim yn gallu agor pob drws. Mae'n rhaid wrth dystiolaeth, a lle o fewn y Gyfraith i symud, tydi amau a dirgelwch ddim yn ddigon.'

'Mi helpa'i, rywsut.'

Roedd hi'n machlud a'r tŵr yn taflu ei gysgod ymhell dros y dref. Cysidrodd Ithel sut y byddai rhywun yn yr oruwchystafell yn edrych i lawr yn gweld pawb yn fychan. Nac oedd, doedd yr achos ddim wedi ei orffen eto.

*

Safai Cadell yn wynebu'r wal. Er gwaetha'i ymdrechion, roedd o wedi methu. Methu cael y cargo draw yn ddidrafferth ac yn waeth byth wedi methu cuddio'r helynt rhag Andras. Brathodd ei dafod.

'Gwigyn, Cadell.'

Saib. Fe wyddai Cadell yn well nag ateb. Y tu ôl iddo'n rhywle yn y siambr rhoddodd Andras goedyn arall ar y tân. Byddai'n rhaid dod i siambr Andras i gael ffrae bob tro. A sefyll yn yr un lle ac ymateb yn yr un modd.

'Mi ddest di â Gwigyn hefo ti i'r lle 'ma fel lwmp o gachu ar dy esgidiau. Dda bod rhai o'r gwylwyr y tu allan wedi gallu sôn cyn i Ithel gnocio ar y drws neu does wybod lle fyddwn i. Dda mod i'n rhagbaratoi rhag ofn.'

Saib arall. Canolbwyntiodd Cadell ar y cerrig o'i flaen, roedd o'n eu nabod nhw'n reit dda erbyn hyn.

'Blêr. Dyna'r oll fedra'i ddeud. Gwneud defnydd o'r unig fantais sydd gen i yng nghanol pobol i ladd hogyn nad oedd ond yn ei glytiau.'

Teimlodd Cadell ei waed yn codi a brathodd ei dafod eto.

'Ac nid yn unig hynny, ond mewn lle hefo Gwigyn ynddo fo. Oeddat ti'n ama fod un ar dy drywydd di? Ai dyna pam wnest ti fynnu dryllio cychod rhyw sgotwrs di-glem? Neu ydi hynny'n rhoi gormod o grebwyll i ti?'

'Rodd angen gweld... mi wnaethoch chi ofyn i mi...'

'Do! Yn y pentra 'na yn nhwll din nunlle, wrth ymyl gofaint ymhell o olwg neb, nid mewn treflan hefo Gwigyn ynddi, Cadell!'

'Ond does neb yn gwybod!'

Chwalodd plât bridd ar y wal heb fod yn bell o glust chwith Cadell. Saib arall. Dychmygodd Cadell Andras yn sythu ei ddillad ac yn rhoi ei dalcen yng nghledr ei law fel byddai o ar ôl dangos sut beth oedd o go iawn. Wrth iddo siarad gallai Cadell ei glywed o'n sathru ar ei dymer fesul sgyrnygiad.

'Drwy dro da yn unig. Lwc mul. Ffawd. Ffawd mod i wedi paratoi ar ôl clywed pa mor flêr oeddet ti. Rhagluniaeth bod cargo ffug wedi morol amdano rhag bod rhywun yn busnesu.'

Gwyddai Cadell nad oedd ond un ffordd o gael dianc.

'Mae'n ddrwg 'da fi.'

Clywodd gadair yn gwichian y tu ôl iddo wrth i Andras ollwng ei hun iddi.

'Cadell ffyddlon. Mi wn i hynny. A wnes i ddim meddwl gwylltio chwaith. 'Dan ni mor agos, un ymarfer arall, un cynllwyn a dyna ni.' Oedodd Andras, 'Dos.'

Aeth Cadell am y drws heb air a'i gau gyda mwy o nerth nad oedd rhaid. Gwenodd Andras, tybed pwy fyddai'n ei chael hi heno wedi iddo gael torri ei grib? Gwyliwr fyddai'n digwydd bod yn y lle anghywir, un o'r cŵn, morwyn? Dyna oedd y drefn bob tro. Felly oedd pethau wedi bod yn llys ei dad hefyd, hwnnw'n gwylltio, Maelrhys yn ei chael hi ac wedyn Andras ar waelod y domen. Wel, doedd hynny ddim am fod yn wir am byth.

Edrychodd ar ddarn o'r crochenwaith racs ar y llawr. Damia, mi oedd o wedi bod yn hoff o'r blât yna hefyd, ond dyna ni, mi oedd yn rhaid cyfaddef fod Gwigyn wedi ei daflu o, braidd. Y peth olaf oedd o eisiau oedd Gwigyn yn rhoi eu bys yn y briwes, yn busnesu ac yn waeth na dim yn dyst. Cododd Andras a mynd at y ffenest. Oedden nhw wedi gadael bellach? Neu os nad hynny, yn barod i adael? Roedd y Gyfraith wedi ei bodloni. Byddai Ithel yn rhy hwyr. Roedd pethau wedi hen ddechrau symud erbyn hyn.

Pennod 24

WRTH IDDI DYWYLLU ac wrth i'r porth i Ferin gael ei lusgo ynghau aeth Ithel allan o'r dref. Doedd y bwrlwm y tu mewn i'r waliau yn fawr o beth wrth geisio meddwl. Roedd un tyst heb ei holi. Er i Adwen gynnig helpu roedd rhai pethau nad oedden nhw am iddi fod yn rhan ohonyn nhw.

Cafodd Ithel wybod o holi wrth y porth fod teulu'r gwreang a oedd, yn ôl Andras, yn euog o ladd Sion yn byw ymysg y coed gyda'r llosgwyr golosg erbyn hyn ac allan â nhw i'w cyfarch. Byddai'n rhaid brysio cyn i bawb noswylio. Mewn llannerch roedd tocyn mawr o bridd yn mygu'n ara deg, un o'r llond llaw y pasiodd Ithel ac Adwen heibio iddynt y p'nawn hwnnw. Roedd dau o bobl yn sefyll o'i flaen yn sgwrsio'n ddistaw ymysg y mwg diog oedd yn byseddu ei ffordd drwy frigau'r coed. Dawnsiai hwnnw'n araf drwy'r llafnau olaf o olau haul oedd yn llifo heibio'r canghennau. Gwisgai'r ddau gapiau llipa a ffedogau tywyll dros eu dillad.

Pwysai'r gŵr ar ffon yn syllu ar y mwg tra bod ei wraig yn twtio gyda rhaw wrth waelod y domen.

'Noswaith da i chi,' meddai Ithel gan oedi wrth ymyl y llannerch.

'Sanai'm isio siarad,' meddai'r gŵr wrth y wraig cyn sythu a mynd yn ei flaen o gwmpas y pen arall i'r domen. Roedd cwt yno lle byddai'r ddau yn aros fwy na thebyg, yn swyndlysau a phicelli pren i gyd i'w harbed nhw rhag anfadweithiau. Synhwyrodd Ithel nad oedd y wraig fawr o awydd sgwrsio chwaith ond arhosodd yno a throi i'w cyfarch nhw gyda chysgod gwên. Edrychai fel ei bod wedi heneiddio'n sydyn yn ddiweddar ac o dan y stremps baw a mwg ar ei hwyneb roedd cylchoedd tywyll o dan ei llygaid.

'Holi am Idris, y mab fyddwch chi debyg?' meddai mewn llais mor feddal â'r pileri o fwg gwyn-las y tu ôl iddi.

'Ia, mae'n ddrwg gennym ni am eich profedigaeth chi. Sut wyddoch chi?'

Trodd y wraig yn ôl ar y domen gan godi pridd yma ac acw o gwmpas ei gwaelod gyda blaen y rhaw wrth siarad.

'Does yna ddim rheswm fel arall i neb ddŵad yma. Gwigyn ydach chi? Yr un gyrhaeddodd? Wel mi dduda'i wrthach chi, waeth be ddudodd y bobol 'na'n y tŵr, toedd gan Idris ddim i'w wneud hefo be bynnag oeddan nhw'n honni.'

'Sut felly?'

'Fydda fo'm yn lladd neb.'

Roedd hi'n credu hynny'n ddiffuant, ond gwyddai Ithel fod teulu sawl lleidr a llofrudd o'r un farn. Gadawon nhw i'r tawelwch o'u cwmpas nhw gymell mwy o sgwrs. Ymhen ychydig oedodd blaen y rhaw.

'Chafon ni'm hydnod gweld ei gorff o ar ôl iddyn nhw... claddu'n syth.'

Pwysodd Ithel a oedd hi'n werth holi mwy, ond byddai'n rhaid.

'Ac yn lle oedd hynny?'

'Gyda wal y fynwent.' Crynodd blaen y rhaw a disgyn a daeth y gŵr draw o ben arall y domen a gafael am ei wraig gan ei hebrwng at y cwt. Doedd dim pwrpas holi mwy. Gadawodd Ithel y fam a'r tad yn eu galar.

Er na allai Idris ateb cwestiynau erbyn hyn, teimlai Ithel y gallai o helpu gyda'r achos yr un fath yn union ond bu'n rhaid pwyso a mesur gyda'r rhai oddi mewn i weld cyn penderfynu dilyn y trywydd hwnnw. Er eu gwaethaf roedd rhywbeth ynddyn nhw'n gyndyn o fwrw iddi. Byddai hyn yn wahanol i gael golwg ar gorff Sion. Cafodd Ithel fenthyg rhaw a'r cyfan oedd yn rhaid ei wneud wedi hynny oedd aros iddi dywyllu. Codwyd yr eglwys y tu mewn i furiau'r dref yn y pen pellaf oddi wrth y porth. Y tu draw i lond dwrn o dai pren roedd wal gron isel yn dal y fynwent. Rhedai'r pwt o lwybr rhwng y tai at y wal ac yna'n syth heibio'r beddi at ddrws yr eglwys fechan. Yng nghysgod y muriau roedd hi'n gongl dywyll ar y gorau a'r mwsog yn dew ar y llwybr. Doedd dim golwg o ba sant y cysegrwyd hi iddi.

Daeth Ithel o hyd i'r bedd yn ddigon hawdd gyda'r pridd ar y wyneb yn docyn amlwg a heb ddechrau setlo. Fel llofrudd, honedig beth bynnag, ochr arall y wal oedd Idris a hynny'n llawn gwell i Wigyn. Gadawyd border parchus rhwng y fynwent a'r tai ac wrth iddyn nhw grwydro at y bedd, welodd Ithel neb, dim ond clywed sgwrsio tu draw i'r waliau gwiail a chlai.

Roedd cerrig wedi eu gosod ar eu hytrawst yn y wal fel grisiau er bod bwlch ynddi i'r llwybr ac eisteddodd Ithel ar un o'r rheiny nes i'r nos fagu gafael yn iawn. Er bod ganddyn nhw hawl i wneud yr hyn oedd ar droed ac nad oedd y corff ar dir sanctaidd heb sôn am fod yn gorff llofrudd honedig ar ben hynny, doedd Ithel ddim am gael eu gweld yn cloddio am gorff neb.

Aeth y nos yn ei blaen a diffoddodd y golau gwan oedd i'w weld o dan ddrws yr eglwys gan adael yr adeilad bach to gwellt yn ddu yn erbyn y sêr uwch ei ben. Tawelodd y sgwrsio a'r gweiddi yn y tai, aeth ambell i gath heibio gan gadw'u pellter. Doedd Ithel ddim yn gallu synhwyro bod neb o gwmpas ac yn effro erbyn hyn. Fe godon nhw ac ystwytho gan estyn am y rhaw, roedden nhw wedi gofalu cael gafael ar un heb flaen haearn arni am fod pren yn tyllu'n ddistawach. Wedi oedi unwaith eto i wrando, cododd Ithel y tusw blodau a gwenith oddi ar y pridd a'i osod gyda wal y fynwent, yna dechreuon nhw symud y pridd cleiog yn ofalus.

Chymrodd hi ddim yn hir i gyrraedd yr amdo, doedd y twll ddim yn ddwfn. Gwaith tila oedd y tyllwr beddi gwreiddiol wedi ei wneud mewn mwy nag un ffordd ym meddwl Ithel. Twll bas gydag ochrau blêr heb eu sythu, dim cerrig na math o amddiffyniad rhag anfadweithiau neu anifeiliaid ac yn waeth na dim arall, doedd y twll ddim digon hir ac fe stwffiwyd Idris iddo ar ei ochr. Yng ngolau'r lleuad gallai Ithel weld bod y pen a'r coesau wedi eu plygu i arbed mwy o waith tyllu. Defnydd bras oedd yr amdo hefyd ac wedi ei dorri a'i lapio'n flêr.

Symudodd Ithel i ddefnyddio eu dwylo i hel y clapiau olaf o'r pridd i ffwrdd cyn cyrcydu a pharatoi i agor yr amdo. Doedd neb y buon nhw'n eu holi yn gwybod sut y lladdwyd Idris fel cosb, crogi neu dorri ei ben neu, meddyliodd Ithel, tybed a oedd rhyw ddull arall wedi ei roi ar waith? Y chwiw honno oedd wedi eu harwain nhw yma. Drwy'r amdo gallai Ithel glywed oglau'r corff, aethon nhw o'r bedd a chynnau tocyn bach o berwellt o'u sachyn cyn mynd yn ôl.

Cawson nhw gyfle i oedi ar lan y bedd cyn mynd i mewn iddo a chael craffu ar y corff llonydd. Hyd yn oed fel hyn o dan orchudd doedd y corff ddim yn edrych yn iawn chwaith, roedd pantiau yn lle na ddylen nhw fod ac wrth i Ithel dynnu'r amdo yn agored gan dasgu briwsion pridd roedd hi'n ludiog gan glai a gwaed. Na, doedd y corff ddim yn iawn. Doedd dim digon ohono fo.

Aeth amser heibio.

Plygodd Ithel yr amdo yn ôl ac eistedd ar ochr y bedd. Rhyfedd o beth oedd meddwl nad oedd y llanast ar Sion yn fawr o ddim o'i gymharu â be ddigwyddodd i Idris. Trodd hogyn a oedd heb fod yn ugain, mae'n rhaid, yn fawr mwy na sypyn drylliedig, yn debycach i ddarn o goedyn cantwll wedi ei sbydu gan bryfaid pren na dim arall.

Fe gofion nhw eiriau'r fam. 'Chafon ni'm hydnod gweld ei gorff o.'

Da hynny.

Roedd beth bynnag wnaeth un twll yn Sion bellach yn gallu gwneud nifer ohonyn nhw a thynnu braich a choes oddi ar weddill y corff. Yn eu llaw chwith daliai Ithel dair pelen. Daethon nhw o hyd i un ar yr amdo gydag ochr y corff tra bod y ddwy arall ymysg gweddillion Idris. Wrth eu gosod ar y gwellt wrth ochr y bedd roedden nhw'n gwybod yn iawn y bydden nhw, o'u cymharu, yn debyg iawn i'r rhai ddaeth i'r fei yn y pentref.

Roedd Dana yn iawn. Roedd rhywbeth aflan ar droed a byddai'n rhaid rhoi terfyn arno. Be oedd ystyr y pethau hyn? Lle nesaf?

Cofiodd Ithel am y fam a'r tad wrth y domen olosg ac edrych ar y twmpath gwlyb o dan yr amdo. Fe allen nhw ddechrau hefo'r pethau bychain, fel byddai rhaid gwneud bob tro. Roedd oriau eto nes y byddai'n gwawrio a waeth beth oedd pechod Idris, os oedd un o gwbl, roedd wedi talu amdano erbyn hyn. Roedd o'n haeddu gwell na hyn. Aeth Ithel ati i dwtio ochrau'r twll a'i wneud yn hirach cyn sythu a gosod Idris orau ag oedd modd cyn rhawio'r pridd yn ôl.

Gosodon nhw'r tusw yn ôl ac yna weddillion y perwellt fel offrwm o fath. Wedi sibrwd bendith gadawodd Ithel y bedd. Roedd hi'n gwawrio a gwaith yn galw.

Pennod 25

PRIN OEDD GOLAU i'w weld o dan y drws ac roedd Adwen yn gorwedd yn effro yn syllu ar nenfwd y dafarn. Welodd hi mo Ithel wedyn, ddaethon nhw ddim yn ôl ar ôl iddi dywyllu. Cafodd le ar fainc dros nos ac er bod hynny'n fwy diogel na bod allan wrth y ffordd, roedd yn well ganddi gysgu ar lawr. Ond nid y coedyn oddi tani oedd wedi ei chadw'n effro mewn difri. Roedd pwysau'r pwrs o arian wedi bod drosti ers iddi ei gael o gan Ithel. Byddai'r cwbl yn mynd at fam Sion a'i chwiorydd. Estynnodd amdano fel yr oedd hi wedi'i wneud droeon yn y nos – roedd y lledr yn gynnes – a'i ddal yn ei llaw. Wrth ei bwyso yn ei chledr cofiodd bwysau elor Sion wrth ei gario i'r fynwent, doedd y ddau beth ddim yr un fath. A beth am Dafydd a Jinw fach oedd wedi dod â'r drol heibio, a Siwan hefyd? Pwy oedd ar ôl i gofio amdanyn nhw ac i forol bod iawn yn cael ei wneud?

Be ddaethon nhw iddi? Nid pentan, roedd hi'n siŵr o hynny. Oedd Dafydd yn ymddwyn yn rhyfedd pan ddaeth o draw? Mi oedd o'n sicr wedi mynnu droeon na ddylai neb agor y gist. Yn y twr roedd atebion. Yn y twr roedd yna lofrudd. Talodd bris tila i olchi gwaed Sion oddi arno, ond doedd o ddim wedi sgwrio pob dim. Stwffiodd Adwen y pwrs i blygion ei dillad a chodi ar ei heistedd. Roedd yna gyfrinachau yn y twr hefyd, a rhai na allai Gwigyn hyd yn oed eu dadorchuddio. Fel dechrau pob taith lle'r oedd hi a neb arall yn arwain, teimlodd Adwen y ffordd yn agor o'i blaen.

*

Cnociodd Ithel ar ddrysau rhai o'r tai i holi a welodd rhywun angladd Idris ond gan fod y gair wedi mynd ar led mai llofrudd oedd o a bod ysbrydion aflan yn codi o gyrff troseddwyr doedd neb wedi mentro edrych, rhag cael eu melltithio. Dim ond llygaid a fynnai edrych ar y llawr neu bennau'n ysgwyd welodd Ithel yn y craciau rhwng ymylon drysau a'u fframiau. Synhwyron nhw fod pobl ofn siarad hefyd. Oedd rhywrai wedi bod draw o'u blaen nhw?

Pan ddaethon nhw'n ôl at y Tocyn Twrch doedd dim golwg o Adwen. Tybed i le'r oedd hi wedi mynd? Roedd rhaid mynd â'r rhaw yn ôl ac roedd angen holi ambell un arall hefyd, bydden nhw'n taro arni rhyw ben cyn iddi nosi siawns.

*

Treuliodd Adwen y bore'n eistedd wrth y ffynnon yn y sgwâr gan edrych ar y porth a'r tŵr y tu ôl iddi bob hyn a hyn. Doedd yna nunlle gwell am straeon na ffynnon ac wrth godi dŵr i ambell hen wreigan cafodd Adwen wybod am sawl peth. Y tywydd, marw disymwth un o dylwyth Andras, y ffaith fod Gwigyn wedi cyrraedd, a bod hogan Margiad oedd yn forwyn yn y tŵr wedi bod yn yr un stafell ag un a bod hynny wedi dweud arni, bod tylwyth Andras yn ymarfer rhyfel yn amlach nag y buon nhw, bod llygod mawr yn bla a'r ffaith i'r llosgwyr golosg honni bod yna ellyllon i'w cael yn nes at y dref nag y bu. Roedd yn rhaid iddi gynnig straeon ei hun hefyd wrth gwrs a chafodd ei thynnu i beidio â bod yn rhy onest. Dros y bore trodd Adwen o fod yn borthmon i fod yn ferch o bentref heb fod yn rhy bell a oedd wedi dod draw i Ferin ar neges i'w modryb ac wedi meddwl, efallai, aros am dymor. Cadwodd bethau'n ddigon llac fel y gallai addasu'r stori pe byddai rhaid.

Roedd hi'n nesu at awr lle byddai'r haul ar ei uchaf pan agorodd y porth rhyw fymryn – digon i ddynes lem yr olwg gyda gwallt brith wedi ei glymu o dan gadach wasgu drwyddi gan rwgnach. Roedd ganddi iau ar ei hysgwyddau a phwced bob ochr iddo, cadwai gydbwysedd yr iau hefo un llaw ac yn y llall roedd ganddi dair llygoden fawr farw yn hongian gerfydd eu cynffonnau. Taflodd y rheiny wrth fôn y wal a dod at y ffynnon gan sychu ei llaw ar ei brat.

'Dydd da i chi,' meddai Adwen wrth gamu o'r ffordd. Cododd y wraig ei llaw i gael yr haul o'i llygaid.

'Mi oedd yr hogia ar ben y wal yn sôn fod yna rhyw lefran newydd yn tin-droi o gwmpas y fan yma. Chi ydi hi felly.'

Estynnodd y wraig am tsiaen y fwced ar ochr y ffynnon a'i chodi gydag un fraich cyn ei gwagio i'r pwcedi ar yr iau yn ofalus.

'O, beryg iawn.' Doedd Adwen ddim wedi sylwi ar neb yn cadw golwg arni heblaw am ambell i gip bob hyn a hyn.

Aeth y wraig ati i lenwi y fwced arall.

'Ydach chi'n byw yn y tŵr acw?'

'Dwi'n cysgu ac yn gweithio yn ddigon agos ato fo, ydw, dim fi sy pia fo. Ydi'r haul ma'n dechrau deud arnoch chi?' gorffennodd y ddynes lenwi'i phwcedi. 'Dyna ni. Dydi'r ffynnon draw tu ôl i'w wal yn werth dim, blas mwd ar ei dŵr hi. Well gen i gerddad.'

'Dda'i chael hi tasa hi'n dod yn warchae hefyd ma siŵr?'

Trodd y ddynes ati a chraffu arni. 'Be wyddost ti am warchae, hogan?'

Baglodd Adwen drwy'i phen am esgus call, be fyddai

rhywun sydd heb adael un pentref yn ei bywyd yn wybod am filwra?

'Nhad fydda'n sôn am y fath betha.'

Plethodd y wraig ei breichiau a gwelodd Adwen y cyhyrau'n tynnu ynddyn nhw uwchben ei dwylo garw.

'O? A dyn pwy ydi o felly?'

'Neb erbyn hyn, mae o wedi marw.'

Dadblethodd y breichiau. Teimlai Adwen fod y ddynes yn meddalu rhyw fymryn ar ôl clywed hynny ac wrth iddi gyrcydu i godi'r iau aeth Adwen ati i'w godi ar ei hysgwyddau ond cael fawr o groeso am wneud.

'Twt, hogan, dwi'n ddigon tebol.' Oedodd y ddynes wrth ysgwyddo'r baich a'i gael yn wastad ar ei hysgwyddau 'Ond diolch 'run fath. Da boch.'

Aeth y ddynes at y porth a theimlai Adwen fod yna gyfle yn mynd hefo hi.

'Dwi'n chwilio am waith!' gwaeddodd.

'Hy! Tydi hi'm yn dymor chwilio am neb.' Aeth y ddynes yn ei blaen 'Os na fedri di ladd llygod mawr does gen i ddim gofyn amdanat ti.' Camodd o gwmpas crempog o gachu gwartheg heb dollti diferyn o'r dŵr ac oedi.

Wrth fôn y wal roedd Gel wrthi'n chwarae hefo llygoden farw gan ei phledu'n erbyn y cerrig a chwyrnu. Edrychodd y ddynes ar y sioe.

'Mi fedrith fy nghi fi... a dwi wedi lladd rhai cyn heddiw... mi fedra'i sgwrio lloriau neu garthu, rwbath!'

Wnaeth y ddynes ddim dweud dim ond troi am y porth a dal ati i gerdded ond fe amneidiodd gyda'i phen y gallai Adwen ei dilyn. Brysiodd Adwen ar ei hôl a daeth Gel hefyd, heb ei lygoden.

Pennod 26

Teimlai Adwen ei breichiau'n llosgi. Roedd hi wastad wedi meddwl ei bod hi'n rhywun digon galluog yn ei ffordd ei hun, ac yn gryf ond roedd y bore o waith wedi profi bod mwy nag un math o gryfder. Cario dŵr i ddechrau arni, digon i lenwi casgen ddŵr croyw ac yna hollti coed tân gan amau fod gwaith anoddach na'r arfer yn cael ei roi iddi i weld sut beth oedd hi. Wrth gario'r talpiau coed a chodi'r fwyell drom a bron â mynd ar ei hyd fwy nag unwaith, roedd hi wedi clywed dynion y tylwyth yn chwerthin neu'n gweiddi arni. Gweithiodd yn galetach am hynny. Cafodd Gel well hwyl arni beth bynnag gan ddal tair llygoden wrth iddyn nhw geisio ffoi o'r tocyn coed wrth i Adwen gario ohono.

A hithau'n b'nawn daeth ei meistres newydd, Ceinwen, honno oedd wedi dod i gario dŵr ben bore, draw hefo tair desgyl bridd.

'Ty'd am dy ginio,' meddai gan eistedd ar ddarn o foncyff yn ymyl Adwen. 'Faint ma'r llumangi 'na wedi ddal bellach?'

'Tair dwi'n meddwl, pedair falla.' Atebodd Adwen wrth i'r stumog wichian, roedd oglau da ar be bynnag oedd yn y dysglau.

Cysidrodd Ceinwen am funud cyn rhoi un o'r dysglau ar lawr. 'Mi geith fara llefrith felly.'

'Gel! Bwyd!' gwaeddodd Adwen a daeth Gel draw ar wib ac aros wrth ei thraed yn llygadu'r bara llefrith. 'Rhosa, rhosa...

byta!' Plannodd Gel ar ei ben i'r ddesgyl gan geisio bwyta ac anadlu yr un pryd.

'Mae yna drefn dda arno fo gen ti, chwarae teg.' Estynnodd Ceinwen ddesgyl i Adwen ar ôl cymryd cip ar y tocyn coed wedi ei dorri. Roedd hithau wedi gwneud digon am ei bwyd mae'n rhaid.

"Tydi ci sy'n gwrando dim, werth dim. Dyna fydda Nhad yn ddeud.'

'Mi fydda fo wedi gwneud yn iawn yma felly, ma'r Penteulu yn un am drefn a thennyn.'

Estynnodd Adwen ei llwy a chythru am y bwyd, roedd o'n boeth ac oglau bwyd wedi ei ferwi'n codi ohono'n donnau. Bresych, a ffa, a thameidiau o gig a hwnnw'n gig coch! A blas arall hefyd, rhywbeth a oedd yn boeth ynddo'i hun rhywsut nad oedd wnelo ddim hefo tymheredd. Bwytodd yn ddistaw am funud.

'Ma'n dda.'

'Paid â siarad efo llond dy geg, hogan.'

Ond gallai Adwen weld fod y canmol yn plesio'n ddistaw bach. Mentrodd fymryn eto.

'Ydi hi'n ddiwrnod arbennig arnoch chi? Gweld y cig bras yma mewn cawl.'

Gwelodd arlliw o wên ar wefusau Ceinwen. 'Os ydi'r byddigions yn cael cig ac yn gadael dipyn ar yr asgwrn ma'n iawn i ninna ga'l rhyw fymryn ar eu holau nhw. Dda gen i ddim gwastraff.' Yna ochneidiodd. 'Ma'r cŵn sydd yma yn cael mwy na geith amal i un dros y wal.'

Bwytodd y ddwy yn ddistaw am sbel ac fel oedd Adwen am dollti gweddill y cawl i'w cheg estynnodd Ceinwen dafell o fara iddi o blygion ei ffedog.

'Ynda, i ti ga'l sychu'r gweddill.'

'Diolch.' Gwnaeth Adwen hynny ac wrth gnoi'r gegiad olaf teimlodd rywbeth yn llosgi'n rhyfedd ar ei thafod. Gwelodd Ceinwen hi'n tynnu stumiau a gwenu'n fain eto.

'Chest di rioed bupur o'r blaen beryg?'

'Argol naddo.' Atebodd Adwen yn fwy llyweth na fyddai hi fel arfer, er fod y teimlad yn un rhyfedd.

'Mi fydd 'na rhyw ronyn yn disgyn i'r crochan o'r gist bob hyn a hyn.' Winciodd Ceinwen arni yn slei. 'Ti wedi nogio ac am frysio adra cyn iddi dywyllu ar ôl y fath waith, Angharad?'

Wyddai Adwen ddim pam ei bod hi wedi rhoi enw gwahanol i Ceinwen, rhag ofn fod Andras yn gwybod amdani mwya'r tebyg, roedd o'n beth doeth bod yn wyliadwrus. Eto fedrai hi ddim dweud nad oedd hi'n teimlo fymryn yn chwithig am y peth.

'Nacdw i.' Cododd Adwen ac ailafael yn y fwyell yn eiddgar i ddangos ei bod yn gweld ei gwaith.

'Gin i waith tu mewn i chdi am y pnawn, siapia hi!'

Edrychodd Adwen ar y tŵr yn llusgo'i hun i fyny o'r ddaear o'i blaen a meddwl, am ennyd, mynd â'r fwyell hefo hi.

Sgwrio'r llawr oedd y gwaith, a welodd Adwen mo'r tŵr ond yn hytrach adeilad bach oedd wedi ei osod wrth y wal allanol. Bwriodd Adwen iddi tra bod Ceinwen wrthi'n pluo colomennod ar stôl wrth y lle tân a thrwy hynny'n gwneud y gwaith o lanhau'r llawr yn anoddach o'r hanner. Stafell isel, ddigon tywyll oedd hon yn hanner cegin er bod yr hen drefn o goginio yn y neuadd yn dal i gael ei harfer gan Ceinwen o dro i dro. O'r distiau ar y to roedd perlysiau a darnau o gig wedi eu halltu'n hongian ar fachau. Penderfynodd Adwen ddechrau yn y pen pellaf oddi wrth y drws gan obeithio y byddai hynny'n rhoi amser i Ceinwen orffen pluo cyn iddi gyrraedd y lle tân.

Doedd hi ddim wedi bod wrthi'n hir iawn pan ddaeth traed

ar y buarth y tu allan i'r gegin a chysgod i lenwi'r drws cul. Er bod Adwen a'i chefn at y drws teimlodd lygaid arni'n syth pan arhosodd y traed.

'Benteulu,' meddai Ceinwen a stryffaglu i godi mewn cawod o blu mân. Teimlodd Adwen y llygaid yn troi. Teimlodd hefyd ei gwaed yn codi. Heb feddwl, cofiodd am y gyllell a'r twca trwm oedd ar y bwrdd rhwng y lle tân a'r drws.

'Ceinwen, fydd dim angen bwyd ar gyfer diwrnod o farchogaeth wythnos yma.' Roedd ei acen o'n wahanol, meddyliodd Adwen, fel un oedd wedi bod yn byw yn y Deheubarthau.

'Thgwrs, Benteulu.'

'Purion.'

'Fydd pawb yma am fwyd felly, drwy'r wythnos?'

'Bydd… Mae'n debyg bydd gyda ni westeion yn fuan iawn hefyd, rhai o bwys. Shwt ma'r storfeydd yma?'

Daliodd Adwen ati i sgwrio gan foeli ei chlustiau gymaint ag y gallai.

'Yn iawn, ond yn fain os oes angen gwledd falla. Mi wna'i hel mymryn o betha rhag ofn. Fyddan nhw yma yn hir?'

Gallodd Adwen glywed y wên yn y llais wrth iddo ateb.

'Na fyddan, dim yn hir o gwbl.'

Teimlodd Adwen y llygaid yn cnoi eu ffordd iddi eto.

'Pwy yw hon?'

Daliodd Adwen ati i sgwrio.

'Hogan fy chwaer, mae hi'n gweithio am ei chadw.'

'Felly byddai'r disgwyl. Cwyd, ferch.'

Gwasgodd Adwen y cadach.

'Ti'n clywad, hogan?'

Cododd Adwen yn araf gan ddal y cadach o hyd a throi yn araf. Yno yn y drws safai dyn barfog hefo pen moel.

Edrychodd arni fel petai hi'n un o'r darnau cig yn hongian o'r nenfwd. Ai hwn oedd o? Hwn chwalodd Sion yn ddarnau? Daliodd Adwen ei lygaid heblaw am ennyd lle tarodd olwg sydyn ar y llafnau ar y bwrdd. Meddyliodd iddo sylwi ar hynny.

'Merch benderfynol os nad dim arall, croeso atom ni.' Trodd ar ei sawdl a gadael. Sylwodd Adwen ei bod hi wedi gwasgu'r cadach yn sych yn ei llaw. Roedd Ceinwen yn edrych arni.

'Golwg fel tasat ti wedi gweld drychiolaeth arnat ti.'

Ceisiodd Adwen gael gafael ar ei gwynt.

'Fo oedd y Penteulu, felly?' holodd.

Aeth Ceinwen yn ôl at ei stôl ac ailafael mewn colomen.

'Ia ac falla nad oeddat ti'n bell o dy le, mae yna ddrychiolaeth yn rhan o Cadell fel sydd 'na mewn llawer ohonyn nhw. Cadwa'n bell os medri di. Ddylia'r ffaith fod o'n meddwl ein bod ni'n perthyn helpu.'

'Sut un ydi o felly?' holodd Adwen.

'Calla' dawo,' atebodd Ceinwen wrth dynnu'r plu yn llawn caletach nag a wnaeth hi'n gynt.

Bu'n rhaid i Adwen wneud esgus go dila i adael drwy'r porth o flaen y tŵr er mwyn gallu rhannu cymaint â hynny o wybodaeth ag oedd ganddi hefo Ithel. Gwnaeth rhyw stori y byddai'n rhaid sôn wrth y berthynas y trefnodd hi i aros hefo nhw fod ganddi well lle. Fyddai ganddi ddim yn hir, roedd y porth yn cael ei gau i bawb wedi iddi dywyllu.

Roedd hi'n falch o'u gweld nhw yn y Tocyn Twrch yn yr un gongl.

'Maen nhw'n disgwyl y bydd 'na wledd yn fuan,' meddai wrth eistedd i lawr heb gynnig mwy o gyd-destun na hynny ond yn ôl pob golwg doedd Ithel ddim o'i angen o.

'Y brawd yn ymweld neu'r Brenin yn dod yma ar ei gylchdaith? Er mae o'n rhy wael, beryg.'

'Rhywun pwysig ddudodd Cadell.'

Teimlai Ithel yn anesmwyth o glywed hynny er na wydden nhw pam, doedd dau dywysog o fewn pellter poeri ddim ond yn mynd i arwain at dywallt gwaed, fwy na thebyg.

Ochneidiodd Adwen.

'A mae 'na griw, gan gynnwys y Penteulu yn mynd ar gyrch i rwla yn o amal. Milwyr falla? Doedd Ceinwen fy mistras newydd i ddim am drafod llawer ar y peth, mond sôn bo nhw'n mynd â'r un bwyd bob tro.'

Trodd Ithel ati a sylwi bod yna ôl mwg ar ei hwyneb a gweld bod ambell flewyn o wallt wedi glynu iddo wedi i chwys sychu fwy na thebyg. Roedd ei dwylo'n goch hefyd.

'Meistres newydd? Sut wyddost ti hyn i gyd? Lle fu'st di heddiw?'

Gwenodd Adwen.

'Wedi cael gwaith ydw i, dros dro, yn agos at lygad y ffynnon.'

Roedd hi wedi disgwyl y byddai Ithel yn gwylltio neu'n dwrdio ond troi eu pen wnaethon nhw fel petaen nhw wedi gweld rhywbeth annisgwyl.

'Peryglus braidd.'

Wffriodd Adwen.

'Fydda i'n iawn, 'sa neb yn gwybod pwy ydw i a dwi wedi gorfod edrych ar ôl fy hun cyn heddiw.'

'Bydd yn ofalus wrth sgwrsio hefo ni felly, rhag i rywun gario straeon.'

Cysidrodd Adwen hynny.

'Ond sut medra'i sôn wrthoch chi am unrhyw hanes? Fawr o ddiben i mi hel straeon a heb allu'u hadrodd nhw.'

'Mi geisiwn ni fod yn y cefn lle mae'r ceffylau, cyn iddi dywyllu bob nos, fe allwn ni gyfarfod bryd hynny, ond os na fyddi di'n gallu dod, tydi hynny ddim gwahaniaeth. Paid â mentro, a bydd yn ofalus.'

Wffftiodd Adwen eto wrth i Ithel droi ac edrych drwyddi gan weld, hyd y teimlai hi, popeth.

'Ac nid dial sydd wedi dy arwain di yno?'

Gwasgodd Adwen ymyl ei chlogyn yn ei dwylo.

'Nace. A fydda i'n iawn.'

'Tydi gofal ddim yn ddigon bob tro. Un peth ydi ffydd ynddat ti dy hun, peth arall ydi pobol eraill. Cofia fod rhywrai yn aros i ti ddychwelyd adra. Does dim rhaid i ti fynd yn ôl i gastell Andras.'

Edrychodd Adwen ar Ithel yn hir. Sut allen nhw fod mor ddiddeall?

'Wrth gwrs bod rhaid,' meddai. Cododd a mynd am y drws, gan geisio peidio dal llygaid neb.

Pennod 27

GWYLIODD ITHEL HI'N gadael heb wybod yn iawn beth i'w feddwl. Gallen nhw weld manteision gwrando wrth ddrysau a rhannu sibrydion gweision a morynion ac roedd cael tyst yn ddefnyddiol. Eto i gyd roedden nhw wedi gweld pobl yn cael eu gyrru i drybini wrth ddilyn eu trwyn drwy niwl galar. Doedd ceisio cael syniad o gymhelliant Adwen, a'i chwestiynu, mo'r peth doethaf efallai, ond wedi sawl oes o drin a thrafod pobl roedd hi'n anodd ymddiried ynddyn nhw.

Sut bynnag. Roedd gan Adwen ei llwybr ei hun.

Llwybr

Ia, meddyliodd Ithel. Llwybr. Os, fel oedd Adwen wedi sôn, oedd criw yn gadael y dref yn gyson a hynny gyda'r un arlwy mi fyddai'n debyg eu bod nhw'n mynd i'r un lle neu o leiaf lefydd gyda'r un pellter cerdded i ffwrdd, os mai cerdded oedden nhw. Byddai'n rhaid gwiro hynny'n gyntaf. Ond os oedden nhw'n mynd i'r un lle, yna byddai llwybr i'w weld a hyd yn oed os oedden nhw'n ofalus, doedd dim modd cuddio olion taith i gyd, yn enwedig oddi wrth lygaid Gwigyn.

*

Pendwmpian wrth y tân oedd Ceinwen gyda'i phen ar ei brest a'i breichiau wedi plethu gyda Gel wrth ei thraed pan ddaeth

Adwen yn ei hôl i'r gegin. Cododd y ci a dod ati i hel mwythau ond symudodd Ceinwen ddim.

'Cael rhyw bum munud bach ydw i,' meddai Ceinwen gyda'i llygaid ynghau o hyd. 'Meddwl.'

Crafodd Adwen tu ôl i glustiau Gel a theimlo'i hun yn llacio rhyw fymryn. Roedd hi'n dywyll yn y gegin gyda hynny o olau oedd ar ôl y tu allan ddim ond yn goleuo o gwmpas twll y ffenest a'r tân diog yn creu gwawr goch o'i gwmpas. Rhwng hynny a'r cynhesrwydd roedd rhywbeth yn gartrefol iawn am y lle. Er ei bod hi wedi bod ar bigau'r drain ers cyrraedd, yn cadw clust a llygaid yn agored, yng nghynhesrwydd y gegin fach pylodd hynny am funud. Yn sydyn, roedd hi wedi ymlâdd. Lle oedodd hi ddwythaf? Lle oedd hi wedi pwyllo cyn hyn? Fel rhyw olwyn yn troi a throi a throi a dim ond y troi yn ei dal hi at ei gilydd. Daeth y dyddiau o deithio a gwaith y dydd i'w llethu. Aeth at y setl ac eistedd wrth ymyl Ceinwen a theimlo nad oedd hi wedi eistedd yn iawn erioed cyn gwneud yn y funud honno.

'Meddwl am be?' holodd.

Gwenodd Ceinwen ac yn ngolau'r pwt o dân roedd y rhychau ar ei hwyneb a'i dwylo'n ddyfnach rhywsut.

'Am waith te, be arall? Tydi o'n ddiddiwadd.'

Cleciodd y tân. Cododd Adwen ei choesau a throi fel ei bod hi'n eistedd ar ei hochr ar y setl yn edrych tuag ato ac at Ceinwen.

'Dwi yma i helpu rŵan.'

Gwnaeth Ceinwen ryw sŵn, sŵn anadlu am i mewn y gwyddai Adwen yn iawn amdano fel rhyw sŵn cytuno. Byddai ei mam a'i nain yn gwneud yr un sŵn. Tynnodd Ceinwen ei breichiau ati'n dynnach.

'Ond am faint? Does yna ddim golwg aros arnti nagoes? Dwi'n iawn, tydw?'

Oedodd Adwen.

'Dwn i'm.'

'Ydw felly. Ddim yn un am setlo, fel eira gwanwyn fel fydda
Mam yn ddeud, rhen dlawd.'

'Fydda hi'n gogydd hefyd?'

Chwarddodd Ceinwen.

'Bydda, fel pob dynas arall! Ond ddim fel ydw i os na dyna
sydd gen ti. Nhad fydda'n gneud gwaith fel hyn. Mi soniodd
yr Arglwydd Andras mai dim ond dynion fydda'n coginio
yn llys ei dad o, cofia, mond fod merchaid yn plicio a llnau a
gneud bod dim fel arall iddyn nhw. Nhad oedd wrthi'n fama
pan fydda'r Brenin yn dŵad ar ei daith a finna'n dysgu wrth ei
draed o. Mi ddes iddi.'

Gwrandawodd Adwen ar y tân ac ar sŵn y milwyr yn y
buarth yn symud a sgwrsio a cheisio tagu'r euogrwydd oedd
yn magu tu mewn iddi.

'Wel, dwi'n ddiolchgar am gael dod yma atoch chi.'

'Mond mod i ddim yn difaru. Mi fydd yn dda dy gael di
at y wledd sydd ar y gweill, beth bynnag. Pwy glywodd am
drefnu am wledd mewn diwrnod. Grasusa!' Cnodd Ceinwen
ryw damaid o rywbeth fel petai'n meddwl. 'Mi sonist bod dy
dad wedi mynd, be am dy fam?'

Cafodd Adwen ei thaflu'n ôl filltiroedd a blynyddoedd
nes ei bod hi'n blentyn mewn coban yn sefyll wrth ddrws
cilagored eto. Pesychodd i geisio cael trefn arni'i hun.

'Mi gymrwyd hitha oddi wrthan ni, pan o'n i'n ifanc.
Damwain.'

'Bendith arnat ti.'

Cododd Adwen ei choesau tuag ati a lapio ei breichiau o'u
cwmpas.

'Diolch. Mae o'n beth rhyfadd iawn, dwi'n methu cofio rhyw

lawer amdani o gwbl. Amball beth, lliw gwallt, ogla, dwi'n siŵr bod hi'n un am ganu… ond pan fydda i'n breuddwydio mae hi yno'n gyfa, ond wedi mynd eto erbyn i mi ddeffro.'

Agorodd Ceinwen ei llygaid a throi at y tân.

'Dwi'n cableddu wrth ddeud hyn, ond ma 'na gred eu bod nhw'n dod yn ôl atan ni mewn breuddwydion, sti. Mi goelia'i hynny.'

Gwenodd Adwen arni wrth iddi godi a sythu'i chefn.

'Ddaw hi ddim fel hyn. Am y ciando 'na'n reit handi. Mi fydd rhaid codi'n gynnar fory, na'i lwytho'r tân.'

Roedd y gwely, fel ag yr oedd o, y tu ôl i'r simdde fawr yn y gegin, matres wellt wedi ei gwasgu rhwng cefn y simdde a'r wal a'r gongl yn glyd fel nyth pathew. Gorweddodd y ddwy yno gyda Gel rhyngddyn nhw a sŵn crwydro y gwylwyr y tu allan yn ysgafn a phell. Ceisiodd Adwen gysgu, ond roedd yr euogrwydd yno o hyd. Dyma hi wedi twyllo dynes dda a doedd hi ddim yn teimlo mor gyfiawn ag oedd hi wrth y ffynnon y bore hwnnw.

'Ceinwen?'

Ochneidiodd Ceinwen. 'Be?'

'Pam rhoi gwaith i mi ta, os mai fel eira gwanwyn ydw i?'

Wnaeth Ceinwen ddim ateb am sbel.

'Am fod y byd 'ma'n le peryg hogan, yn enwedig i ni. Ti'n debol dwi'n siŵr ond weithia tydi hynny ddim yn ddigon. Hen le sy'n cnoi a sathru ydi'r byd 'ma. Saffach i ti'n fan hyn am y tro.'

Trodd Ceinwen ac ymhen dim roedd hi'n cysgu. Ceisiodd Adwen wneud hefyd, a methu.

Pennod 28

ROEDD HI'N HAWS dilyn llwybr yng ngolau dydd, a chyn iddi wawrio, fwy na heb, gadawodd Ithel y Tocyn Twrch â'u bryd ar ddychwelyd cyn nos. Byddai'n haws cadw golwg ar droed felly cafodd y ceffylau lonydd am y tro ond cawson nhw olwg fod ganddynt ddigon o wair yn y rheseli a dŵr yn y cafn cyn gadael.

''Dan ni'n dod yn nes at ddatrys dirgelwch Dana,' medden nhw wrth fwytho gwar Medwyn. 'Mi fydd y gorffwys cymaint brafiach iddyn nhw os nawn ni, ond ti wedi gwneud dy ran.'

Drwy'r porth fyddai'r trywydd, ond faint o filwyr oedd yn mynd allan? Byddai hynny'n gymorth wrth ddilyn eu traed nhw. A pham fod criw yn mynd beth bynnag? Oedd cyrch ar y gweill? Amddiffyn neu ryfel? Os hynny mi fyddai'n talu i'r milwyr ymarfer ond doedd neb o gwmpas y gadlas yn saethu hefo bwa pan aeth Ithel heibio a'r tociau pridd heb dyllau newydd ynddyn nhw. At hynny, pan bicion nhw heibio'r paledrydd ddoe a'i chael hi'n plygu darn o bren yw yn fwa saeth newydd, fe soniodd nad oedd hi wedi gael gwŷs i baratoi saethau. Doedd yr Hen Ddynion, rheiny sydd ymhob tref a phentref, ddim wedi clywed dim chwaith wrth i Ithel eu holi i ganlyn jygaid neu ddwy o gwrw. Doedd yna ddim sôn wedi bod yn y Tocyn Twrch am hogi arfau neu alw ar y taeogion chwaith. Fel arfer y werin oedd y rhai cyntaf i gael eu taflu i lanast rhyfel.

Sut allai dyn ryfela heb arfau na milwyr? Cododd atgof

o gorff racs Sion yn fwgan hyll. Hefo beth bynnag oedd yn gallu darnio rhywun felly, beryg. Beth bynnag oedd o, doedd dim angen paledrydd na thaeog ond beth am of? Ond hyd yn oed pe byddai Andras am wrthryfela a cheisio cael y gorau ar Maelrhys Bengrych ei frawd, byddai ei dad, Iddon y Brenin, yn rhoi taw ar hynny yn fuan. Be felly?

Camodd Ithel dros gwter ynghanol y stryd yn ddifeddwl gan sbydu criw o gathod oedd wrthi'n gwledda ar garcas colomen. Sgrialodd y cathod ar wib gan daflu powlen cardotyn dall.

'Tacla uffar!' gwaeddodd hwnnw a phawennu o'i chwmpas i geisio dod o hyd i'r pethau daflwyd ohoni. Aeth Ithel ato a phan glywodd o draed yn dod yn nes chwifiodd ffon.

'C'wch o 'ma! Mhetha fi ydyn nhw!'

Cyrcydodd Ithel a chodi afal i'r bowlen gan ddal y ffon hefo'r llaw arall wrth iddi chwibanu ei ffordd at eu clust chwith.

'Dwi'n dymuno dim drwg i chi, teida.' Estynnodd Ithel i'w cwdyn arian a gosod copr yn y bowlen wedyn, tynnodd y cardotyn ei ffon yn ôl a mwmial dan ei wynt. Llithrodd Ithel i lawr ac eistedd wrth ei ymyl. Daeth y cathod yn eu holau mewn dim o dro a dechrau sglaffio eto. Ar ôl sbel trodd yr hen ddyn at Ithel, roedd ei wallt llwyd yn hir, ac wedi dechrau teneuo, gwisgai bais hir o liw tywyll a chlocsiau pren am ei draed. Dros ei lygaid, fel oedd yr arfer gan rai o'r deillion, roedd o wedi clymu lliain gwyn hefo bendithion wedi eu hysgrifennu arno.

'Wel, fedrwch chi mo'n meio i am dendio.'

Chwarddodd Ithel yn ddistaw.

'Na. Mi fedran ni feddwl fod rhaid bod yn wyliadwrus.'

Poerodd y cardotyn.

'Wyddoch chi mo'i hanner hi.' Oedodd a chrafu ei glust 'Diolch i chi am y copr, pres wastad yn help.'

'Croeso.'

Tawelwch wedyn heblaw ambell i blediad gan y cardotyn am arian neu grystyn gan bobl a gerddai heibio, er prin oedd y crwydrwyr a hithau mor fore. Bob hyn a hyn byddai'r cardotyn yn rhyw hanner troi ei ben fel petai'n cadarnhau fod Ithel yno o hyd.

'Isgall 'di'r enw. Isgall Ddall ma' nhw'n fy ngalw i wrth gwrs.' Oedodd Isgall. 'Ond i chi gael fy enw, a'n ach i, Isgall ap Dafydd ab Isgall ap Bleddyn ap Crindwr ap Lel. Copr werth at y bumed ach.'

'Ithel 'dan ni.'

'Ceiniog neu grystyn, Lisi?' Aeth y wraig heibio'n fân ac yn fuan heb droi at Isgall. 'Twll eich tin chi ta, Lisabeth.' Trodd Isgall at Ithel eto. 'A beth am eich ach chi?'

'Sgynnon ni'r un.'

'O?' holodd Isgall gan godi'r bowlen ar rywun ac yna sobrodd drwyddo 'O...' Gosododd y bowlen ar y llawr gyda'i ddwylo'n crynu.

'M.'

Edrychai Isgall fel ei fod yn meddwl beth i'w wneud, aros neu godi. Setlodd am symud ei glun ac ochneidio.

'Mi glywish fod un ohonoch chi o gwmpas y fan 'ma.'

Gwenodd Ithel, roedden nhw wedi gwneud dewis da wrth oedi yma.

'Nid dyna'n unig glywch chi, dwi'n cymryd?'

Brathodd Isgall ei wefus. 'Wel, dwi'n well o ran fy nghlustia na'n llygid, ydw... ond fydd hen gardotyn fel ydw i fawr o ddefnydd i chi.'

'Ma'ch clustiau chi'n ddigon main i glywed traed yn dod yn nes ac i wybod fod eu perchennog nhw wedi plygu, yn ddigon main i wybod faint yn union o bethau, yn falau a maip a chrystiau oedd yn eich powlen chi, ac i wybod mai copr roesom ni ynddi, yn ddigon main i adnabod rhywun wrth eu cerddediad.'

Crafodd Isgell ei ên. 'Tydi nabod Lisi'n fawr o gamp, tydi hi'n stampio fel Clogwr...'

'Chewch chi ddim helynt gen i, Isgell, peidiwch â phoeni.'

'A, dyna ddudwch chi de...'

'Yr oll ydan ni am wneud ydi'ch holi chi pryd mae criw o filwyr yn gadael Ferin ac yn dod yn ôl a faint sydd ohonyn nhw.'

'A dwi'n gwybod hynny i gyd ydw?'

Gwenodd Ithel, 'Thâl hi fyth i danbrisio neb.'

'Wel cweit,' atebodd Isgell gan ddal ei law o dan drwyn Ithel.

Prynodd copr arall ddigon o wybodaeth iddyn nhw. Pob wythnos yn fras byddai criw o dylwyth Andras yn gadael Ferin yn gynnar y bore ac yn dod yn eu holau erbyn gyda'r nos, neu, weithiau y bore canlynol ond wastad wedi blino ac yn llusgo'u traed. Yr hyn oedd yn ddifyr yn ôl Isgall oedd bod y rhif wedi bod yn codi fesul rhyw hanner dwsin bob mis neu ddau.

Byddai unrhyw olion yn gymharol amlwg felly. Roedd y wawr wedi magu gafael a brysiodd Ithel am y porth.

*

Doedd hi ddim ond wedi prin cau ei llygaid, neu felly oedd hi'n meddwl pan deimlodd hi droed rhwng ei hasennau yn ei hysgwyd yn effro.

'Ty'd wir!'

Cododd Adwen a sythu ei dillad. Er ei bod hi wedi hen arfer

codi a mynd heb gysgu llawer roedd hi'n teimlo'n llesg ond daeth ati'i hun rhyw fymryn ar ôl molchi ei hwyneb yn y cawg dŵr glaw wrth ddrws y gegin.

'Byta wrth weithio,' meddai Ceinwen wrth roi powlen o uwd iddi. Roedd dwy o'r morynion yn y gegin hefyd, wedi hen ddeffro yn ôl eu golwg nhw a bob hyn a hyn deuai rhai o dylwyth Andras i mewn gyda gwahanol gynhwysion o'r dref a phob un yn edrych yn llyweth wrth ddod i'r gegin dan olwg Ceinwen.

Rhwng llwyadau o uwd aeth Adwen ati i weld ei gwaith gan olchi llysiau i ddechrau ac yna'u plicio yng nghwmni'r ddwy forwyn, Ffion a Leusa. Cafodd y dair stôl yr un ac fe eisteddon nhw o gwmpas sach o faip. Roedd y ddwy yn ddigon clên ac yn hapus i sgwrsio.

'Ffion 'ma mo'r un un ers dwrnod neu ddau,' meddai Leusa gan wenu'n bryfoclyd.

'O?' holodd Adwen wrth dorri dail meipen.

'Taw â dy gyboli, Leus.'

Wfftiodd Leusa. 'Mi welodd hi'r Gwigyn, 'di hi'm 'di bod yr un fath wedyn.'

'Ges i'n nychryn, do!' Estynnodd Ffion am feipen arall a dechrau plicio gan droi'r gyllell o'r gwreiddyn tuag at y dail.

'Ych a fi, dwi'm yn synnu. Welist di rioed Wigyn, Angharad?'

Edrychodd Adwen ar y pentwr o grwyn maip yn ei chôl.

'Argol naddo rioed, mond clywad amdanyn nhw, de.'

'Wel diolcha,' meddai Ffion wrth roi'r feipen mewn dŵr i'w chadw hi nes byddai Ceinwen yn barod i'w choginio. 'Mi 'drychodd yn syth drwydda'i.'

'A ma'r Ffion 'ma'n pechu fwy na'r rhan fwya ohonan ni cofia, Angharad,' meddai Leusa a rhoi penelin rhwng asennau

Ffion gan dorri'r rhuban hir o groen meipen ar flaen ei chyllell cyn iddi gyrraedd pen draw'r daith.

'Nacdw tad!' Oedodd Ffion. 'Mond mod i'n gwbod sut ma mwynhau'n hun de, ma hynny'n iawn.'

'Cyn priodi dio ddim,' atebodd Leusa.

'Twt, ma isio marfar does, fel bob dim. Tasa neb yn marfar mi fasan ni gyd fel Angharad 'ma yn plicio maip!'

Chwerthin mawr wedyn. Pryd oedd y tro dwythaf iddi fwydro a thynnu coes fel hyn, meddyliodd Adwen. Hefo Sion mae'n debyg, ar y drol. Aeth y gwynt o'i hwyliau.

'O, ddrwg gen i, Angharad, toeddwn i'n meddwl dim drwg wrth dynnu arnat ti.'

Ysgwydodd Adwen ei hun.

'O, na, dwi'm dicach. Wir i chi. A dwi fawr gwell o ran y peth arall 'na chwaith nag ydw i efo maip.'

Chwarddodd Ffion gan rochian yn braf. Rhoddodd Ceinwen ei phen drwy'r drws.

'Plicio ta paladruo ydach chi'n fancw, genod?'

'Plicio!' atebodd Leusa a dal meipen i'r golau.

Gwnaeth Ceinwen ryw sŵn oedd yn cyfleu amheuaeth cyn mynd yn ei hôl at ba bynnag waith oedd yn galw.

'Pam fod o yma 'dach chi'n meddwl?' holodd Adwen. 'Y Gwigyn 'lly.'

'Cyhuddo Cadell wnaeth o o ladd rhywun, dwnim os wnaeth o go iawn ond mi dalodd yr Arglwydd Andras am y peth,' atebodd Leusa.

'O,' meddai Adwen gan geisio cadw ei hwyneb mor ddiniwed â phosib.

'Fydd hi ddim yn dda arno fo os rosith o,' meddai Ffion yn dawel wedyn wrth estyn am feipen arall.

'Be ti'n feddwl?' holodd Adwen.

'Rhodri o'dd yn sôn.'

Plygodd Leusa'n ei blaen a sibrwd yn uchel.

'Y cariad ydi hwn, un ohonyn nhw.'

'Mae o'n un o dylwyth yr Arglwydd Andras, Angharad, ac mae Cadell wedi deud fod o'n un o'i ddynion pwysicaf o.'

'Rhodri ddudodd hynny wrthi, cofia,' meddai Leusa.

'A mi ddudodd o rwbath arall, i chdi ga'l dallt, Leus. Bod ganddo fo a'r milwyr erill hud o'u plaid nhw, bod ganddyn nhw ffordd o drechu bob dim, hydnod Gwigyn, ac y bydd pawb wrth draed yr Arglwydd Andras yn diwadd.'

'Be ydi o?' holodd Adwen a'i chalon yn mynd yn wyllt.

'Paid â gwrando ar y sopan,' wfftiodd Leusa. 'Ma'r Rhodri 'na'n deud bob math o betha i ga'l glychu'i wialan.'

'Be ydi o, Ffion?' holodd Adwen a meddalwch diniwed 'Angharad' wedi diflannu.

Syllodd Ffion arni. 'D… dwn im. Rwbath sydd gynnyn nhw, rwbath ofnadwy, neith o'm deud mwy.'

'Iawn!' meddai llais cyfarwydd o'r drws. 'Angharad, gei di fynd i godi dŵr yn lle clebran yn fama, ac os na fydd y maip wedi'u gorffan cyn i mi ddod yn f'ôl mi fyddwch chi'n sgwrio lloria am fis!' Daeth Ceinwen at Adwen a'i llusgo allan i'r buarth. Byddai'n rhaid iddi geisio dianc i sôn wrth Ithel, efallai eu bod nhw mewn peryg.

Pennod 29

Dilynodd Ithel y ffordd o'r dref ac allan tua'r coed. Gyda golau isel y wawr roedd olion pobl ac anifeiliaid ar y llawr i'w gweld yn fwy eglur, gallai ongl y golau wneud byd o wahaniaeth. Wnaethon nhw ddim sylwi ar ddim ar y ffordd yma ond doedden nhw ddim yn chwilio chwaith. Roedd hi'n anodd gweld dim o werth ar y ffordd, olion anifeiliaid – yn gŵn, moch, llwynogod ac adar, ceffylau yn mynd a dod gan gynnwys y rhai gariodd Ithel ac Adwen i Ferin, traed pobl ac ôl trol.

Wrth bellhau oddi wrth y dref ac oglau mwg y llosgwyr golosg roedd ambell i lwybr yn mynd i'r coed, ond yr un yn gweddu chwaith. Roedd golwg ac oglau llwybrau anifeiliaid neu anfadweithiau ar rai tra bod eraill yn debycach i lwybrau pobl ond eu bod nhw'n hen neu heb olwg digon o gerdded arnyn nhw. Byddai criw cyson o filwyr yn gadael olion amlwg.

Cododd yr haul yn uwch erbyn i Ithel daro ar rywbeth a edrychai ar un olwg fel fforch yn y ffordd. Roedd y gwellt gydag ochr y lôn wedi cochi ac wedi ei sathru at y pridd mewn mannau. Hyd y gwelai Ithel doedden nhw ddim yn rhy bell o'r ffynnon honno yr arhoson nhw ac Adwen wrthi ac wrth edrych ar hyd y ffordd tuag ati roedd llwch i'w weld ar y gorwel yn bell heibio'r coed. Roedd teithwyr eraill wedi codi'n gynnar ac ar eu ffordd.

Wedi manylu ar ochr y lôn roedd llwybr yn mynd yn ei

flaen nad oedd fawr lletach na llwybr dafad, lled dwy droed yn unig ond un a oedd yn cael defnydd cyson yn ôl ei olwg, a defnydd diweddar hefyd gydag olion traed i'w gweld yn eglur. Dilynodd Ithel gan nodi bod brigau a choesau blodau wedi eu torri neu eu plygu gyda'u hymylon. Yna, wedi i'r llwybr fynd yn ddigon pell o'r lôn i guddio'i geg roedd hi'n amlwg fod rhywun wedi barbio'i ymylon yn daclus rhag brigau a drain a hynny i hwyluso'r daith fwyaf tebyg. Rhaid bod hwn yn llwybr parhaol, cymharol newydd ac yn un oedd angen cuddio ychydig arno. Roedd y rhan yma o'r goedwig yn ddigon pell o'r dref fel nad oedd llawer o waith yn cael ei wneud ynddi a gwaith blynyddoedd o dyfu eto ar y stympiau prysgoed onnen a oedd yn cael eu cynaeafu. Lle da i gael llonydd felly. Aeth Ithel yn eu blaen gan ddilyn yn ôl troed tylwyth Andras.

*

Rhoddodd Ceinwen yr iau i Adwen yn ddigon diseremoni.

'Be ydi'r holl frys, Ceinwen?' holodd Adwen. Doedd neb wedi sôn yn iawn beth oedd achos yr holl dorchi llewys.

'Ti'n lecio holi dwyt, hogan? Gwledd te, mae'r Brenin yn dŵad yma tydi, wyddost ti faint o waith sydd hefo hynny? Mi ddaeth 'na geffyl o'u blaen nhw neithiwr yn hwyr ac yn fyr rybudd fel ma'r disgwl hefo'r hogyn yna!'

'O'n i'n meddwl fod o'n wael?' holodd Adwen wrth ysgwyddo'r iau.

'Maelrhys? Brensiach nacdi!'

Craffodd Adwen ar Ceinwen.

'Maelrhys ydi'r Brenin rŵan? Maelrhys Bengrych, brawd Andras? Hwnnw?'

Ysgwydodd Ceinwen ei phen mewn anghrediniaeth.

'Ia! Lle ti 'di bod hogan, yn y gwyllt? Ma'r Brenin Iddon, fel oedd o, wedi marw ers wsnosa ac wedi hen fynd i'r Garnedd. Rŵan dos!'

Aeth Adwen yn ei blaen drwy'r porth a'i meddwl yn troi dros yr hyn oedd Ffion a Ceinwen wedi'i ddweud wrthi. Roedd gan Andras rywbeth felly a oedd yn rymus mewn rhyw ffordd, dyna oedd wedi lladd Sion, roedd hi'n sicr o hynny. Oedd o am ei yrru fo ar ôl Ithel nesaf? Felly oedd yr awgrym gan Ffion ynde? Byddai'n talu i sôn am y Brenin newydd hefyd, doedd Ithel fel hithau heb glywed y newydd mwya'r tebyg.

Gan ei bod hi wedi deffro mor fuan dim ond newydd oleuo'n iawn oedd hi a'r dref yn dechrau stwyrian. Roedd tanau'n cael eu deffro a tharth ysgafn i'w weld y tu draw i'r waliau o ben allt y tŵr. Ond, a'r newydd wedi dechrau ymledu, roedd yna brysurdeb mwy na'r arfer yn Ferin. Roedd poptai'r dref yn cael eu llwytho gyda choed yn barod a gwelodd Adwen ambell un ar ben arall y sgwâr yn sgubo o flaen eu tai fel bod disgwyl i'r Brenin newydd bicio i mewn am gwpanaid o gwrw bach.

Byddai'n anodd sleifio i'r dref at y Tocyn Twrch, er byddai'n rhaid mentro, ond sut? Penderfynodd Adwen lenwi'r casgenni bron yn llawn cyn mynd ar y casgliad olaf gan obeithio y byddai Ceinwen yn rhy brysur i sylwi bod y llwyth diwethaf yn cymryd ychydig hirach.

Llwyddodd i wneud y gwaith yn gynt o'r hanner na'r diwrnod blaenorol ac aeth â'r iau hefo hi i lawr am y dref gan obeithio na fyddai un forwyn yn picio yno ynghanol y prysurdeb yn tynnu gormod o sylw. Roedd oglau bara i'w glywed ymysg y tai a chriwiau yma ac acw yn sgwrsio yn rhannu'r newyddion. Cafodd y Gwigyn ei anghofio.

Doedd dim golwg o Ithel yn y cefn lle'r oedd y ceffylau ac er bod y dafarn wedi agor. O be allai Adwen weld roedd hithau'n wag a heb olwg ohonyn nhw. Doedd hi ddim yn gallu aros i chwilota felly brysiodd yn ei hôl gan gyrraedd y maes ymhen dim. Fferrodd ei gwaed pan welodd hi pwy oedd yn dod tuag ati ar hyd y cerrig ar gefn ei geffyl.

'Ble'r est ti ferch?' holodd Cadell wrth dynnu ar ffrwyn y ceffyl i'w arafu. Yna, tynnodd y ceffyl fel ei fod o rhyngddi a'r ffynnon a'r porth at y tŵr. Ceisiodd Adwen lyncu ei phoer. Roedd o wedi ei wisgo fel petai o am fynd allan i hela, gyda'i gleddyf ar wregys a chlogyn tywyll amdano. Roedd ganddo rywbeth dros ei ysgwydd hefyd, cas lledr hir, yn debyg i un fyddai'n dal bwa saeth.

'I'r dre, Benteulu.'

Edrychodd Cadell arni a meinio ei lygaid.

'Fe wn i hynny, i le yn y dref?'

Aeth meddwl Adwen ar ras, fedrai hi ddim sôn am y Tocyn Twrch.

'I... y... at un o'r pobdai. Eisiau holi oedd 'na fara yn barod.'

Daliodd Cadell i edrych arni. Oedd o'n crechwenu?

'Braidd yn gynnar i 'na, does bosib?'

'Ceisio gweld fy ngwaith, dyna i gyd. Mi fydd Ceinwen yn meddwl lle ydw i...' Ceisiodd Adwen gamu heibio pen y ceffyl ond sbardunodd Cadell o o'i blaen unwaith yn rhagor.

'Wyddost ti rywbeth am Wigiaid?' holodd eto gan roi ei law ar gnepyn ei gleddyf.

Teimlai Adwen ei hun yn chwysu, roedd yr iau yn gwasgu ei hysgwyddau hefyd. Oedd hwn yn amau rhywbeth?

'Na wn i... dim ond fod 'na un o gwmpas.'

Plygodd Cadell ymlaen gan ddod â'i wyneb yn nes ati, ond

gan ei fod o ar gefn ei farch edrych i lawr arni oedd o o hyd. Clywodd Adwen oglau olew peraroglau, a rhywbeth arall hefyd, rhyw ddrewi nad oedd hi'n gallu ei ddal yn iawn.

'Oes. Fe gyrhaeddodd e gyda rhywun yn ôl rhai o'r taeogion. Merch. Ond does neb yn gwybod i le aeth hi, ac yna dyna ferch yn cyrraedd fy ngwasanaeth i tua'r un pryd. Be wnei di o 'ny?'

Gorfododd Adwen ei hun i edrych arno'n iawn gan ddal ei lygaid, roedd o wedi tacluso ei farf ers iddi ei weld o y diwrnod cynt ond roedd yr hen olwg hunanfodlon yna'n amlwg ar ei wyneb o hyd. Wyneb llofrudd, wyneb rhyw gynrhonyn bach oedd yn meddwl ei fod o'n bwysicach na neb arall. Cafodd Adwen ei chefn ati, symudodd yr iau ar ei hysgwyddau.

'Dwn im, Benteulu, dwi'n rhy brysur i feddwl. Esgusodwch fi.'

Camodd Adwen heibio a cherdded tuag at y ffynnon. Gallai deimlo llygaid Cadell ar ei chefn yr holl ffordd a diolchodd nad oedd o'n gallu gweld ei hwyneb. Arhosodd Cadell am gyfnod a deimlai'n hirach nag oedd o cyn sbarduno'i geffyl a charlamu ar hyd y stryd tuag at y porth ac allan o Ferin. I le oedd o'n mynd a phethau mor brysur ar bawb, dybed? meddyliodd Adwen. Llenwodd y pwcedi bob ochr i'r iau a mynd yn ei hôl cyn i Ceinwen ddechrau meddwl lle'r oedd hi. Roedd un aelod o dylwyth Andras yn ei hamau yn hen ddigon.

Pennod 30

ARWEINIAI'R LLWYBR YN ddwfn i'r goedwig a chollodd Ithel olwg o'r ffordd fawr yn fuan. Yr unig beth a oedd yn cynnig addewid o ben draw iddo oedd bod golau llannerch neu rywbeth tebyg i'w weld ym mhen pellaf y llwybr a oedd, erbyn hyn, yn debycach i dwnnel deiliog na dim arall. Trodd oglau diwrnod cynnes – yn wair, pridd sych a blodau – yn un mwsoglyd a phriddog wrth i'r coed uwchben gau mwy a mwy o'r awyr o olwg Ithel. Ond roedd manteision i'r gorchudd uwch eu pen hefyd am fod rhai pethau wedi cael mwy o lonydd, yr olion traed yn un peth, heb wynt a glaw i'w difetha nac olion anifeiliaid o'u cwmpas. Y peth arall i fanylu arno oedd y dafnau gwaed a godai yma ac acw fel briwsion bara ar y llwybr. Gwaed hen, yn sych a thywyll, ond gwaed yr un fath. Cadwodd Ithel afael ar eu bwyell.

O dipyn i beth tyfodd y geiniog o olau ym mhen pella'r llwybr yn fwy, ac yna agorodd y goedwig o'u blaen. Wrth ddod at geg y llwybr arafodd Ithel a chyrcydu. Byth ers i'r smotiau o waed ymddangos ar ddail gydag ochrau'r llwybr roedden nhw wedi bod ar bigau'r drain ac yn taflu cip achlysurol dros eu hysgwydd. Dim ond magu wnaeth y teimlad anniddig wrth i'r goedwig eu llyncu. Sbel yn ôl bellach daliodd y goedwig o'u cwmpas ei hanadl ac roedden nhw wedi meddwl iddyn nhw glywed carnau ceffyl yn bell drwy'r coed. Byth ers hynny roedden nhw wedi cadw golwg feinach ar y goedwig o'u cwmpas. Wrth ddod at ymyl y llannerch fe welon nhw nad llannerch oedd yno o gwbl, ond yn hytrach twll. Byddai'n rhaid cripian yn nes, gan bwyll gan ddefnyddio'r deiliach fel cysgod rhag unrhyw wylwyr posib.

O ganol llwyn ysgaw gallai Ithel weld fod y twll yn debyg i chwarel, hafn mawr wedi ei dorri i mewn i'r ddaear. Er, roedd yr ymylon braidd yn llyfn i hynny, o bosib. Gallai'r hafn fod yn un o'r creithiau adawyd ar ôl y Rhyfeloedd wrth i ddarn o swyngyfaredd neu felltith rhyw dduw neu'i gilydd daflu ei hun i'r ddaear. Waeth be oedd dechreuad yr hafn roedd llwybr darniog wedi ei dorri yn y graig ac yn arwain at ei waelod. Doedd dim golwg, nac arlliw o neb i'w weld o'r guddfan. Ond teimlai Ithel ym mêr eu hesgyrn bod atebion yno, rhywsut.

*

Clywodd Adwen y disgrifiad 'fel ffair' droeon ond dyma'r tro cyntaf iddi deimlo ei fod o'n gweddu i'r dim. Y tu allan yn y buarth roedd tylwyth Andras a rhai o drigolion y dref wrthi'n tacluso ac yn rhoi trefn ar bethau. Cariwyd byrddau hirion a meinciau o bob congl o'r dref a'u gadael gyda'r wal yn barod i'w gosod ar y buarth – byddai'n rhaid i'r milwyr oedd ar eu ffordd fwyta y tu allan am fod neuadd Andras yn gyfyng.

Aeth rhai ati i chwynnu tra bod eraill wedi mynd allan rhwng y coed a'r cloddiau i hel blodau a pherlysiau i addurno'r dref ac i greu oglau melys o dan draed. Roedd bwrlwm a chynnwrf ym mhob congl o Ferin ond teimlo'n anniddig oedd Adwen. Rhyw deimlad tebyg i'r un fyddai'n dod bob hyn a hyn pan fyddai hi'n porthmona fod rhywbeth annifyr heibio'r tro nesaf.

Doedd y ffaith nad oedd hi wedi arfer mewn cegin ddim o'i phlaid hi chwaith. Cafodd ei hel i bluo cywion ieir a hwyaid gyda chriw o'r dref a chael y drefn am falu'r croen wrth wneud. Cydiodd y potes maip yr oedd hi'n ei droi yn anghywir er na wyddai hi fod 'na ffordd iawn i droi dŵr hefo lympiau o lysiau ynddo fo ac er ei bod hi'n gynt yn plicio nag y buodd hi, doedd hi ddim yn ddigon cyflym yn amlwg.

'Rargian, mi fydd yn gynt i mi wneud fy hun!' Cuchiodd Ceinwen a chythru am y gyllell. Brathodd Adwen ei thafod a symud o ffordd Leusa a oedd ar ei ffordd ar draws y gegin gyda desgyl fenyn.

'Ddrwg gen i, Ceiniwen, crafu nhw fyddwn i adra.'

Gwyliodd Adwen hi'n plicio'r moron gan godi'r croen mor denau nes bod golau i'w weld yn glir drwyddo.

'Hidia befo,' atebodd Ceinwen gan ddal ati i blicio heb edrych. 'Mi wn i am rwbath medri di neud.' Rhoddodd Ceinwen y moron o'r neilltu, roedd hi'n llygaid ei lle, bu'n gynt o'r hanner. Yn pwyso'n erbyn y wal roedd cigwain a'r hwyaid wedi eu trywanu din-wrth-ben ar y darn hir o fetel. Gallai Adwen weld fod perlysiau – rhosmair, gruwlys ac eidran – wedi eu stwffio y tu mewn iddynt ac roedd sgeintiad dda o halen dros y crwyn.

'Mi fuodd Leusa a Ffion yn llwytho hon ond dwi'm yn ama y medri di ei chario hi dy hun. Ffion!'

'Ia, Ceinwen.' Ymddangosodd Ffion o rywle a gosod bwndel mawr o saets ar y bwrdd.

'Dangos i Angharad lle mae'r tân yn y neuadd a sut i droi hon. Sgen i ddim lle i'w rhostio nhw yma. Ddo'i atat ti mhen sbel, Angharad, i weld sut maen nhw'n dod yn eu blaena.'

Cododd Adwen y gigwain, roedd hi'n drwm ond ar ôl dod o hyd i'w chydbwysedd hi doedd hi ddim rhy ddrwg, y peth anoddaf oedd dal gafael ar y metel dan y saim oedd arni. Arweiniodd Ffion hi drwy'r drws tuag at y tŵr.

'A phaid â'u llosgi nhw!' gwaeddodd Ceinwen wrth iddi fynd drwy'r drws.

★

Symudai'r haul uwchben gan wneud i ochr yr hafn daflu cysgodion i'w waelod ac erbyn i Ithel gyrraedd y fan honno dim ond rhimyn tenau oedd o olau ar un pen i'r twll crwn a hwnnw'n raddol symud tuag at ei ochrau. Roedd y dydd yn prysur symud yn ei flaen.

Adroddodd y tir ei hanes i Ithel mor llafar ag unrhyw dyst yr holon nhw erioed. Roedd olion llawer o gerdded a symud yma a bu rhywun wrthi'n hel cerrig a chlirio mân goediach i greu darn gwastad o dir er bod cerrig mwy wedi eu gadael yma ac acw am eu bod nhw'n rhy drwm i'w symud. Llain ymarfer efallai. Byddai hynny'n gwneud synnwyr. Darllenodd Ithel y tir o dan eu traed a dychmygu'r hyn oedd o wedi ei brofi. Criw yn cerdded mewn llinell i lawr y llwybr gyda rhywun, y Penteulu efallai, gam neu dri ar y blaen. Hwnnw wedyn yn sefyll rhyw fymryn ar wahân yn yr un man bob tro tra bod y llinell o bobl yn dal ati at ben draw y darn o dir wedi ei glirio.

Y criw wedyn yn sefyll mewn rhesi o ryw hanner dwsin ac yna, rhyw dro, yn cyrcydu ar un lin – roedd y cylchoedd bas yn y llwch lle byddai'u pen-glin wedi mynd yn eglur – dal ati felly gan wneud ac ail-wneud yr un symudiad. Archwiliodd Ithel yr olion eto, roedd ôl llosgi yma ac acw fel bod darnau o rywbeth oedd ynghyn wedi disgyn ar y cerrig mân dan draed ac yna, ymhellach yn ôl, olion tanau, esgyrn a golwg fel bod rhai wedi bod yn eistedd. Fe ddychmygon nhw lond llaw o bobl yn eistedd ar y tameidiau boncyff draw acw ac un yn taflu asgwrn a oedd bellach wrth droed chwith Ithel.

Dyna'r lle fyddai'r bwyta cyn cychwyn yn ôl wedi digwydd felly.

Aeth Ithel yn ôl at olion y sefyll a phenlinio. Roedd pob un yn wynebu'r un ffordd, yn wynebu beth? Cododd Ithel eu pen a gweld wyneb y graig gyferbyn â nhw wedi ei fframio o hyd yng ngolau'r prynhawn. Roedd y wyneb llyfn yn graciau i gyd, yn dyllau byw. Fe aethon nhw'n oer, ac nid y cysgodion yn miniogi wrth i'r prynhawn hel ei draed oedd yn gyfrifol.

Dacw dyllau tebyg i'r rhai yn waliau'r tai yn y pentref hwnnw y bu Adwen a hwythau drwyddo. Byddai peli bach haearn yn rhai ohonynt neu wrth waelod y clogwyn yn siŵr. Wrth nesu, gwelodd Ithel nad dyna'r cyfan oedd yno. Yn baent drewllyd dros y cerrig mân a'r chwyn roedd gwaed a gïau, manion esgyrn a gwallt a chynrhon yn llewyrch gwyn yn eu mysg. Cyrcydodd Ithel ac ochneidio. Fan hyn daeth bywyd Idris i ben, mwya'r tebyg.

Pennod 31

'Fu'st di yn y tŵr o blaen?' holodd Ffion wrth edrych dros ei hysgwydd ar ei ffordd i fyny'r grisiau tuag at ddrws derw.

'Naddo, newydd gyrraedd ydw i,' atebodd Adwen. Roedd y drws wedi ei gau ond pan waeddodd Ffion pwy oedd hi, agorodd yn syth a chafodd y ddwy eu hebrwng i mewn. Erbyn gweld, Rhodri oedd wrth y drws, dyn ifanc yn frychni haul i gyd a chyhyrau amlwg o dan ei diwnig ysgafn. Daliodd Adwen y pwysi o gig amrwd a metel yn amyneddgar wrth i Ffion ac yntau gusanu a gwneud dillad ei gilydd yn flêr. Wedi iddi orffen, aeth Ffion â nhw i fyny grisiau eto, rhai a oedd yn troi gyda wal y tŵr ac agor drws arall i stafell fawr, grandiach nag a welodd Adwen erioed o'r blaen. Roedd llieiniau ar y waliau a ffenestri braf gyda'r caeadau'n llydan agored. Hyd yn oed hefo'r golau hwnnw roedd canhwyllau wedi eu cynnau a'u gosod ar y waliau ac ar fwrdd pren tywyll gyda choesau cerfiedig.

'Dyro fo ar rhein,' meddai Leusa gan gyfeirio at ddau ddarn o fetel a oedd yn edrych fel anifeiliaid bob ochr i'r tân.

'Pentan?' holodd Adwen wrth osod y gigwain ar fachau a rhoi tro iddi i weld sut beth oedd hynny. Roedd hi'n troi yn hawdd.

'Ia, mae o'n hwylus, dydi!'

'Ydi o'n newydd?' holodd Adwen.

Daliodd Ffion ei llaw rhwng y tân a'r hywaid ac amneidio fel ei bod yn hapus. 'O na, yma ers sbel go lew erbyn hyn.

Mi nes i orfod eu sgwrio nhw'n lân dechra'r wythnos, gwaith tin, dim ond heddiw ma' nhw'n ôl.' Gwnaeth Adwen nodyn o rywbeth arall i'w adrodd wrth Ithel.

'O,' meddai.

'Do mi dy weld di'n troi.'

Aeth Adwen ati i droi yn rhy gyflym, yna'n rhy araf, cyn i Ffion roi sêl bendith.

'Fyddi di'n iawn dy hun, yn byddi? Dim ond troi fel hyn nes byddan nhw'n poeri saim yn braf. Hwda, dyma i ti gadach, mi eith clust y peth yn boeth yn diwadd.' Estynnodd Ffion y cadach o blyg yn ei ffedog cyn mynd am y drws. Cafodd Adwen ei gadael gyda'r hwyaid a'i meddyliau.

Daliodd Adwen ati i droi nes bod gwayw yn magu yn ei braich dde. Newidiodd i'w braich chwith a gwylio crwyn yr hwyaid yn tynhau wrth i wres y fflamau ddechrau gwneud eu gwaith. Dyma hi yn ffau'r ellyll, tybed os oedd yna ryw dystiolaeth neu rywbeth y gallai hi gael gafael arno? Edrychodd o'i chwmpas, roedd llawysgrif ar fwrdd bach ger un o'r ffenestri ond doedd hi ddim yn gallu darllen i wneud synnwyr o hwnnw. Meddyliodd am adael y cig a mynd i chwilota drwy'r stafelloedd eraill ond heb ddal ati i droi byddai o'n difetha, a doedd ganddi chwaith ddim syniad i le i fynd. Tybed a gafodd Sion ei drafod yma? Oedd yna gynllun o'r cychwyn?

Agorodd drws y tu ôl iddi a chlywodd gamau meddal a phawennau ciwed o gŵn ar y llawr pren. Sylweddolodd Adwen ei bod hi ym mhresenoldeb tywysog mae'n rhaid. Andras oedd hwn debyg? Roedd o wedi mynd at y llawysgrif wrth y ffenest ac arhosodd y cŵn wrth ei ymyl am sbel cyn ymledu drwy'r stafell yn ara bach. Aeth rhai i snwyro'r llawr, eraill i orwedd wrth y tân a daeth dau at Adwen gan ogleuo llodrau ei thiwnig yn arw, am fod oglau Gel arni fwyaf tebyg.

Milgwn a milieist, hefo blewyn da iawn oedden nhw – y rhan fwyaf yn rhai gwyn gyda brychau cochion heblaw am un milgi hŷn na'r gweddill a oedd yn dal wrth draed Andras, llwyd oedd hwnnw. Bu'n sbel hir iawn o amser ers i Adwen weld cŵn hefo cystal graen arnyn nhw. Er mai tenau oedden nhw o ran natur, roedd cyhyrau'r rhain yn amlwg. Rhaid eu bod nhw'n gŵn cwrsio gwerth chweil, meddyliodd Adwen, ac wedi hen arfer gwibio rhwng y coed o gwmpas Ferin ar ôl ysgwarnogod a cheirw. Wfftiodd Adwen ei hun yn ddistaw bach am wirioni ar gŵn pan oedd Andras, o bawb, yn yr un stafell â hi, er doedd o ddim chwaith rywsut. Chafodd hi ddim argraff ei fod o wedi cydnabod ei bodolaeth hi wrth gerdded i mewn fwy nag oedd o wedi cydnabod y bwrdd, y llawr neu'r hwyaid marw oedd yn troi yn ara deg uwchben y fflamau.

Daliodd Adwen ati i droi y gigwain, erbyn hyn roedd y hwyaid wedi dechrau gwneud twrw ffrio. Cododd un o'r cŵn ei drwyn at un ohonynt a heb feddwl, dwrdiodd Adwen.

'Lawr!' Ufuddhaodd y ci yn syth a gorwedd gan wneud yr ochenaid honno mae cŵn yn tueddu i'w gwneud sy'n awgrymu bod ganddyn nhw fywyd caletach na'r un creadur arall ar wyneb daear. Trodd Andras ac edrych arni'n sydyn fel ei bod newydd ymddangos o nunlle. Ond wnaeth o ddim dweud dim, na gwenu, na gwgu a throdd yn ôl at ei lawysgrif. Ceisiodd Adwen besychu i dynnu ei sylw eto a meddyliodd godi sgwrs ond doedd gan yr uchelwr yma fawr o gydnabyddiaeth i lwch y llawr yn amlwg. Wyddai hi ddim be oedd hi wedi ei ddisgwyl wrth feddwl amdano ond nid hyn chwaith. Doedd Andras ond yn rhyw lipryn tenau heb olwg arwain neb arno. Oedd rhywun fel hyn yn gallu lladd? Ond wedyn, meddyliodd Adwen, nid golwg oedd pob dim chwaith. Roedd o'n amlwg yn ddigon hyderus ynddo'i hun i beidio rhoi cymaint ag ennyd o'i amser i forwyn.

Daeth cnoc wrth y drws oed yn arwain at y grisiau a gwaelod y tŵr. Trodd Andras ddalen. Daeth cnoc eto.

'Mewn!' meddai wrth astudio'r ddalen o hyd.

Cerddodd un o'r tylwyth, milwr hŷn barfog a oedd yn cerdded gyda henc – un o'r rhai oedd wedi pasio heibio Adwen droeon ers iddi gyrraedd – i mewn.

'Arglwydd.'

'Gutun.' Daliodd Andras ei fys ar y ddalen a throi i wynebu'r milwr. Sylwodd Adwen fod ei arfau ganddo, cyllell hir a bwyell fach.

'Mi fydd eich brawd wedi cyrraedd cyn nos, mae'r paratoadau yn eu lle, fwy na heb.'

'Paratoadau?' meddyliodd Adwen, go brin mai am yr hwyaid a'r potes maip yr oedd o'n sôn.

'Purion. Pam dod ata i felly?'

Edrychodd Gutun ar ei draed ac yna at Adwen. Trodd hithau ei golwg at y llawr a cheisio rhoi'r argraff fod y hwyaid yn bwysicach na dim arall. Crafodd Gutun ei war yn lletchwith.

'Ga'i siarad yn rhydd Arglwydd, yn eglur?'

'Ddyn byw, mi fyddai'n beth llesol i ni i gyd,' atebodd Andras yn ddiamynedd, 'neu mi fydd Maelrhys yma a ninnau'n dal i sefyllian fel hyn.'

Edrychodd Gutun at Adwen eto, a diolchodd hi bod ei llygaid ar y hwyaid y tro hwnnw.

'Twt, waeth i ti boeni y bydd y cŵn yn mynd i sôn wrth rywun,' meddai Andras yn sur. Gwasgodd Adwen y cadach a theimlo gwres y gigwain drwyddo.

'Rhai o'r milwyr welodd Cadell yn gadael, Arglwydd ac ma 'na byrder na fydd o'n ôl mewn pryd. Fo fydd yn arwain.'

'Dwi'n siŵr y bydd o ac fe fedra i weithredu yn ei le os bydd rhaid, mae o wedi mynd i sicrhau y byddwn ni'n rhydd o westai nad oes croeso iddyn nhw heno yn y dathliad.' Taflodd Andras olwg at Adwen, daliodd hithau i droi'r cig.

'Diolch Gutun,' meddai Andras wedyn a throi'n ôl at y llawysgrif ac ochneidio, roedd o wedi colli ei le. Gadawodd Gutun y stafell wysg ei gefn.

Ym mhwll ei stumog roedd Adwen yn sicr nad oedd dim da yn aros y Brenin heno, roedd cynllun ar waith. Byddai'n rhaid ceisio dod o hyd i Ithel, ond prin fyddai'r cyfle.

Pennod 32

Y GWAED HWN oedd wedi arwain y ffordd ar hyd y llwybr mae'n rhaid, a'r diferion mor fychan ac anaml am fod y rhan helaethaf ohono wedi cronni yma, yn byllau gludiog ac yn groen sych dros y cerrig. Roedd cymaint ohono fel nad oedd o wedi sychu i gyd. Ers faint oedd o yma? Diwrnod neu ddau efallai yn ôl maint y cynrhon. Byddai hynny'n gwneud synnwyr. Yna, aeth Ithel at y wyneb cerrig a'i gael yn dyllau byw ac yn graciau i gyd. Ac oedd, roedd peli haearn lond y wyneb.

Pa rym oedd yn gallu gwneud rhywbeth o'r fath? Dryllio cnawd a charreg yn yr un modd? Am y gwelai Ithel bob ochr iddyn nhw roedd y graig ddu-las fel petai hi wedi dal rhyw frech aflan a chraciau yn we rhwng y tyllau. Pe byddai beth bynnag oedd wedi ei ryddhau yma yn cael troedio'r tir yn rhydd fyddai dim dal ar y difrod a'r lladd. Fyddai pais ddur neu darian yn fawr o amddiffyniad os oedd clogwyn fel hwn yn cael ei ddarnio.

Rhaid mai o'r cyfeiriad acw, lle oedd olion y rhesi o bobl oedd y grym wedi ei ryddhau…

Wrth droi gwelodd Ithel siâp ar ymyl y clogwyn gyferbyn â nhw, wrth geg y llwybr a arweiniai lawr at waelod yr hafn. Silwét dynol yn erbyn gwynder yr awyr y tu ôl iddo, doedd dim modd gweld mwy na'i siâp o yn erbyn golau'r prynhawn. Siâp a oedd yn codi rhywbeth yn ei freichiau. Gwyddai Ithel fod y siâp yn edrych arnyn nhw, yn manylu.

Nid am y tro cyntaf yn eu hoes hir daeth Ithel yn ymwybodol o bopeth yn arafu o'u cwmpas.

Symud!

Daeth chwythiad o fwg o gylch y siâp a thaflodd Ithel eu hunain ymlaen wrth i'r awyr uwch eu pen, y graig y tu ôl – a'r byd – chwalu.

*

'Be ma Gwigiaid yn fyta?' holodd Leusa. Roedd y dair morwyn wedi cael caniatâd am hoe fach ac yn eistedd ar waelod grisiau'r tŵr gyda chrystyn yr un a menyn hallt yn dew ar y bara. Gwyliai'r dair y milwyr yn cario byrddau a meinciau tra bod eraill yn llwytho coed i badelli tân o gwmpas y buarth, yn barod at pan fyddai'n nosi. Roedd hi'n brynhawn erbyn hyn a rhai o drigolion y dref yn taeru fod y llosgwyr golosg yn y goedwig wedi clywed sŵn gorymdeithio a chyrn pres ar y ffordd.

'Dim byd dwi'n meddwl,' atebodd Ffion.

'Chwilod fydda mam yn ddeud,' meddai Leusa eto. 'Be ti'n feddwl, Angharad?'

Oedodd Adwen, roedd Ithel wedi bod yn un am ei gig sych. 'Dwn im, rhyw betha ma' nhw'n ffendio yn y gwyllt, ella?'

'W! Plant a hen wragedd!' gwaeddodd Ffion wedyn a chwerthin. Daeth Rhodri heibio gyda mainc ar ei ysgwydd, a hynny yn nhyb Adwen yn gwbl fwriadol.

'Sut hwyl, genod? Be sy ar y gweill?' Gwelodd Adwen Rhodri'n ceisio symud pwysau'r fainc rhyw fymryn, fyddai o ddim yn sgwrsio yn hir.

'Sbïwch cry dio genod! Nes i ddeud fod o'n gallu ngharion fi fel cadach do, Leus?'

'Ti'n drymach na fainc siŵr braidd,' meddai Leusa a gwenu. Rhoddodd Ffion hwyth iddi.

'Trafod Gwigiaid ydan ni,' atebodd Adwen, 'a be ma' nhw'n fyta.'

Chwarddodd Rhys. 'Meddwl bydd o wrth ben y bwrdd heno 'dach chi ta be, ac isio gneud yn siŵr bydd o'n ca'l ei blesio?'

'Mond meddwl,' meddai Ffion a gorffen ei chrystyn a chodi gan sgubo briwsion oddi ar ei ffedog.

'Wel, fydd o ddim yn dŵad heibio heno 'ma, reit siŵr i chi. Mi fydd Cadell wedi morol am hynny.'

Teimlodd Adwen ei hun yn oeri. Dyma gadarnhau ei hamheuon.

'Be ti'n feddwl?'

'Mond fod ddim isio ni boeni am Wigiaid na Maelrhys na neb, mi fydd tylwyth Andras yn iawn, gewch chi weld. Fydd 'na hen ddathlu heno 'ma. Hwyl!' Aeth Rhodri at un o'r byrddau hefo'r fainc.

'Dowch wir,' meddai Leusa, 'neu mi fydd ein crwyn ni ar y parad gan Ceinwen.'

*

Drybowndiodd sŵn taran o gwmpas yr hafn wrth i ddarnau o gerrig a llwch lanio dros Ithel. Gwichiai eu clustiau wrth iddyn nhw aros i'r gawod ballu ymysg y gwaed a'r cynrhon. Cododd Ithel eu pen a gweld bod y siâp yn sefyll o hyd ar frig y clogwyn uwchben ond roedd yr haul a'r llwch yn ei gwneud hi'n anodd gweld pwy yn union oedd yno. Ond ar draws yr holl bellter teimlodd Ithel gyswllt llygaid a'r ysfa i ladd oedd yn treiddio ohonynt. Byddai hyrddiad arall yn cael ei daflu atyn nhw yn fuan.

Symud!

Ond i le? Mewn pydew fel hyn roedd Ithel fel llygoden fawr mewn gwaelod casgen. Doedd dim modd dianc. Doedd wybod a fydden nhw mor lwcus yr eildro chwaith. Byddai'n rhaid cael cysgod... Roedd lwmp o graig, yn ddigon mawr i rywun gyrcydu y tu ôl iddi, heb fod yn rhy bell, un o'r nifer o rai oedd wedi eu gwasgaru yma ac acw. Yn yr eiliad gymerodd hi i Ithel godi a chael trefn ar eu meddyliau roedden nhw wedi dechrau rhedeg tuag ati. Fel yr oedden nhw'n cyrraedd chwalodd y ddaear y tu ôl iddyn nhw a daeth taran arall.

Eisteddodd Ithel gyda'r garreg rhyngddyn nhw a'r siâp ar y grib uwchben ac aros am glec eto. Cymrodd sbel i gyrraedd ond pan wnaeth hi roedd yr hyrddiad i'w deimlo'n eglur hyd yn oed hefo'r graig yn amddiffyn. Am faint fyddai'r graig yn dal? Doedd yna fawr o siawns y gallai Ithel frwydro'n ôl, hyd yn oed pe na byddai'r sachyn gyda'u halbras yn rhy bell i'w gyrraedd. Fe fentron nhw godi eu pen i gael golwg am y siâp eto ac fe chwalodd darn o'r graig yn dipiau o'u blaen. Roedden nhw'n sownd.

Trodd y gwynt ac arno daeth oglau cyfarwydd i lawr at Ithel yn eu carchar. Drewdod, yn finiog ar un wedd ond eto'n drwm hefo oglau arall fel wyau wedi mynd yn orllyd. Yr un oglau oedd ar ddillad Cadell ac Andras, er ei fod o'n wannach. Oglau be oedd o? Daeth chwa eto ac er bod darn arall o'r graig newydd chwalu o dan ergyd eto prin y teimlodd Ithel hi. Sylffer. Un o'r elfennau hynny oedd yn eu sachyn at ddefnydd puro aer neu gael gwared ar lyngyr er mai prin fydden nhw'n ei ddefnyddio o. Dechreuodd eu meddwl droi, byddai'n rhaid callio.

Yn gyntaf oll roedd y graig yn dal. Fyddai hi ddim yn dal am byth gan fod pob ergyd yn ei malu ond byddai'n dal am y tro. Roedd amser i ystyried a meddwl. Pwyllo felly, a challio. Sylffer. Tybed os nad rhyw alcemi oedd ar waith? Roedd y mwg, ac oglau sylffer yn gymysg gyda rhywbeth arall yn awgrymu hynny. Clywodd Ithel leisiau'r rhai oddi mewn a chael cysgod yn eistedd wrth eu hymyl mewn lifrai annelwig. Rhor oedd y cysgod yma, un gafodd addysg dda.

Mae gen i gof, meddai *am glywed am rywrai yn defnyddio sylffer i wneud tân na fyddai'n diffodd ac a fyddai'n llosgi hyd yn oed ar ddŵr, mae defnydd iddo mewn rhyfel.*

Fe bylodd wedi dweud ei phwt.

Roedd y mwg yn dangos ôl adwaith o ryw fath. Efallai felly mai rhyw ddewiniaeth ar ffurf alcemi ac nid swynion oedd gan y troseddwr. Os felly byddai'n rhaid cael cynhwysion, ai dyna oedd yn y drol? Neu efallai rywbeth i greu neu ddal yr adwaith, gwaith haearn o ryw ddisgrifiad. Roedd cysylltiad, teimlai Ithel hynny yn eu hesgyrn. Ynghanol y gwe pry cop o ladd, camdystio a chamarwain eisteddai Andras; ac at ba bwrpas bynnag roedd yr holl ddigwyddiadau hyn wedi eu gosod a'u cynllwynio byddai Ithel yn rhoi diwedd arnynt. A phwy oedd yno ar ben y clogwyn? Mentrodd Ithel olwg arall. Roedd y taldra a'r osgo yn awgrymu Cadell ond heb dystiolaeth bendant byddai'n rhaid aros.

Erbyn hyn dim ond trwch ael o olau haul oedd ar ymyl y clogwyn uwchben. Os byddai'n rhaid aros iddi dywyllu yna gallai Ithel wneud hynny. Doedd dim, gan gynnwys alcemi yn ddiderfyn.

Pennod 33

Bachodd Adwen ar unrhyw gyfle i ddianc i'r dref; aeth ati i gario bara o'r pobtai, aeth ar neges i godi mêl a chafodd y cyfle hyd yn oed i fynd i'r Tocyn Twrch i forol bod y dafarn yn cynnig peth o'u brag at y wledd ond doedd dim golwg ohonyn nhw. Be oedd Cadell wedi meddwl ei wneud i Ithel?

Codi dŵr o gasgen ddŵr glaw yn barod i lenwi'r cafnau i olchi traed y milwyr oedd Adwen pan ddaeth sŵn carnau ar garlam o borth y dref yr holl ffordd tuag at y tŵr, a phawb yn troi gan hanner disgwyl gweld y Brenin. Ond Cadell oedd yno a golwg fel taran arno. Ceisiodd Adwen gadw o'i olwg ond wrth iddo ddod oddi ar ei geffyl a rhoi'r cas lledr i un o'r milwyr oedd wedi brysio tuag ato fe welodd o hi a daeth tuag ati.

Dechreuodd Gel, a oedd wrth ei thraed, chwyrnu. Cafodd y ci fore difyr yn dilyn pobl o gwmpas a dal llygod ond a hithau'n brynhawn hwyr roedd o wedi setlo yng nghysgod y gasgen ddŵr lle oedd Adwen yn llenwi bwced. Dangosodd wyn ei ddannedd ac roedd ei glustiau'n wastad yn erbyn ei ben. Anaml iawn oedd Adwen wedi ei weld fel hyn, a doedd hi ddim yn meddwl mai wedi synhwyro perygl yn unig oedd Gel. Roedd o'n nabod Cadell, ac yn ei gasáu o gyda chas perffaith. Yn ôl ei olwg roedd Cadell yntau yn gasineb i gyd.

Gwelodd Cadell y ci ac oedi. Arhosodd yn ddigon pell fel nad oedd Gel am adael ochr ei feistres ond yn ddigon agos i gael golwg fanylach arno.

'Pwy bia'r ci yna? Ti?'

Wnaeth Adwen ddim ateb. Gosododd Cadell ei law ar gnepyn ei gleddyf.

'Mae gen i lygad dda at gŵn, ac mae nacw'n edrych fel yr un oedd yn Llanfarudd gyda'r cyw porthmon yna.'

Dyma ni, meddyliodd Adwen, dyma'i diwedd hi. Roedd hi'n benderfynol o achub cam Sion a hi ei hun os medrai hi. Doedd ganddi mo'i ffon ond roedd y fwced yn un bren, ac wedi ei socian yn iawn. Roedd hi'n drwm a byddai ei thaflu ato'n well na dim, yna mi fyddai'n fater o ddyrnau, dannedd, beth bynnag, neu'r gyllell blicio fach oedd hi wedi sleifio i'w ffedog ers y bore. Yn rhyfedd iawn, doedd hi ddim yn teimlo'n flin, nac yn gynhyrfus nac ofnus, dim ond yn llonydd.

'Pwy wyt ti?' Llaciodd Cadell ei gleddyf. Anadlodd Adwen a pharatoi.

'Angharad!' gwaeddodd Ceinwen o'r gegin. Oedodd Cadell, yna cododd ei law oddi wrth ei gleddyf. Edrychai fel ei fod o wedi cofio lle'r oedd o.

'Benteulu!' gwaeddodd un o'r milwyr a brysio draw. Rhegodd Cadell wedi ei ddal rhwng dau dyst. Wnaeth Adwen ddim symud ond gallai deimlo fod Ceinwen wedi dod draw ati.

'Mi fydd yna le yma os na wnei di siapio hi, ty'd!'

'Aros,' meddai Cadell a fferrodd Ceinwen ac Adwen fel ei gilydd.

Daeth y milwr ato a sibrwd yn ei glust. Gwgodd.

'Mi fydda'i angen ei gweld hi, Ceinwen, heno,' meddai Cadell gan edrych i fyw llygaid Adwen.

Gafaelodd Ceinwen ym mraich Adwen a gwasgu'n ysgafn.

'Wrth gwrs, Benteulu, mi gyrra i hi draw. Pan fydd hi wedi gorffen gwneud fy mywyd i'n anos na dyla fo, wrth gwrs!'

Cafodd Adwen ei llusgo tua'r gegin a'i chalon yn curo fel drwm, tynnodd Gel hefo hi a hwnnw'n dal i sgyrnygu.

'Be gythral ti wedi neud i hwnna?' holodd Ceinwen o dan ei gwynt. Trodd Adwen a gweld Cadell yn taflu golwg tuag ati wrth sgwrsio gyda'r milwr. Fuodd hi erioed yn falchach o weld cegin.

'Paid â phoeni,' meddai Ceinwen wedyn wrth gau'r drws. 'Mi fydd o wedi anghofio ar ôl cael boliad o gwrw heno.'

Allai Adwen ddim dweud ei bod hi'n amau hynny'n gryf. Canolbwyntiodd ar dorri bara.

Yna, tu hwnt i'r waliau, daeth sŵn cyrn o'r dref a gweiddi. Yno, roedd picelli'n sgleinio a fflagiau'n cwhwfan yn y gwynt. Roedd y Brenin wedi cyrraedd.

*

Wedi i'r hyrddio achlysurol ballu, mentrodd Ithel gymryd cip dros ymyl y garreg a oedd erbyn hynny'n llawn mwy darniog nag oedd hi pan gyrhaeddon nhw. Doedd dim golwg o neb ar ymyl y clogwyn ac allai Ithel ddim synhwyro neb chwaith ond aethon nhw ati i hel eu pethau'n wyliadwrus wedi codi'r albras gan gadw hwnnw'n barod. Doedd o ddim yn gallu taflu bollt mor bell ag oedd y peli'n teithio ond efallai byddai'n rhoi achos i rywun feddwl.

Ddaeth dim sŵn nac arwydd o neb a sleifiodd Ithel i fyny'r llwybr gan gadw pob synnwyr mor finiog ag y gallen nhw. Gydag ymyl y clogwyn roedd ôl rhywun yn sefyll a cherdded am sbel gyda'r gwellt wedi ei sathru ac wedi magu mân gleisiau drosto. Roedd pwt o raff hefyd a'i blaen wedi llosgi. Trodd Ithel hi rhwng bys a bawd a rhwbio'r llosg i ffwrdd yn araf. Gyda lwc byddai ôl troed rhywle ar y llwybr yn ôl, darn o dystiolaeth fyddai'n rhoi rhwydd hynt i Ithel dynnu castell Andras yn griau. Cysidrodd Ithel. Byddai hynny'n digwydd beth bynnag.

Synhwyrodd Ithel fod pethau'n tynnu at eu terfyn a bod y cwlwm yn cau yn Ferin. Byddai'n daith hir a gwyliadwrus yn ôl ond teimlai Ithel rywbeth yn berwi ymysg y lleisiau oddi mewn – gwylltineb. Rhywbeth nad oedden nhw wedi ei deimlo yn ffrwtian fel hyn ers amser maith. Gwnaethpwyd ymgais fwriadol ar eu heinioes, roedd y gosb am hynny'n un lem.

Ymysg y gwellt sych wrth geg y llwybr roedd carnau ceffylau ac ôl carlamu ar y ffordd – rhaid fod y troseddwr wedi mynd ar frys yn ôl i Ferin, a byddai Ithel sbel yn eu dal hyd yn oed wrth redeg. Roedd olion mwy na hynny hefyd. Ar ben y carnau hynny yn un cowdel ymysg y llwch roedd olion degau o draed a charnau ceffylau eraill nad oeddent yn brysio cymaint. Cofiodd Ithel am y llwch a welon nhw ar y gorwel yn gynharach y dydd hwnnw. Mintai o filwyr? Oedd y brawd wedi cyrraedd? Cyflymodd Ithel, roedd rhyw drychineb ar waith.

*

Cafodd Adwen sefyll hefo gweddill tylwyth Andras i wylio'r osgordd yn cyrraedd. Ceisiodd guddio yn y gegin ond cafodd siars gan Ceinwen i ddod allan. Cymerodd amser i'r fintai liwgar ddod drwy'r dref gyda'r trigolion yn gweiddi i gyfarch y Brenin ac ambell un o'r trueiniaid yn begeran iddo osod ei ddwylo arnynt i wella clwyfi. Cadwodd Adwen olwg am Cadell ac unrhyw filwyr, fyddai o'n sôn wrthyn nhw?

Mynnodd Ffion a Leusa gael mynd at y blaen ond roedd

Ceinwen yn hapusach o'r lawer yng nghefn y dorf ac roedd Adwen yn falch o hynny. Byddai Cadell yn edrych amdani, roedd hi'n sicr. Fyddai o neu un o'i filwyr yn mentro a Maelrhys a'i dylwyth yno? Rhaid mai cadw'r Brenin yn hapus fyddai blaenoriaeth unrhyw Benteulu ond byddai'n rhaid iddi fod yn wyliadwrus. Oedd pwrpas iddi geisio dianc?

Y tu draw i'r pennau o'u blaenau, gwelodd Adwen fod Maelrhys ar y blaen gyda'i Benteulu neu Ddistain yn agos y tu cefn iddo. Roedd Maelrhys ar gefn stalwyn du gyda'r crandiaf welodd Adwen erioed. Cadwai Maelrhys ei wallt cyrliog yn llaes ac roedd ganddo farf fain. Wrth edrych arno câi Adwen ei hatgoffa o darw, rywsut.

Roedd o'n lletach o'r hanner nag Andras, yn dalach hefyd ac yn fwy o ran presenoldeb. Yn hytrach na hyder tawel Andras, roedd Maelrhys yn gorlifo gyda hyder 'ylwch fi'. Gweddai ei wisg goch ei geffyl du a'i wallt tywyll. Doedd ei Benteulu ddim mor grand ei gwedd ond roedd hithau ar gefn ceffyl da, ac wedi ei gwisgo'n fwy ymarferol – o dan ei chlogyn brith gallai Adwen weld pais ddur yn fflachio. Edrychai yn hŷn na Maelrhys ac roedd craith gam o dan ei llygaid chwith. Tra bod Maelrhys yn edrych o'i gwmpas mewn hwyl, a rhyw fymryn yn ddilornus efallai, roedd hi'n cadw llygaid barcud ar bawb a phopeth a sylwodd Adwen fod y milwyr a safai'n ddwy res y tu ôl i'w Brenin yn wyliadwrus hefyd.

Daeth Andras a Cadell i sefyll ar ben y grisiau ac wedi i Maelrhys dynnu ar ffrwyn ei geffyl daeth y ddau i lawr. Safodd Andras am ennyd o flaen y ceffyl cyn moesymgrymu'n araf a golwg arno fel fod rhywun wedi rhoi siars iddo eistedd ar ddraenog. Arhosodd o a Cadell ar un ben-glin wrth i filwyr Maelrhys frysio ymlaen i ddal ffrwynau ei geffyl o ac un ei Benteulu. Llamodd Maelrhys oddi ar ei geffyl a chwerthin.

'Dyma ni! Cwyd An bach, gad i mi dy weld di'n iawn.' Sythodd Andras fel procer, sylwodd Adwen fod golwg welw arno. Yna heb rwysg o fath yn y byd cofleidiodd Maelrhys ei frawd gan ei wasgu fel arth a chodi ei draed oddi ar y llawr. Aeth pawb yn ddistaw braidd. Cafodd Andras ei ysgwyd yn ôl a blaen fel doli glwt wrth i Maelrhys chwerthin yn wirion. Yna, cafodd ei osod yn ôl ar lawr a sythodd ei ddillad. Rhoddodd Maelrhys ddwy law fel rhawiau ar ysgwyddau ei frawd bach.

''Dan ni wedi bod rhy ddiarth! Ond mi gawn ni ddatrys hynny heno, gyda lwc.'

Gwenodd Andras yn sur.

'Croes atom ni, frawd annwyl. Fy Arglwydd. Mae'n rhaid dy fod wedi blino ar ôl y daith, mi awn ni fyny i'r neuadd, mae digon o gyfle i ddadflino cyn i ni wledda heno.' Yna cododd ei lais, 'Rhowch groeso anghyffredin i'n gwesteion! Mae fy mwrdd, fy aelwyd, fy nghastell yn eiddo iddynt oll!' Gwaeddodd milwyr Andras eu hymateb a stampio eu traed ac yna arweiniodd Andras ei frawd i fyny'r grisiau tuag at y tŵr tra bod Cadell a'r Penteulu arall yn sgwrsio. Edrychai fel ei fod yn esbonio lle oedd pob dim a'r drefn dros ymweliad y Brenin, amneidiodd tua'r stablau ac yna'r gegin gan ddal llygaid Adwen wrth wneud. Gwyddai er gwaetha'r cwmni diarth y byddai'n rhaid iddi fod yn wyliadwrus heno.

Pennod 34

Pan ymddangosodd y Gwigyn wrth borth y dref ceisiodd Barlw anwybyddu'r curo. Roedd y Penteulu wedi bod yn ddigon plaen ei dafod; doedd neb yn cael dod i'r dref heno i darfu ar y dathlu. Doedd neb i adael chwaith o ran hynny. Cafodd hi'r argraff nad oedd Gwigiaid yn benodol i fod i ddod i mewn. Eisteddodd mor bell ag y gallai hi yn y gatws bach yn y porth a dechrau chwibanu o dan ei gwynt i geisio cuddio sŵn y curo. Roedd hi wedi dechrau tywyllu fwy na heb. Rhoddodd ei dwylo dros ei chlustiau i weld os byddai hynny'n well. Yna cododd ei dwylo. Roedd y curo wedi pallu. Daeth yn ymwybodol o ba mor ddistaw oedd hi...

Teimlodd flew ei gwar yn codi a'i llwnc yn sychu. Cafodd yr argraff fod rhywrai yn edrych am rywbeth a theimlodd ysfa i guddio, i wasgu ei hun i gongl a gwneud ei hun yn fach, fach. Y tu ôl i'r wal roedd rhywrai, rhywbeth, yn chwilio. Yn chwilio amdani hi. Gwigyn.

Dylai allu symud, neu godi o'r stôl ond fedrai hi ddim. Roedd ofn arni a hithau'n methu'n glir â symud. Hyd yn oed gyda thrwch o gerrig a chalch rhyngddi a'r Gwigyn gallai deimlo'r pwysau. Pwysau llygaid a grym sicrwydd anochel bod y Gwigyn yn gwybod a'r Gwigyn yn *gweld*. Ar ben arall y wal gwyddai bod y Gwigyn yn edrych tuag ati. Gwingodd fel pryfyn pan mae carreg yn cael ei chodi a'r haul crasboeth yn ei daro.

Agor y porth.

Llais, neu reddf? Beth bynnag oedd o, gwyddai na fyddai modd iddi guddio rhagddo.

Edrychai Ithel fel drychiolaeth. Yn waed wedi ceulo ac yn llwch i gyd roedden nhw'n debycach i anfadwaith na dim arall. Wrth iddyn nhw gerdded drwy'r dref tuag at gastell Andras trodd pobl i ffwrdd yn y stryd ac aeth ambell un i'w tai a chau'r drws. Gwyddai Ithel hefyd fod eu presenoldeb wedi newid, doedden nhw ddim wedi bod eisiau cymell y porthor ond doedd yna fawr o ddewis ac nid ar chwarae bach oedd boddi'r natur hwnnw pan oedd o wedi codi ei wyneb. Eto i gyd, er gwaethaf eu hymddangosiad roedd awyrgylch braf, fel gŵyl neu ddathliad yn Ferin pan gyrhaeddon nhw, gydag ambell un allan yn yfed neu'n canu a phobl yn eu dillad gorau. Oedd dyfodiad tywysog yn destun y fath firi?

Y tu hwnt i'r sgwâr roedd y drysau'n arwain at lys Andras yn llydan agored a'r buarth o flaen y tŵr gyda dwy res o fyrddau arno a milwyr wrthi'n gwledda a chwerthin wrth y rheiny. Rhaid bod dau ddwsin neu fwy yno yn eu lliwiau coch a gwyn – rhai yn dal i wisgo eu harfwisgoedd tra bod eraill wedi eu tynnu at eu crysau a throwsus ysgafn. Daeth Ithel at y porth a gweld bod casgenni wedi eu gosod wrth risiau'r tŵr a'u spigodau'n diferu cwrw ar y cobls. Roedd bara a chosynnau bras o gaws, menyn mewn dysglau ac oglau potes maip a bresych yn codi'n gymysg â chig yn rhostio. Buasai rhywun yn ddigon lwcus i gael gafael ar oen ac roedd saim hwnnw'n poeri wrth i filwr pryd golau ei droi ar gigwain uwchben tân tra bod un arall wrthi'n crasu bara ar gyllell wrth y fflamau. Rhaid nad oedd llawer iawn o amser wedi mynd ers i'r hwyl ddechrau ond er nad oedd neb wedi meddwi gallai Ithel weld fod y criw wedi ymlacio.

Daeth wyneb cyfarwydd ar draws y buarth yn cario mwy o fara wedi ei dorri'n dafelli ar gyfer y milwyr. Edrychai'n wahanol gyda'i gwallt o dan gadach a ffedog olau wedi ei chlymu amdani. Doedd hi, na neb arall ar fuarth Andras, wedi sylwi ar Ithel hyd yn hyn. Wrth iddi osod mwy o fara ar fwrdd ceisiodd un o'r milwyr gael gafael amdani ond ffendiodd ei hun ar ei din yn y llwch yn ddigon buan a hynny heb wybod yn iawn sut. Chwarddodd gweddill y milwyr ac aeth Adwen yn ei hôl am y gegin. Camodd Ithel ar ei hôl a daeth pwl o ddistawrwydd dros y milwyr a theimlodd Ithel eu llygaid arnyn nhw. Gwyddai Ithel o'u golwg bod ambell un wedi cofio am eu harf fwyaf sydyn.

Trodd Adwen wedi synhwyro'r awyrgylch yn newid a gwelodd Ithel gyda golwg ofnadwy arnyn nhw. Roedden nhw'n llwch a baw i gyd ac roedd eu gwallt wedi ei blastro i'w pen gyda rhywbeth a edrychai'n debyg iawn i waed. Edrychai eu boch fel ei bod hi wedi cael ei tharo hefyd. Oedden nhw wedi cael niwed?

Cafodd Adwen ei dal rhwng ysfa i frysio at Ithel a rhannu pob dim a'r ofn y byddai Cadell yn ei gweld ac yn cadarnhau ei amheuon. Byddai'n rhaid eu harwain nhw o olwg y tŵr, dim ond i fod yn berffaith ddiogel. Doedd dim modd gweld a oedd rhywun yn gwylio oddi yno.

Cododd un o'r milwyr wrth y bwrdd agosaf ati, gan feddwl mynd i'r afael â rhywun a dybiai oedd yn daeog wedi dianc o ryw gwffas yn y dref. Gwyliodd Adwen o'n sgwario wrth roi ei law ar y pastwn haearn oedd yn pwyso ar y bwrdd wrth ei ymyl. Sgubodd ei wallt yn ôl gyda'i law arall a throi at Ithel ac yna rhewi. Roedd y Gwigyn wedi troi eu golwg arno.

Cerddodd Ithel tuag at Adwen gan daro golwg tuag at y milwr, wrth basio dywedon nhw,

'Byddwch yn wyliadwrus heno.'

Aeth Adwen at y gegin gan geisio cymryd arni nad oedd hi'n adnabod Ithel. Gobeithiodd y bydden nhw'n ei dilyn heb orfod esbonio. Roedd hi'n amau na fyddai Ceinwen yn falch o'i gweld hi, ond diolch byth fod Ffion a Leusa wedi diflannu pan ddechreuodd y wledd. Er ei bod hi'n falch o weld Ithel roedd yna rywbeth yn eu cylch nhw oedd yn codi croen gŵydd arni hefyd, newid bach yn yr awyrgylch o'u cwmpas nhw fel yr un ar y llong.

Daeth y ddau at drothwy'r gegin a brysiodd Adwen i mewn gydag Ithel gam ar ei hôl.

'Pwy gythral ydi hwn!?' holodd Ceinwen wrth godi ar ei thraed oddi ar y setl mor sydyn nes bod ei chwpan o win yn bygwth troi.

'Ithel ydyn nhw, Ceinwen, y Gwigyn.' A hithau bellach yn siŵr na fyddai neb yn eu gweld cafodd Adwen gyfle i droi a chyfarch Ithel yn iawn. Safodd Ceinwen am ennyd yn ceisio meddwl sut i ymateb, yna aeth i estyn desgyl bridd a chodi dŵr cynnes o'r crochan wrth y tân iddi. Yn nannedd pob sefylla ryfedd neu ddychrynllyd roedd hi wedi dysgu rhoi ffydd mewn un peth; bod yn ymarferol.

'Be ddigwyddodd i chi Ithel?' holodd Adwen.

'Fe wnaeth rhywun geisio ein lladd ni. Arf ydi'r hyn sydd ganddyn nhw, Adwen, rhyw alcemi newydd. Dyna oedd yn y gist ar y drol. Roedd o'n werth lladd i'w gael a'i gadw'n ddirgel, a dim ond wrth ladd mae ei ymarfer o.'

'Mae golwg y cythraul arnoch chi, gadewch i hyn fod yn groeso i chi. Molchwch.' Pasiodd Ceinwen y ddesgyl i Adwen a rhoddodd hithau hi ar y bwrdd.

'Diolch ond mae'n rhaid i ni weithredu ar fyrder.'

'Molchwch Ithel wrth i mi adrodd be dwi'n wybod wrthach chi. Mae diwrnod wedi bod yn amser hir iawn.'

Soniodd Adwen am y ffaith nad oedd y pentan yn newydd, fod Rhodri wedi sôn yn annelwig am ryw fygythiad i Ithel a phawb arall o elynion Andras, a bod rhyw gynllun ar waith heno. Soniodd hefyd fod Cadell wedi mynd allan o'r dref gyda bwriad o ymosod ar Ithel.

Sychodd Ithel eu hwyneb gyda'u dwylo, roedd y baw wedi teneuo beth bynnag.

'Ond pam heno, a pham y fath groeso i Maelrhys?'

Rhoddodd Ceinwen chwerthiniad sydyn o ddyfnder ei chwpan win.

'Wel, be mae rhywun i fod i wneud i Frenin ond rhoi croeso mawr?'

'Brenin?' Trodd Ithel ati.

'Mi oedd hynny hefyd Ithel,' meddai Adwen. 'Ddyla mod i wedi sôn. Mae'r Brenin Iddon wedi marw, Maelrhys sy'n Frenin erbyn hyn.'

Cofiodd Ithel am long y Fari Fedwen yn sydyn, yn yr ennyd honno cyn iddyn nhw holi Ynyr y llong-lywydd a phawb yn edrych ar eu traed pan sonion nhw am y Brenin Iddon. Roedd y criw yn gwybod bryd hynny ac wedi peidio sôn...

'Iddon wedi marw...' Llifodd y sylweddoliad i lenwi Ithel fel llyn, a daeth yr holl ddarnau a oedd wedi bod yn nofio ar wahân ar ei wyneb fel dail at ei gilydd. Dyna pam fod angen arfau ar Andras, roedd o â'i fryd ar ladd ei frawd. Y freuddwyd honno. Y freuddwyd neu'r weledigaeth yn Llanfarudd. Y neuadd a'r Brenin a'r pen. Dau frawd yn cwffio a'r tad yn dal y naill rhag y llall. Tad nad oedd yn fyw bellach.

'Y peth a fu, a fydd.'

O, roedd Ithel wedi bod yn araf i sylwi. Cynllun ail-law oedd hwn!

Ddegawdau'n ôl ceisiodd brawd y Brenin Iddon, fel ag yr oedd o, gymryd ei goron a'i diroedd ond nid mewn brwydr deg. Ceisiodd ei ladd drwy dwyll gan wneud ymgais ar ei einioes pan oedd y ddau yn hela a chafodd ei ddienyddio am ei drosedd. Bu Ithel yn ymwneud â'r peth. Roedd popeth yn digwydd eto... Dyna oedd pen draw hyn i gyd – y drol, y lladd a'r cynllwynio. Yr holl ribidirês o Bont ar Gof i Ferin. Nid cyfarchiad brenhinol neu ddathliad brawdol oedd hwn, nid gwledd o groeso chwaith ond gwledd angladd. Magl y cerddodd Maelrhys a'i dylwyth iddi'n ddall. Un na welodd Ithel chwaith. Roedd ymgeisio i ladd Brenin heb ei gwrdd ar faes y gad yn drosedd, ond pe byddai Andras yn llwyddo yna byddai'n Frenin yn ei hawl ei hun ac yng ngolwg y Gyfraith yn etifedd dilys. Cyn gynted ag y byddai'n lladd Maelrhys, fo fyddai'r Brenin newydd. Byddai'n rhaid ei atal cyn iddo wneud dim neu byddai'n rhy hwyr. Byddai'n rhaid rhybuddio'r milwyr hefyd.

Brysiodd Ithel at y drws a gweld llinell o dylwyth Andras ar y mur uwchben yn dal rhywbeth hir at eu hysgwyddau yn anelu at y milwyr a oedd wrthi'n chwerthin ac yfed yn y buarth o'u blaen. Cododd ambell un o'r rheiny wrth i dylwyth Andras sythu, rhaid mai newydd sylwi oedden nhw. Dyna'r union ystum oedd gan Cadell ar ochr yr hafn. Arafodd y byd unwaith eto. Roedd hi'n rhy hwyr.

Pennod 35

Estynnodd Maelrhys am ei ail hwyaden a chymryd llwnc o fedd. Er mai digon di-lun oedd bwrdd ei frawd doedd o ddim yn ei feio fo am hynny, chafodd o ddim llawer o rybudd a hynny'n ôl cais Gwerful ei Benteulu. Doedd hi ddim yn ymddiried yn Andras yn bellach nag y medrai biso, meddai hi. Ond roedd popeth wedi ei goginio'n ardderchog – yr hwyaid, ffa berw gydag asen fras a phupur ynddyn nhw, brithyll gyda saws finegr a mân berlysiau, potes gwyn hefo colomennod a gwin, moron wedi eu sbeisio, eirin mewn siwgr ac afalau cynnar bach wedi eu pobi, tarten gnau, bara gwenith a menyn, cawsiau a mêl. Byddai'n gyrru milwr draw i'r gegin i ddiolch. Cymrodd ddracht arall a dechrau ar yr hwyaden. Er fod y bwyd yn dda a'r croeso ar un wedd yn un anrhydeddus, teimlai Maelrhys yn siomedig yn ddistaw bach. Digon oeraidd oedd ei frawd, ac er fod y pethau ffurfiol yn eu lle i gyd, teimlai nad oedd calon Andras na'i dylwyth yn y peth.

'Ti'm am fyta, An?' holodd Maelrhys wrth glecian asgwrn clun yr hwyaden. Roedd Andras a Cadell yn eistedd bob ochr i'r bwrdd tra bod Maelrhys ar y pen gyda Gweful a chadair wag. Yn is i lawr roedd criw o filwyr y ddau deulu, y rheiny oedd yn uchel eu parch. Rhyw bigo oedd ei frawd wedi'i wneud, crafu tamaid yma ac acw. Sylwodd Gwerful hefyd mai dim ond gwin hefo dogn dda o ddŵr ynddo oedd Cadell yn yfed. Roedden nhw wedi gadael eu harfau wrth y drws yn ôl y drefn, ond cadwodd hi ddagr gudd hefyd, rhag ofn.

'Fawr o awydd, mae'n ddrwg gen i, Maelrhys.' Trodd Andras y cig o'i flaen gyda'i gyllell.

Ochneidiodd Maelrhys a phwyntio ato gyda gweddill coes yr hwyaden.

'Gwranda, dwi'n gwybod na rhyw hen beth digon croes ti 'di bod 'rioed a dwi'n gwbod nad oeddat ti a Tada, pob bendith ar ei enaid o, yn cydweld rhyw lawar. Ond o'n i'n gobeithio gallu deud fod dŵr 'di bod dan bont heno 'ma. Mae 'na fwy o diroedd i ti rŵan does, mi gei di lys gwell hefyd os mynni di, yn bell o'r twll yma tasat ti isio. Chdi bia deud.' Taflodd Maelrhys weddillion y goes at y tân, er na chyrhaeddodd hi ac aeth y cŵn ati i ffraeo dros pwy fyddai'n cael y darn gorau.

Arhosodd y gyllell a'r darn o gig o flaen Andras yn stond.

'Tydw i ddim fel y cŵn acw, Maelrhys. Dwi'm yn bodloni ar sbarion.'

Os oedd yr awyrgylch wedi bod yn oeraidd cyn hynny, roedd sylw Andras yn ddigon i'w rewi o. Ond gwenu wnaeth Maelrhys a thynnu coes arall yr hwyaden yn hawdd, a gwnaeth honno dwrw rhwygo gwlyb.

'An bach, wastad yn codi ffrae, dwyt? Yr holl flynyddoedd 'na pan oeddan ni'n blant cyn i ti fynd i lawr i'r De am sbel. Wrthi'n codi twrw, y cynta i fynd ati i gwffio bob tro, yn cripio a phoeri fel cath, ond nest di 'rioed ennill. Fi oedd yn ennill, de? A chditha'n crio dy fod ti wedi cael cam. Wastad yn dechra. Byth yn gorffan.' Rhwygodd Maelrhys y cig oddi ar goes yr hwyaden mewn brathiad a thaflu'r asgwrn ar draws y bwrdd i ganol bwyd Andras. Taflwyd rhai o'r ffa berw dros ei ddillad. Aeth pawb yn ddistaw, gwenodd Maelrhys ac amneidio i forwyn lenwi ei gwpan eto.

Crafodd Andras y ffa oddi ar ei ddillad gyda'i gyllell. Am

ennyd yn unig roedd o'n hogyn bach yn llys ei dad unwaith eto, ond roedd pethau'n wahanol y tro hwn.

'Fi fydd yn gorffen y tro yma.'

Cododd Andras ac roedd Gwerful ar ei thraed hefyd, ei llaw yn barod i fynd am y ddagr.

'Be am i ni fynd at y ffenest?' holodd Andras a cherdded yn hamddenol ati. Aeth Cadell hefyd gan estyn am gadach coch oedd wedi ei glymu am ei wregys.

'Maelrhys...' rhybuddiodd Gwerful.

Cododd Maelrhys a thorri gwynt. 'Iawn An, be am i ni fynd at y ffenast? Ydi'r haul yn machlud? Dyna sydd gen ti?'

Aeth Maelrhys at y ffenest gan deimlo pwysau'r pryd yn braf yn ei fol. Edrychodd ar ei filwyr yn bwyta ac yn dathlu islaw. Roedd rhai wedi dechrau meddwi ond roedd nifer fawr ohonyn nhw wedi cael siars i beidio, ac i gadw eu harfau wrth law. Wyddai Andras ddim am hynny.

'Faint o filwyr sydd gen ti? Dau ddwsin neu fwy? A'r rhai gorau dwi'n cymryd?' holodd Andras. Rhoddodd Cadell ei law drwy'r ffenest a chwifiodd y cadach coch yn yr awel. Gwelodd Maelrhys rai o dylwyth Andras yn codi ar y muriau wedyn ac oerodd drwyddo wrth i'w hyder ddechrau pallu. Bwa saeth? Ai dyna oedd y syniad? Doedd Andras ddim mor wirion â hynny, doedd bosib? Eto, doedd dim bwa gan yr un ohonyn nhw dim ond pethau a edrychai i Maelrhys o'r pellter yma fel baglau neu ffyn wedi eu dal at eu hysgwyddau. Anterliwt ynta? Ond na, roedd greddf brwydr Maelrhys yn gweiddi arno i ymbaratoi. Dacw Gwgan, un o'i filwyr gorau yn sylwi ar y gelynion o'i gwmpas ac yn codi ar ei draed... Dechreuodd Andras siarad eto.

'Y milwyr gorau. A fyddan nhw o ddim defnydd o gwbl i ti yn fy erbyn i.'

Gollyngodd Cadell y cadach ac am ennyd fe hwyliodd o am i lawr drwy'r awyr yn dawel. Yna cyrhaeddodd uffern Ferin, neu felly meddyliodd Maelrhys.

Holltwyd yr awyr gan dwrw fel sawl taran yn taro'r un pryd. Chwalodd casgenni cwrw, byrddau a phobl. Taflwyd rhai o'r milwyr ar draws y buarth gan rym anweledig. Collodd eraill goesau neu freichiau. Ffrwydrodd ambell un yn eu hunfan. Bu i rai lwyddo i sgrechian a gweiddi, chafodd eraill mo'r fraint.

Sgubodd mwg melynwyn o'r muriau i lawr dros y buarth gan guddio'r gyflafan. Teimlodd Maelrhys ei glustiau yn gwichian yn y tawelwch. Safai Gwerful yn gegrwth wrth ei ochr. Digwyddodd hyn i gyd yn gynt nag y gallai gredu. Roedd o bron yn siŵr y lladdwyd ei filwyr oedd ar y buarth i gyd, neu'r rhan helaethaf beth bynnag. Mewn chwinciad. Doedd ganddyn nhw ddim siawns o gwbl. Doedd gan neb.

Pennod 36

DRWY'R DRWS ALLAI Ithel weld dim ond y mwg a oedd wedi llenwi'r buarth fel niwl. Rhwng hwnnw a'r tywyllwch, roedd hi'n anodd cael synnwyr o bethau. Cyn iddo lanio fel aderyn corff dros bob dim roedden nhw wedi gweld pobl a phethau yn cael eu darnio yng ngolau'r padelli tân. Edrychai fel bod ton wedi sgubo drwy'r buarth gan chwalu popeth. Roedd hi'n ddistaw. Yna, cododd sŵn griddfan, sgrechian a chrio o'r mwg o'u blaen.

Roedd ffurf yn baglu ei ffordd tuag atyn nhw. Daliodd Ithel eu bwyell yn barod wrth i'r siâp annelwig ddod yn nes ond wedyn fe sylwon nhw nad oedd yr amlinelliad o gorff dynol yn gyfan. O'r mwg daeth un o filwyr Maelrhys gyda'i ysgwydd a'i fraich dde ar goll.

'Helpwch…' oedd yr unig beth fedrodd o'i ddweud cyn disgyn yn glewt ar ei wyneb yn farw. Mentrodd Ithel ymlaen ac o dan eu traed roedd cwrw a gwaed yn llifo'n gymysg – cododd awel eto gan wasgaru'r mwg a ddrewai o sylffer. O'u blaen roedd cyflafan yr oedden nhw wedi gobeithio na fydden nhw'n gweld ei thebyg eto. Pentyrrau o gyrff, ambell un yn unig yn dal yn fyw. Rhai yn gorwedd yn sgrechian tra bod eraill yn ceisio llusgo eu hunain i rywle saffach. Rhwng y carpiau o fwg a oedd yn dal i lynu o'u cwmpas gallai Ithel weld dwylo'n codi yn erfyn am gymorth. Lle i ddechrau? Disgynnodd hances goch wrth eu traed. Fe edrychon nhw i fyny drwy weddillion y mwg a'u gweld nhw yno – Andras a

Cadell. A'r ddau yn hanner gwenu ac eto, gwyddai Ithel fod eu presenoldeb yn taflu cynllwyn y ddau lofrudd.

'Ithel!' Llais Adwen o ddrws y gegin. Brysiodd Ithel at un o'r siapiau agosaf a oedd yn gwingo ar y llawr, hogyn nad oedd fawr hŷn na phymtheg yn ôl ei olwg ac a oedd wedi cael archoll drom ar ochr ei ben. Fe glymon nhw'r hances dros y clwyf a hanner ei gario'n ôl at y gegin. Daeth gwaedd o'r tŵr a chwalodd yr awyr eto.

Taflodd Ithel eu hunain a'r bachgen i'r gegin gan obeithio fod Adwen a'r cogydd yn ddigon pell. Tarodd y peli haearn y buarth a tho'r gegin. Daeth gosteg eto. Roedd Adwen yn gorwedd ar y llawr wrth eu hymyl, rhywle yn y gegin roedd Gel yn cyfarth a rhywun arall yn sgrechian. Dysgodd Ithel y prynhawn hwnnw nad oedd llawer iawn o amser rhwng bob clec ond bod yn rhaid oedi cyn pob ymosodiad. A hwythau'n dal ar lawr fe gicion nhw'r drws ynghau.

'Dos mor bell ag y medri di oddi wrth y ffenest a'r drws,' medden nhw wrth Adwen gan godi a llusgo'r bachgen heibio'r bwrdd a'r lle tân. Byddai'n rhaid i'r gweddill aros. Wrth y tân yn ei chwrcwd yn gweddïo oedd Ceinwen.

'Angharad! Be sy'n digwydd?' holodd yn wyllt. Roedd ei gwallt wedi disgyn dros ei wyneb.

'Dowch am lle mae'r gwely, Ceinwen... Mae hi'n rhyfel arnom ni, dwi'n meddwl.' Amneidiodd Adwen lle'r oedd y gwely ac aeth Ithel yn eu blaen.

'Ydi'r Gwigyn yna am helpu? Ti'n ei nabod o?'

'Ydw mewn ffordd...'

Cariodd Ithel y llanc heibio'r lle tân a'i osod ar y gwellt, daeth Adwen a Ceinwen draw.

'Ŵyr un ohonoch chi sut mae morol am glwyfau?' holodd Ithel. Roedd yr archoll ar ben y milwr yn dal i waedu.

'Y... y,' meddai Ceinwen. Rhoddodd Adwen law ar ei braich.

'Ddylia rhywun sydd wedi cadw cegin cyhyd wybod rwbath, dylia? Dewch, mae gynnon ni waith, Ceinwen.'

Dadebrodd Ceinwen ryw fymryn wrth iddi ddod o hyd i ychydig o dir gwastad o dan ei thraed. Ysgwydodd ei hun a thynnu ei gwallt yn ôl a rhoi cwlwm ynddo.

'Y... Ia, ia, wel, dwi'm yn dallt llawar am glwyfa fel hyn, llosgi a ballu ydi mhetha fi...'

'Mae gen i syniad, Ithel. Petha at iws porthmona gan fwya, briwiau, esgyrn wedi torri, math yna o beth.'

Nodiodd Ithel.

'Arafu y gwaed ydi'r peth pwysicaf, rhoi pwysau ar glwyf gyda chadach neu rywbeth felly i atal y gwlybwr rhag dianc. Pan fydd hi'n ddiogel y tu allan bydd angen i chi fwrw iddi ar frys.'

'Fydd hi byth?' holodd Adwen. 'Be gythraul ydi o, Ithel?'

'Rhyw fath o ddyfais. Drwy rhyw ddull, alcemi, maen nhw'n taflu'r rhain.' Estynnodd Ithel rai o'r peli o god fach ar eu gwregys.

Edrychodd Adwen yn syn 'Rheina ddaethoch chi o hyd iddyn nhw yn y pentra? Sut fedrith peth mor fach wneud cymaint o lanast?'

Pasiodd Ithel y belen o law i law gan feddwl.

Cododd cysgodion i lenwi'r gegin.

Tybed ydi o fel ffon dafl? holodd Badog, hen fugail. *Mi fyddai'r rheiny'n taflu cerrig, a pho gyflymaf oedd rhywun yn troi y peryclaf oedden nhw. Lladdodd fy mrawd dri blaidd gyda ffon dafl, gan chwalu eu penglog nhw, a bychan ddigon oedd y cerrig.*

Mi fyddai fy nain yn sôn am hanes bachgen bach laddodd gawr gydag un o'r rheiny meddai Gwdig o gyfeiriad y lle tân.

248

Yn Straeon y Cadfridogion, ein cof am frwydrau'r gorffennol meddai'r hen filwr Gnaeus, *mae hanesion am yr Eiberiaid, hen lwyth o bobl fyddai'n defnyddio pethau tebyg. Clywodd rai am feistri a allai daflu carreg mor sydyn nes ei bod yn gallu tyllu tarianau copr.*

Diolchodd Ithel iddynt, ac yn wahanol i'r arfer arhosodd y cysgodion, roedd angen eu cwmni heno. Trodd Ithel at Adwen.

'Swyngyfaredd, efallai. Ond y tu allan heno, fedron ni ddim gweld y peli yn symud rhwng y ffyn oedd gan y milwyr a'r rhai gafodd eu taro gan mor gyflym oedden nhw. Meddylia am daro clai sych gyda morthwyl, mae cnoc araf yn gwneud llai o ddifrod nag un sydyn. Cyflymder felly.'

'Doedd gan Sion druan ddim gobaith nagoedd?' holodd Adwen.

'Nagoedd, mae'n ddrwg gennym ni. A fydd gan fawr o neb arall chwaith os na fedrwn ni roi diwedd ar hyn heno.'

Roedd hi'n od o dawel y tu allan, a chododd croen gŵydd dros bawb yn y gegin.

Pennod 37

Cafodd Maelrhys ei wthio i gadair a'i glymu iddi fel petai o'n ddim mwy na mochyn neu ysgub o ŷd. Roedd o'n sownd. Yn yr eiliad ar ôl i'r hunllef ddechrau pan oedd pawb yn dal i wylio'r gyflafan ceisiodd Gwerful fynd am Cadell gyda'i dagr, a llwyddo, cyn sylweddoli fod ganddo grys haearn o dan ei ddillad a'r cylchoedd bach gloyw i'w gweld drwy'r rhwyg wnaeth ei llafn yn ei wisg. Rhoddodd yntau fonclust iddi ac fe aeth ar ei hyd ar lawr. Cawsai gic wedyn. Roedd ei thrwyn wedi dechrau gwaedu a chododd hi ddim. O'i gadair doedd Maelrhys ddim yn gallu ei gweld yn iawn ond roedd hi'n anadlu, roedd o'n eitha sicr o hynny.

Cafodd ei filwyr oedd yn y neuadd hefo fo eu gwthio i gongl hefyd a'r morynion eu hel allan. Bellach roedd y milwyr oedd yn weddill ac yntau yn wynebu pedwar o'r arfau a oedd wedi lladd y gweddill islaw. Ysgwydodd Maelrhys ei ben, roedden nhw wedi eu gosod o fewn golwg iddyn nhw drwy gydol y wledd, wyddai o ddim… Roedden nhw'n debyg i faglau, gyda choesyn pren ar un pen yn llydan yn erbyn yr ysgwydd tra bod trwyn y peth yn haearn ac fel peipen. Mygai cortyn wrth ben pob un.

'Os symudwch chi, mi fydd y milwyr yn tanio. Os gwaeddwch chi, mi fydd y milwyr yn tanio. Pan fydda i wedi gorffen hefo chi, mi fydd y milwyr yn tanio,' meddai Andras o'r tu ôl i'w fysedd ar ben y bwrdd, roedd o wedi ailfeddiannu ei orsedd.

'Tanio!? Am be ti'n sôn, Andras? Be ydi'r petha 'na? Be ddigwyddodd? Derwyddiaeth ydi hyn!?'

Gwenodd Andras.

'Dechrau newydd ydi'r "pethau" fel y gelwi di nhw. "Pa fudd ydi darllen o hyd?" dyna fyddai nhad yn ddweud. Wel, dyma i ti un ohonyn nhw. Mae yna lawysgrifau hynod i'w cael, pentyrrau mewn hen lysoedd ac abatai a neb yn morol amdanyn nhw... a phethau ynddyn nhw fyddai'n gwynnu gwallt dy ben di. Sgen ti syniad be ddigwyddodd yn y Rhyfeloedd? Be mae pobl wedi wneud i'w gilydd dros y canrifoedd? Ta waeth. Wyddost ti fod yna wledydd y tu draw i'r môr mawr?'

Wfftiodd Maelrhys. 'Gwn siŵr!'

'Mae yna bobl ynddyn nhw oedd yn gwybod am bethau nad oedd hyd yn oed y Derwyddon wedi eu canfod, na'r Rhufenyddion chwaith, ac fe wnaethon nhw gofnod o'u gwaith...'

'Efo pa ddiafol, pa anfadwaith wyt ti wedi taro bargen, duda?' holodd Maelrhys yn wyllt.

Chwarddodd Andras.

'Dim hud ydi hyn, Maelrhys. Grym hwn,' daliodd fys yn erbyn ochr ei ben, 'gwaith meddwl a llafur, chwys crefftwyr, am wych! Dyfais. Fel bwa saeth neu albras. Cynnyrch pobl.'

Ceisiodd Maelrhys symud ei freichiau ond roedd y rhaffau'n dynn.

'A be nesa Andras? Fy lladd i? Cymryd y deyrnas i gyd fel oedd hi o dan Tada?'

'Debyg iawn. A gawn ni weld wedyn.'

Gallai Maelrhys weld fod Andras wrth ei fodd. Ysgwydodd ei ben, doedd dim wedi newid. Fel hyn yn union oedd o'n blentyn yn ymhyfrydu mewn ymffrostio a gwawdio. Do, bu yntau'n gas ac yn annifyr iawn hefo'i frawd bach o dro i

dro ond oedd hynny'n cyfiawnhau'r fath erchyllterau? Roedd
o'n methu deall sut byddai ei frawd, hwnnw fyddai – er mor
bwdlyd oedd o ar adegau – wrth ei fodd yn gwneud cerddi
bach, ac yn glên ryfeddol hefo anifeiliaid o bob math, yn gallu
troi fel hyn. Ond, roedd Maelrhys yn ei adnabod. Tra'r oedd
Andras yn siarad, byddai'n cael byw, fe wyddai hynny. Un felly
oedd o.

'Ti'n meddwl y bydd Triffyn Gefngrwm, Rhys, Alaw Frech,
Glwys, Hunydd… gweddill y Brenhinoedd a'r Arglwyddi yn
gadael i ti wneud fel mynnot ti?'

Cododd Andras ei ysgwyddau a gafael mewn asgwrn
hwyaden a oedd ar y bwrdd o hyd.

'Fe gân nhw wneud fel y mynnan nhw. Fe gân nhw i gyd
ddod yma a chwalu eu hunain yn fy erbyn i fel gwymon ar
graig o'm rhan i.'

Tynhaodd Maelrhys ei gyhyrau o dan y rhaffau eto, oedden
nhw'n gwichian rhyw fymryn?

'A be am y Gwigyn? Mae 'na un o gwmpas, does?'

Surodd wyneb Andras.

'Mae Cadell wedi mynd i gau pen y mwdwl ar hwnnw, neu
ymgeisio beth bynnag.'

Ceisiodd Maelrhys wthio'n erbyn y rhaffau eto, rhoddodd ei
gadair wich a throdd y milwyr yr arfau ato. Gwelodd Maelrhys
y tywyllwch yng ngheg y pibellau yn rhythu arno.

'Mi allat ti fod wedi fy nghreithio neu'n sbaddu fi, Andras,
neu ddechrau rhyfel gall. Pam? Pam gneud hyn?'

Taflodd Andras yr asgwrn yn sydyn a heb fodd i amddiffyn
ei hun fe darodd o dalcen Maelrhys a glanio ar ei lin gan adael
stremp o saim. Aeth Maelrhys yn goch gan gywilydd.

'Am fod oes y cyhyrau, y dynion cryf gafodd fendith i fod
yn bob dim dylai "Brenin" fod ar ben.' Cododd Andras ar

ei draed. 'Hyd yn oed taswn i'n gyntaf-anedig, fyddai gen i ddim siawns o dan y drefn arferol, felly dyma greu trefn newydd. Mi allai taeog, baw isaf y domen, hefo prynhawn o ymarfer ddefnyddio un o'r rhain i ladd Brenin, marchog, milwr, unrhyw anfadwaith. Waeth pa arfau nac arfwisg sydd ganddyn nhw. Hefo'r rhain wrth fy nghefn fydd neb yn gallu nhrechu i.'

Er mai dyn yn ei oed a'i amser oedd yn sefyll o'i flaen, yn bytherio fel gwallgofddyn, allai Maelrhys ond gweld hogyn bach yn cael sterics. Gwelodd rywbeth o'i dad hefyd, sut y byddai o'n gwylltio a dwrdio, dwrdio Andras yn enwedig. Teimlodd bwl o dosturi, er gwaethaf pob dim.

'Ma'n ddrwg gen i, An.' Be arall allai o ddweud? O'r buarth islaw daeth twrw taranu unwaith eto.

*

Aeth Ithel at y ffenest a gweld, yng ngolau'r padelli tân a oedd ar ôl, dwy linell daclus o filwyr yn dal eu harfau newydd a phob un yn anelu at y gegin. Safai Cadell o'u blaen. Craffodd Ithel; pren a metel oedd yr arfau. Mae'n debyg fod y belen yn cael ei thaflu o'r twll yn y blaen, dacw gortyn tebyg i'r un oedden nhw wedi ei weld wrth y llain ymarfer hefyd a'i flaen o'n mygu. Rhaid bod angen hwnnw i ddechrau'r adwaith alcemegol. Roedd sylffer a thân yn gysylltiedig o dan y drefn, wedi'r cwbl.

'Wigyn,' meddai Cadell. 'Dere di a'r ferch mas, does dim lle i Wigiaid nac ysbiwyr yn y llys yma.'

Nid fel hyn oedd hi fod, meddyliodd Ithel. Doedd troseddwyr ddim yn cael datgan telerau, eto i gyd byddai'n rhaid bod yn ofalus.

'A be fydd yn digwydd i ni?' holodd Ithel o ochr arall y drws.

Gwenodd Cadell wên sbeitlyd.

'Dyfalwch. Os na ddewch chi mas fe chwythwn ni'r gegin yn ddarne. Be am i ni roi cymorth i'r Gwigyn agor y drws, bawb?'

Ciciodd Ithel y bwrdd ar ei hyd i wynebu'r drws a'r ffenest.

Symudodd Cadell i sefyll wrth ochr y rhesi a dal ei fraich i fyny, yna daeth â hi i lawr gan weiddi, 'Taniwch!'

Roedd Ithel wedi hen orwedd yn wastad ar lawr erbyn i'r tanio rwygo ei ffordd drwy'r drws a chaeadau'r ffenest. Chwalodd y llestri, codwyd cymylau o lwch calch o'r waliau a disgynnodd cawodydd o gig a pherlysiau o'r distiau uwchben. Sgrechiodd rhywun.

Roedd eu bwyell yn barod a'r drws wedi ei chwalu'n agored. O'r gwaith aros yn y prynhawn wrth i Cadell danio atyn nhw ac o'u profiad heno, gwyddai Ithel bod yn rhaid i'r milwyr baratoi eu harfau i danio eto a bod amser felly i wneud rhywbeth. Gwnaeth pob un y tu allan ymgais ar eu bywyd nhw a bywyd tri arall yng nghefn y gegin. Roedd y Gyfraith yn eglur.

Cyn i'r llwch a'r briwgig setlo roedd y Gwigyn ar eu traed a'r fwyell yn eu dwylo.

Y tu allan ynghanol y mwg a oedd yn amgylchynu pawb trodd yr hyder chwyddedig a'r chwerthin bodlon yn rhywbeth arall. Ers wythnosau teimlai Cadell a'i filwyr yn gwbl sicr nad oedd neb na dim a allai sefyll yn eu herbyn. Daeth criw y tanio i feddwl eu bod nhw'n anorchfygol dan anogaeth eu Penteulu a'u Harglwydd. Ond nawr roedd rhyw lais bach yng nghefn eu meddwl yn mynnu cwestiynu hynny. Fe deimlon nhw newid, fel cathod wrth i lygoden droi arnyn nhw ac ymosod. Drwy'r mwg gallai ambell un weld ffrâm y drws racs a ffurf yn sefyll ond roedd y rhai a oedd yn rhy bell, gan gynnwys Cadell, yn gallu teimlo presenoldeb gwahanol. O'r gegin deuai pwysau tebyg i'r hyn mae rhywun yn ei deimlo wrth balfalu yn y tywyllwch a synhwyro bod wal o'u blaen, ac roedd o'n tyfu.

'Llwythwch eto!' gwaeddodd Cadell. Dechreuodd y milwyr estyn yn frysiog am beli haearn a'r powdwr tanio a gwyddai Cadell nad oedd pob un yn llwyddo i lwytho'n sydyn hyd yn oed ar y gorau. Estynnodd yntau am ei arf a cheisio ei lwytho, ond mwyaf sydyn roedd o'n drwsgl. Daeth gwaedd daglyd o gyfeiriad y drws a sŵn corff yn taro'r ddaear. Herciodd calon Cadell wrth iddo deimlo ofn. Yr un math o ofn a deimlodd o ar faes y gad droeon cyn heddiw. Cythrodd am y god fach o bowdr.

Gwaeddodd ambell i filwr wrth geisio amddiffyn eu hunain ond roedd o fel petai ysbryd yn dawnsio yn eu mysg nhw. Clywodd Cadell ddau, tri chorff arall yn disgyn. Gyda'r mwg yn dew o hyd wyddai Cadell ddim sut yr oedd y Gwigyn yn gweld yn ddigon da i ymosod fel hyn. Oedd y straeon yn wir? Yna sylwodd ar ben y cortyn bach yn llosgi'n goch. Aeth yn oer drwyddo. Roedd pob milwr ac yntau yn marcio eu hunain yn eglur.

Sut oedd y Gwigyn wedi gallu dysgu am yr angen i lwytho eto mor sydyn? Am sut i ddefnyddio'r cortyn fel canllaw? Wrth i'r mwg ddechrau clirio cafodd Cadell ddeall. Dawnsiai drychiolaeth Angau ymysg ei dylwyth. Yn symudiadau erchyll o ddi-lol y Gwigyn roedd yr ateb yn eglur. Profiad. Sawl bywyd, sawl canrif oedden nhw wedi byw? Sawl sefyllfa a brwydr oedden nhw wedi'u profi? Gwelodd Cadell ddegau os nad cannoedd o filwyr cyn y noson honno ond yr un a oedd yn symud fel y Gwigyn. Doedd yr un fodfedd o wastraff symudiad a'r arf yn eu dwylo yn rhan mor naturiol ohonynt â'u hanadl. Sawl degawd o ymarfer oedden nhw wedi'u gwneud gyda'r arf hwnnw'n benodol heb sôn am ganrifoedd gyda rhai eraill? Llifodd y Gwigyn ymysg ei filwyr fel dŵr gan fedi eu bywydau heb ymdrech. Roedden nhw wedi gweld pob symudiad, pob ymdrech y gallai unrhyw filwr ei wneud o'r blaen ac wedi llwyddo i ddod at yr ymateb mwyaf effeithlon i bob un a'r ffordd fwyaf sydyn o ladd. Toriadau bychain, sydyn fel meddyg wrth iddyn nhw ddarllen y cyrff o'u blaen fel mapiau. Nid yn erbyn milwr roedd Cadell a'i dylwyth, ond dienyddiwr – cigydd – a phob un ohonynt mor ddiymadferth i amddiffyn eu hunain â lwmp o gig ar fwrdd.

Trodd y Gwigyn yn eu hunfan gan ddal y fwyell led braich a diffodd einioes pedwar milwr oedd yn digwydd sefyll yn ddigon agos o'u cwmpas. Gwasgarodd gweddill y mwg gan ddangos llwybr gwaedlyd o ddrws y gegin.

Rhedodd Cadell am ei fywyd.

Ceisiodd rhai o'i filwyr eraill un ai godi eu harfau neu estyn am gleddyf neu ddagr.

'Na,' meddai llais y Gwigyn. *'Ildiwch.'*

Gollyngodd y milwyr eu harfau a sefyll yn swrth. Teimlodd Cadell grafangau'r geiriau yn ei ymennydd ond baglodd ymlaen. Roedd yn rhaid cyrraedd y tŵr a'i amddiffyn. Byddai'n rhaid cloi'r drws. Ond gwyddai ym mêr ei esgyrn nad oedd hwnnw erbyn hyn fawr gwell na memrwn.

Pennod 38

Trodd Ithel eu golygon at y twr.

Pwysodd Cadell yn erbyn y drws a theimlo ei galon yn curo. Byddai Andras yn siŵr o allu dod o hyd i ryw ddatrysiad. Efallai y byddai modd defnyddio Maelrhys fel gwystl os oedd o yn fyw o hyd, neu byddai modd talu'n iawn am hyn i gyd…

Roedd y Gwigyn yn dod yn nes. Gallai deimlo hynny. Rhywle yn ddwfn yn ei wneuthuriad roedd darn cyntefig o Cadell yn strancio a sgrechian. Y darn bach hwnnw a oedd wedi cadw dynoliaeth yn fyw wrth synhwyro peryglon ymysg y coed ac o gegau ogofâu. Aeth ymlaen, byddai'n rhaid ceisio mynd yn bellach. Doedd yr un drws na wal yn ddigon trwchus. Yn ei frys i ddianc baglodd dros yr unig ffagl oedd yn goleuo gwaelod y twr ac fe ddiffoddodd honno. Llyncodd y düwch o.

Eto i gyd mae o'n cael ei weld er gwaetha'r tywyllwch. Drwy'i ddillad a'i grys haearn a'i groen a'i gnawd at betalau brau ei enaid.

Euog

Y morynion, yr holl bethau wnaeth o… rhywsut trowyd drych arno ac fe brofodd effaith ei holl afledneisrwydd ei hun.

Euog

Yr holl ladd. Y Gof, a'i wraig a'i blentyn, hogyn y porthmon, pawb yn y pentref, y gwreang. A faint cyn hynny? Faint o alar oedd o wedi ei ryddhau i'r byd? Fe deimlodd o bob deigryn ohono wrth i'r tywyllwch o'i gwmpas besgi.

Euog

Y pethau hynny a wnaeth o yn gwybod nad oedd neb yn gweld, y cyfrinachau bach budr. Rhwygwyd pob un o'i ben a'u gosod yn daclus o'i flaen.

Cafodd ei yrru'n wirion. Oedd, roedd o'n euog.

Llygaid. Ai llygaid oedd rheina? Syllodd i'r tywyllwch. O gwmpas y drws nofiai llygaid arian. Llygaid oedd yn sgleinio fel rhai anifeiliaid gwyllt yn dal golau tân. Edrychodd o'i gwmpas a dacw nhw hefyd, yn nesu ato, yn cau o bob cyfeiriad. Y tu cefn iddo, o'i flaen… cododd ar ei draed a cheisio dianc ond dacw nhw oddi tano ar hyd y llawr… edrychodd i fyny a gweld nad oedd y nenfwd uwch ei ben yn ddim ond un llygad fawr farwaidd gyda miloedd o lygaid bychain o'i chwmpas fel plorod. A doedden nhw. Ddim. Yn. Cau.

Syllu, syllu, syllu.

Gweld, gweld, gweld.

'Do, do mi wnes i!' sgrechiodd. 'Dwi'n cyfaddef!'

Daeth awel o rywle. Gallai daeru iddo gau, cloi a bolltio'r drws. Ond roedd o wedi agor. Gwelodd y Gwigyn yn sefyll yno yn dduach na'r awyr y tu ôl iddyn nhw a'u llygaid yn llewyrch i gyd. Nid y rhai yn eu pen yn unig ond y rhai oedd bellach o'u cwmpas fel coron. Ceisiodd droi rhag y ddrychiolaeth a gweld fod y waliau y tu ôl iddo'n llygaid byw.

Prin oedd Cadell yn gallu anadlu. Teimlai gyfog. Chwydodd gan ddisgyn ar ei bedwar a gweld na chwydu llygaid oedd o wedi'i wneud a rheiny bellach yn troi i edrych arno yn y pwll rhwng ei ddwylo. Llygaid y bobl hynny y gwnaeth o bethau iddyn nhw.

Wrth gwrs! Roedd y llygaid ym mhob man, yn tyfu a hadu y tu mewn iddo. Mewn unrhyw le tywyll a gwlyb fel cors roedden nhw'n lluosogi. Gwthiodd ei fysedd i'w geg a'u teimlo yno yn lympiau meddal ar ei fochau a'i dafod a chefn ei wddw. Gorfododd ei hun i chwydu eto, ac eto, i gael gwared ar y llygaid ond roedden nhw'n dal i fagu y tu mewn iddo yn wyn fel wyau malwod.

Euog

Roedd yn rhaid cael gwared ar y llygaid, eu llusgo allan i gyd. Estynnodd am ei gyllell a dechrau tyllu amdanyn nhw.

Trodd Llygaid y Gwigyn am i fyny'r grisiau.

Teimlodd Andras y Gwigyn yn dod yn nes yn hytrach na'i glywed. Pan sgrechiodd Cadell wrth waelod y tŵr roedd ei filwyr wedi troi i ddal eu harfau tuag at y drws ond gwyddai Andras fod eu gwytnwch yn prysur freuo. Gwyddai'n iawn am driciau Gwigiaid a sut oedd y Derwyddon wedi gwehyddu'r galluoedd i mewn iddyn nhw. Roedd wedi darllen sut y gallai Gwigyn droi cydwybod yn elyn pennaf, ond roedd yn rhaid wrth gydwybod i hynny ddigwydd. Waeth faint y sgrechiai ei ben am euogrwydd fe wyddai Andras ei fod o'n gyfiawn yn ei weithredoedd. Doedd o ddim am guddio a gwingo fel pry genwair o dan olau rhyw feirniaid honedig hollwybodus.

Er, fedrai o ddim gwadu nad oedd presenoldeb beth bynnag oedd yng nghorff yr Ithel yna ddaeth i'w boenydio yn effeithiol iawn. Llusgodd ei gadair i wynebu'r drws gan gefnu ar ei frawd. Gorfododd ei hun i eistedd yn syth. Sawl blwyddyn, sawl ffortiwn oedd wedi mynd i osod hyn i gyd? Pob aberth, pob pechod angenrheidiol. Fyddai hynny ddim i ddim byd. Byddai'n derbyn ei ffawd gydag urddas waeth be fyddai'n digwydd. Sgyrnygodd ei ddannedd wrth i'r milwyr o'i flaen ollwng eu harfau a chrio. Agorodd y drws.

Pennod 39

DOEDD ANDRAS DDIM ar ei orsedd bellach. Yn hytrach eisteddai ar gist yn ei stafell wely gyda golwg bwdlyd arno o dan y clais a oedd yn prysur dduo ar ei foch dde. Aeth pethau ar chwâl braidd pan ddaeth Ithel i'r neuadd. Roedd Andras yno'n eistedd yn benderfynol yn eu hwynebu a'r milwyr wedi eu cymell i fod yn dawel ond gan nad oedd Maelrhys na Gwerful o dan sylw Ithel ar y pryd fe fedron nhw symud. Cododd Gwerful o'r llawr yn dal dagr fel agorodd y drws ac ar yr union ennyd honno chwalodd Maelrhys y rhaffau oedd amdano a llamu am ei frawd gan weiddi. Taflwyd Andras i'r llawr a llwyddodd Maelrhys i'w ddyrnu cyn i Ithel ei ddarbwyllo.

Byddai amser am gosb. Ond roedd yn rhaid wrth atebion yn gyntaf.

Eisteddodd Ithel ar stôl wrth ymyl y drws ac aros i'r lleisiau oddi mewn ostegu rhyw fymryn. Gwyliai Andras nhw'n ofalus.

'Fydd dim angen y miri arferol i fy holi i, Ithel. Dwi'n hapus i drafod.'

Meddyliodd Ithel lle i ddechrau. Fe godon nhw un o'r arfau newydd, roedd o'n drwm ac eto gyda chydbwysedd braf, y pren wedi ei iro a'r metel oer yn llyfn. O dan y peth roedd cliced a symudai'r rhaff, darn o fetel ar ffurf hanner lleuad, fel y peth hwnnw ddaeth Dana o hyd iddo wrth yr efail.

'Be ydi hanes rhain?'

Gwenodd Andras a gwingo wrth i'w glais dynhau.

'O, y Dryllwyr? Fy enw i iddyn nhw, gan mai dryllio pethau maen nhw.'

'Clyfar iawn.'

Symudodd Andras ar y gist ac eistedd mewn osgo debyg i rywun oedd am adrodd stori.

Bodlon, eiddgar.

Synhwyrodd Ithel fod rhan ohono'n falch o gael adrodd ei gamp.

'Dyfais newydd, hen ddyfais. Dwi'n gasglwr llawysgrifau, yn ieithydd. Does gan bobl ddim syniad am y wybodaeth sydd ganddyn nhw yn eu llyfrgelloedd. Cadw cerddi a rhyw straeon plant ac wfftio pethau eraill. Ond dyna ni, mewn abaty digon di-lun fe ddes i ar draws llawysgrif o dramor. "Celf Lladd" fyddai'r cyfieithiad am wn i, ac yn y llyfr ymysg pethau eraill oedd disgrifiad o'r peth sydd gennych chi yn eich llaw. Mae pobl y tu draw i'r rhych tin o wlad yma'n glyfrach na ni, Ithel, wedi cael amser i feddwl heb lyffethair rhyw drefn a chrefydd sy'n atal pobl rhag holi.'

'Ac fe wnest di fwrw iddi i wneud un.'

'Fy hun i ddechrau, a methu. Rhwng y gwaith coed, y metel a'r alcemi, roedd rhaid cael arbenigedd.'

Pwysodd Ithel ymlaen.

'Dafydd y Gof.'

Mentrodd Andras wên arall, doedd Gwigiad ddim yn gwybod pob dim felly.

'Yn y pen draw, ond roedd angen eraill i roi trefn ar y peth. Sgynnoch chi unrhyw syniad, o gwbl, faint o waith oedd hyn i gyd?'

'Roedd y gost yn fwy na hynny, sawl bywyd gafodd eu bwydo i'r cynllun yma?'

Gwnaeth Andras sioe o gyfri ar ei fysedd cyn wfftio.

'A sawl bywyd sydd wedi eu diffodd fel canhwyllau wrth i chi sleifio heibio, Ithel? Sawl un o fy milwyr i farwodd heno a chithau, dwi'n cymryd, hefo'r grym i'w cymell nhw i roi gorau iddi'n heddychlon?'

'Mi oedd y ddedfryd yn eglur.'

'Oedd, ac wedi ei hen ymarfer,' meddai Andras yn sarrug.

Newidiodd Ithel drywydd y sgwrs.

'Pam y dirgelwch?'

Ysgwydodd Andras ei ben. Oedd pob Gwigyn mor ddiddeall?

'Cyn gynted ag y byddai unrhyw un yn clywed fod gen i rywbeth fel hyn mi fydden nhw'n tynnu'r byd i lawr i gael gafael arno fo. Yr holl fân dywysogion a Brenhinoedd Pen Domen, mi fyddai o'n eu gyrru nhw'n wyllt. Doeddwn i ddim yn barod, ddim tan yn ddiweddar. A do, mi wnes i'n siŵr nad oedd yr un oedd yn deall fwyaf am y peth yn gallu cario straeon. Roedd yr hen Dafydd wedi dechrau mynd yn siaradus.'

'A'r plentyn, a'i Siwan?'

'Roedd hi'n talu bod yn daclus. Ac roedd rhaid ymarfer wedyn, cyn i chi holi. Un peth ydi tanio at lwmp o graig a doli wellt, peth arall ydi gweld sut mae o'n gweithio go iawn.'

Sgeliniodd ei lygaid ac edrychodd tuag at y drylliwr yn nwylo Ithel. Astudiodd Ithel Andras, dyma ddyn yn trafod troseddu erchyll fel byddai rhywun yn sôn am ryw ddifyrrwch oedd ganddyn nhw; pysgota, heboga neu bwytho.

'Doedd o'n hyfryd?' holodd wedyn gan ddal llygaid Ithel.

Ysgwydodd Ithel eu pen.

'Na.'

Surodd wyneb Andras.

'Mor hunangyfiawn, dim ond am fod rhyw deyrn ganrifoedd lawer yn ôl wedi dweud "Dyma Gyfraith, a dyma'r ci bach fydd yn ei wasanaethu o."'

'Tydan ni ddim yma i'n trafod ni.'

Chwarddodd Andras.

'A faint o drafod sydd arnoch chi wedi bod rioed? Byd creulon ydi hwn, Ithel, a 'dach chi a gweddill y cyrff cors sydd yn dal i grwydro yn derbyn hynny, ddaw 'na ddim newid tra ydach chi o gwmpas. Nid cadw trefn fel 'dach chi'n honni ydach chi ond cadw Y Drefn. Cadw pethau yr un fath.'

'Fe gawsom ni'n gwneud at bwrpas, Andras.' Rhoddodd Ithel y drylliwr o'r neilltu ac estyn am y rhaff.

'Do'n union.' Gwenodd Andras eto a phwyso mlaen ''Dach chi'n ofni'r hyn dwi wedi ei ryddhau, dydach?'

Ystyriodd Ithel hynny.

'Dim hud oedd drwg y Derwyddon ond grym, mae gen tithau ormod.'

'Hy! Un dda. Gwigiaid ydi'r unig rai gaiff groesi rhwng teyrnasoedd i erlid ac actio fel barnwr, be ydi hynny ond gormod o rym? Mi fedrwn i fod wedi newid pethau. Mi fedrwn i gadw trefn ar y brodyr a'r cefndryd a'r brwydro diddiwedd. Mi allai unrhyw un amddiffyn eu hunain rhag anfadwaith hefo un o'n nryllwyr i. Pob lord bach yn ofn y taeog. Fyddai dim marchogion yn gwneud be lecian nhw achos eu bod nhw'n gallu fforddio arfwisg...'

'Dim brodyr mawr yn gwneud hwyl ar ben brodyr bach.'

Wyddai Ithel ddim yn iawn o le ddaeth sylw mor sbeitlyd, ond tarodd ei farc. Edrychodd Andras ar y gannwyll ar y gist wrth ei ochr.

'Dwi wedi darllen amdanoch chi hefyd,' meddai'n ddistaw.

'O?' holodd Ithel gan godi.

'A meddwl oeddwn i, tybed ydi'r straeon yn wir?' meddai Andras mewn llais pell i ffwrdd. 'Ydi hi'n amhosib lladd Gwigyn?'

*

Rhoddodd Adwen y gorau i geisio cario pobl i'r gegin a dechrau gwneud be fedrai hi ar y buarth. Tra'r oedd Ceinwen yn cynhesu dŵr ym mha bynnag lestr nad oedd yn racs roedd hithau wedi brysio o gwmpas hefo cadachau a stribedi o ddefnydd. Llwyddodd i gael rhai o filwyr Andras i'w chynorthwyo. Roedden nhw wedi bod yn sefyllian yn ddigon breuddwydiol cyn iddi hi roi siars iddyn nhw un ai helpu neu symud o'r ffordd. Teimlai fod lle iddyn nhw dynnu eu pwysau i geisio gwneud yn iawn am eu rhan yn yr erchyllterau.

Dim bod lle i achub llawer. Roedd y nifer helaethaf yn farw pan gyrhaeddodd hi. Wrth frysio rhwng y sypiau o bobol teimlodd Adwen ei hun yn gadael ei chorff rywsut. Nid hi oedd yn ceisio gweld a oedd pobl yn anadlu nac yn gwrando am dwrw griddfan. Nid hi ddaeth o hyd i ddau a oedd yn fyw o hyd a llwyddo, rhywsut, i arafu'r gwaedu a chlymu cadach dros stwmpyn braich milwr arall. Bob hyn a hyn byddai'r erchyllterau o'i chwmpas yn bygwth ei boddi, byddai'n sylwi ar yr hyn o'i blaen, ond byddai'n cymryd gwynt ac yn eu mygu nhw i lawr. Byddai amser i feddwl eto.

Daeth criw bach o filwyr a'r Brenin Maelrhys a'i Benteulu allan o'r tŵr ar frys ac yn hytrach na gofyn am gymorth – er bod golwg arnyn nhw – fe aethon nhw ati i geisio helpu. Erbyn gweld, roedd Gwerful a Maelrhys wedi arfer hefo clwyfau gwaeth nag oedd Adwen. Dysgodd sut oedd llosgi clwyf i'w atal rhag gwaedu gan ddal y claf i lawr gyda milwr tra bod

Gwerful yn dal y fflam. Am oglau. Am sgrechian. Symudodd Adwen fel rhywun mewn breuddwyd, neu hunllef. Yr oll y gallai feddwl amdano oedd os nad oedd hi wedi gallu achub Sion yna efallai y gallai wneud gwahaniaeth heno. Dal ati. Nes oedd y byd yn troi.

Yna, daeth saib. Gwnaeth y criw y cwbwl y gallen nhw a thra'r oedd rhai o filwyr Maelrhys ddaeth o'r tŵr yn gosod eu cyfeillion marw mewn rhesi ar y buarth ac eraill yn trafod beth i'w wneud gyda gweddill tylwyth Andras, safodd Adwen yn edrych ar y rhai y buodd hi'n eu helpu. Pedwar. Roedd siawns y byddai tri yn byw i weld y bore. Dyna'r cyfan.

...

...

Byddai'n well iddi olchi ei dwylo.

Cafodd ei hun yn y gegin, rywsut, er na allai gofio sut daeth hi yno. O dan ei thraed roedd llwch calch, darnau o bren a chig yn gymysg. Doedd hi prin yn gallu adnabod y stafell rhwng y tyllau yn y to a'r ffaith fod y llestri a'r dodrefn yn deilchion. Ond roedd yna stôl iddi a rhywsut roedd y bwrdd a'r setl yn dal i sefyll er bod tyllau ynddyn nhw. Eisteddodd Adwen a cheisio meddwl, a'i chael hi'n anodd. Er bod popeth yn ofnadwy o eglur ar un wedd roedd pob dim yn ddryslyd hefyd a theimlai'n ddiffrwyth drwyddi. Gwasgodd Ceinwen gwpan o rywbeth poeth i'w dwylo.

'Yf,' meddai.

Roedd Maelrhys yno hefyd, a Gwerful, y ddau wrth y tân tra bod Ceinwen a hithau ar wahân wrth y drws.

Yfodd Adwen ei diod, dyn a ŵyr be oedd ynddo fo, heblaw

am fêl – rhyw bethau a oedd yn cosi ei thafod ac yn llacio'i chyhyrau. Daliodd pawb eu cwpanau yn eu dwylo ac edrych un ai ar y stêm yn codi ohonynt, eu dwylo, neu'r llawr. Roedd Gwerful a Maelrhys yn siarad. Poerodd Maelrhys i'r tân.

'Mi gaiff o grogi fel lleidr pen ffordd, a phob un helpodd o.'

Trodd ei lygaid tuag at Adwen a Ceinwen a gwelodd Adwen ddicter gwyllt o dan yr aeliau trwchus ond roedd hi'n rhy bell i wneud dim. Gwyliai'r olygfa fel ei bod yn edrych ar anterliwt neu'n gwrando ar stori.

'Dwi methu coelio…' dechreuodd Ceinwen, cyn tewi.

Teimlodd Adwen ei hun yn dechrau siarad.

'Mi laddodd Cadell fy nghyfyrder i, a chyfeillion i mi. Efo'r pethau 'na, beth bynnag oedden nhw. Dyna pam…' meddai Adwen, a sylwi nad oedd hi wedi dweud hynny wrth neb heblaw Ithel. Roedd o'n deimlad rhyfedd. Syllai Ceinwen yn gegrwth arni. Yfodd Adwen fwy o'r ddiod a sylwi, mwyaf sydyn, bod ei dwylo'n crynu. Edrychodd Gwerful arni.

'Diolch am y cymorth ac am geisio morol am y clwyfedig,' meddai.

Ceisiodd Adwen wenu, yna cofiodd am yr hyn y buodd hi'n ei wneud dim ond munudau ynghynt. Surodd y ddiod y tu mewn iddi a rhoddodd ei stumog herc. Brysiodd allan a throi congl heibio'r gegin a chwydu. Roedd hi'n crio hefyd, erbyn gweld. A'r crio hwnnw fel chwydu ynddo'i hun, rywsut, nes ei bod hi'n anodd anadlu a chrio yr un pryd. Llithrodd ar ei heistedd a rhoi ei phen yn ei dwylo ac aros felly gan wasgu'r dagrau ohoni nes doedd dim byd ar ôl. Teimlai'n wag. Yna trodd ac edrych ar y tŵr. Oedd Cadell yn dal i chwilio amdani? Go brin. Be oedd Ithel yn ei wneud yno, tybed? Ceisio dod i wraidd pethau oedden nhw, mae'n rhaid.

*

Perygl

Sibrydodd y lleisiau y tu mewn i Ithel, ond sut?

'Ydi'r cyffesiad yn ddigon i chi, Ithel?'

Camodd Ithel tuag at Andras.

'Ydi.'

Estynnodd Andras am y gannwyll a dal ei law rydd uwchben y fflam gan ddal y gwres ac yna symud oddi wrtho, yn ôl a blaen.

'A be fydd y ddedfryd? Marwolaeth?' Astudiodd Andras wyneb Ithel. 'O dyna ni. Taclus iawn. A mi gewch chi dynnu un rhicyn oddi ar eich enaid chi, un cam yn nes at dalu pa bynnag bechod wnaeth i chi haeddu'ch tynged. Be oedd o tybed? Ydach chi'n gwybod?'

''Dan ni...'

Doedd Ithel ddim, er iddyn nhw feddwl droeon.

'Mae'n rhaid iddo fod yn erchyll i hyn ddigwydd i chi. Pa bechod fyddai'n cyfiawnhau y fath ddedfryd?'

'Y Gyfraith biau dweud, ym mhob achos.' Llaciodd Ithel y rhaff yn eu dwylo a sefyll o flaen Andras.

'A phwy osododd honno yn ei lle?' Cododd Andras ar ei draed. 'Ond dwi'n derbyn fy nedfryd yn llawen, os ca'i ddewis y dull o farw.'

'A be fydd hwnnw?' Paratôdd Ithel y rhaff, doedd gan Andras ddim arf o fath yn y byd, dim ffordd o ddianc. Pan felly fod Ithel yn teimlo fel mai nhw oedd dan anfantais?

'Wnaethoch chi ddim sylwi, Ithel, fod y dull o ladd y gof a'r plentyn yn wahanol i'r wraig? Wnaethoch chi ddim meddwl holi sut yn union oedd yr alcemi yn gweithio?'

Rhewodd Ithel, y cortyn oedd yn mygu... mwg... tân... y gannwyll yn llaw Andras... yr adwaith.

'Powdr ffrwydro. Sylffer a rhyw fanion eraill... darn

hanfodol o'r cynllun. "Wastad yn dechra. Byth yn gorffan."
Dyna dduodd Maelrhys. Wel, dyma fi'n gorffen,' meddai
Andras a chwerthin yn sydyn. Gollyngodd y gannwyll ar y
gynffon fach o bowdr du a oedd yn nadreddu ei ffordd at y
gist. Gwreichionodd hwnnw'i ffordd at dwll yn ei hochr.

Taniodd y byd yn wyn.

Dde, dde, dde. Sgrechiodd y lleisiau y tu mewn iddyn nhw
wrth i'r fflamau ddod yn nes. Am yr ail waith yn eu bodolaeth
hir, dewisiodd Ithel ffordd arall.

Pennod 40

Taflodd Adwen ei diod wrth i'r nos droi'n ddydd tu allan ac i glec aruthrol ysgwyd y gegin. Doedd dim ennyd ers iddi ddod i mewn yn ei hôl. Heb feddwl, rhedodd allan yn hanner dall a byddar mewn pryd i weld pen y tŵr yn chwalu a chwmwl cymysg o dân a mwg yn codi fel madarchen fudur i'r nos. Glaniodd cerrig a darnau o ddodrefn yn gawodydd. Chwalwyd rhai o'r beudai gan feini o'r waliau a rhedodd y ceffylau'n wyllt. Trodd y nos yn dywyll unwaith eto wrth i'r fflamau yn yr awyr fygu eu hunain yn ddim yn y mwg.

'Ithel!' gwaeddodd dros ruo'r fflamau. Ffyrnigodd y rheiny wrth i'r tŵr droi'n gorn simdde, bron nad oedd y fflamau eu hunain yn sgrechian. Gallai Adwen deimlo ei chroen yn tynhau yn y gwres wrth iddi geisio rhedeg yn nes ond daliodd ati nes iddi deimlo rhywun yn gafael amdani a'i llusgo'n ôl.

'Tamchwa!' gwaeddodd Maelrhys dros sŵn y fflamau a phren yn clecian. 'Andras, mae'n rhaid... rhywsut.' Brysiodd ei filwyr ato gyda'u harfau yn eu dwylo. Edrychai pawb yn hagr yng ngolau'r fflamau.

Ceisiodd Adwen wingo o afael rhywun, pwy oedd yn ei dal?

'Na,' meddai Gwerful. 'Mae yna ddigon wedi marw heno. Ti ddim o gwmpas dy bethau rhwng bob dim.' Ceisiodd Adwen ddianc eto 'Pwylla! Gad i ni geisio atal y tân rhag mynd ddim pellach!'

'Ond be am Ithel?'

Trodd Maelrhys at y tân gan ddal ei law o flaen ei lygaid. 'Bydd angen wrth fwy na dyn i oroesi'r fath fallgyrch eirias.'

Daeth sŵn ochneidio craig a gwichian wrth i ddarn o'r twr ddisgyn am i mewn gan daflu gwreichion yn gawodydd. Gwelodd Adwen ddistiau a phlanciau lloriau'n chwalu'n siwrwd. Doedd hi ddim yn gallu meddwl. Ddim yn gallu deall... Yna gwelodd yr iau ar lawr a chofiodd be ddywedodd Gwerful.

Cariodd Adwen ddŵr nes gwaedodd ei dwylo. Daeth pobl Ferin yn un criw hefyd i wlychu toeau eu tai a diffodd rhai o'r adeiladau y tu mewn i fuarth Andras a oedd wedi cynnau. Deallodd pawb yn o fuan i adael i'r ddynes wyllt gyda'r iau fwrw iddi ei hun wrth iddi daflu pwceidiad ar ôl pwcediad yng ngenau uffern i bob pwrpas. Ond, wedi i'r tanau eraill gael eu diffodd a thoeau'r tai gael eu gwlychu rhag gwreichion, aeth rhai ati i ffurfio rhes gan basio cawgiau a phwcedi am yn ail. Erbyn iddi wawrio roedd gweddillion twr Andras yn docyn o gerrig wedi duo a chracio ac yn parhau i fygu er bod y fflamau wedi'u diffodd.

Gorweddai neu eisteddai trigolion y dref o gwmpas wedi ymlâdd. Cariai Ceinwen fara a chwrw iddyn nhw a gwyliodd Adwen hi o bell o du mewn i'w chorff ei hun. Eisteddai wrth weddillion y twr ar fwced wedi ei throi ar ei phen i lawr. Llosgai ei dwylo, ei chroen a'i gwddw – gwnaeth y mwg lawn cymaint o niwed â dim arall iddi. Drewai ei dillad ohono ac roedd ôl huddyg a pharddu drostyn nhw. Rhwbiodd ei llygaid. Teimlai'n swrth.

Gwelodd Adwen Ffion a Leusa o bell, diolch byth eu bod nhw wedi dianc cyn i'r twr chwythu, meddyliodd. Pwy oedd wedi sôn iddyn nhw guddio yn y barics? Dechreuodd y ddwy gerdded tuag ati a Leusa'n ceisio dal braich Ffion a'i thynnu am yn ôl. Edrychai'r ddwy yn hyll arni – rhaid fod Ceinwen wedi sôn am y twyll.

Ceisiodd Adwen godi, a methu. Tynnodd Ffion ei hun yn rhydd rhag Leusa a rhedeg at Adwen gan ei thaflu ar lawr. Eisteddodd arni a'i tharo ac yna dechreuodd ei hysgwyd. Drwy niwl y byd allai Adwen wneud dim ond edrych arni. Roedd ei hwyneb yn goch ac ôl dagrau arno.

'Yr ast! Ma Rhodri 'di ladd...' Daliodd Ffion ati i'w hysgwyd a dechreuodd Adwen grio hefyd ac yn hytrach na gwthio Ffion oddi arni neu ei churo cododd Adwen ei breichiau – mor drwm oedden nhw – a gafael amdani. Be arall fedrai neb wneud ond hynny? Rhaid bod Ffion yn meddwl ei bod hi wedi helpu Ithel i ladd milwyr Andras, meddyliodd, ac roedd hi wedi twyllo pawb, efallai nad oedd cael crasfa yn ddrwg o beth. Aeth yr ysgwyd yn wannach a gwannach nes bod Ffion yn ysgwyd drwyddi'i hun gan igian crio. Gwasgodd Ffion ddillad Adwen yn ei dwylo.

'Pam!?' holodd ac yna'n ddistaw eto, 'Pam?' Daeth Leusa o rywle a Ceinwen wrth ei hochr a chododd y ddwy Ffion oddi ar Adwen. Yna wedi i Leusa arwain Ffion i ffwrdd plygodd Ceinwen a chodi Adwen ar ei heistedd. Allai Adwen wneud dim ond syllu ar y pentwr o'i blaen, roedd y cerrig yn rhy boeth i'w codi. Oedd Ithel oddi tanyn nhw'n rhywle?

Ochneidiodd Ceinwen.

'Wn i ddim be oedd dy hanes di'n iawn, hogan, ond ma'n siŵr gen i dy fod titha wedi cael colled neithiwr. Ddrwg gen i.'

Byddai'n well iddi siarad.

'Dd...' pesychodd Adwen, roedd ei gwddw'n sych ac

amrwd. 'Ddrwg gen i am eich twyllo chi, Ceinwen.' Llais bach, crawclyd oedd ganddi hefyd erbyn clywed.

Wnaeth Ceinwen ddim ateb am sbel.

'Hidia befo am hynny, mi oedd gen ti reswm iawn dros wneud dwi'n meddwl. Adwen alwodd y Gwigyn chdi, ia?'

'Ia.' Tagodd Adwen eto a phoeri fflem waedlyd rhwng ei thraed. Trodd y byd ar ei echel a griddfanodd.

'Ynda.' Rhoddodd Ceinwen gwpan yn ei llaw. 'Fedri di yfed?'

'Gyda'r gora,' atebodd Adwen a gwenu'n wan. Roedd y cwrw'n oer braf. Fe yfodd hi o mewn un llwnc.

'Diolch,' meddai wedyn a rhoi'r gwpan yn ôl.

'Ty'd am y gegin 'na, ma' 'na olwg arnat ti. Mae gen i eli hefyd, fel gwnes i sôn, llosgiadau ydi mhetha fi.'

Doedd hi ddim yn teimlo'n iawn i adael rhywsut ond cododd Adwen a mynd ym mraich Ceinwen at weddillion y gegin.

Cafodd Adwen olchi a rhoi ei dwylo mewn dŵr halen. Estynnodd Ceinwen botyn gyda chaead pren a thaenu'r saim oedd ynddo ar y darnau cochach na'i gilydd o'i hwyneb – ei thalcen a'i thrwyn. Ymddangosodd Gel o rhywle ac wedi iddi lapio ei dwylo mewn cadachau glân cododd Adwen o i'w chôl. Wrth fwytho'r ci teimlai Adwen ei bod yn dod yn ôl ati ei hun yn araf bach gan lenwi ei chorff eto hyd at flaenau'i bysedd. Eisteddodd yn y gegin wrth fwrdd a oedd bron yn gyfan a gadael i'r byd olchi heibio.

Rhaid bod Adwen wedi cysgu ryw ben. Erbyn iddi ddeffro roedd hi'n brynhawn a chonglau'r byd fymryn yn fwy eglur. Doedd neb yn y gegin pan ddeffrodd ac er iddi feddwl codi, eistedd wnaeth hi. Roedd hi'n brifo drosti, a drwyddi.

Daeth Gwerful heibio yn y man ar ran Maelrhys i weld sut oedd pawb. Bellach hi oedd yn gyfrifol am dylwyth Andras, gymaint ag oedd ar ôl.

'Dwi wrthi'n hel pobol i glirio'r twˆr. Mae F'Agrlwydd Maelrhys yn bendant y dylid cael corff Andras, neu beth bynnag sydd ohono, adref i'r Garnedd hefo'i gyndeidiau. Os daw'r gweithwyr o hyd i'r Gwigyn, yna fe wnawn nhw sôn. Oeddat ti'n cydweithio hefo'r Gwigyn?' holodd am fod 'ti' a 'tithau' wedi digwydd yn sydyn yn ystod y gyflafan neithiwr.

'Y...' pesychodd Adwen. 'Tyst oeddwn i, achos lladd fy nghyfyrder ddaeth â nhw yma. Ithel ydi eu henw nhw.'

'Wela i, mae gennym ni ddyled iddyn nhw hefyd.' Estynnodd Gwerful stôl ac eistedd. Cysidrodd Adwen rywbeth.

'I'r Garnedd? Ar ôl be wnaeth o?' holodd Adwen.

Gwenodd Gwerful.

'Mae'r pechod yn cael ei olchi'n lân gan farwolaeth, tydi? Ac mae Maelrhys yn eitha sicr y bydd ei gyndeidiau o'n cicio tin Andras o gwmpas y lle o hyn at dragwyddoldeb hefyd.'

Chwarddodd Adwen a gwingo wrth iddi gofio am yr holl gyhyrau newydd oedd wedi magu dros nos rhywsut. Eisteddodd y ddwy mewn tawelwch am sbel, daeth Gel heibio i weld os oedd modd llyfu mwy o ddwˆr halen oddi ar ddwylo Adwen.

'Dwyt ti ddim yn rhan o dylwyth Andras felly?' holodd Gwerful.

'Na, Porthmon ydw i, o Fodira. Dyna oeddwn i beth bynnag, dwn i'm os na fi ydi fi erbyn hyn.'

Cysidrodd Gwerful hynny, fe wyddai am sut gallai cyflafan dolcio pobl a'u newid nhw er na chlywodd hi neb yn sôn am y peth yn y fath fodd.

'Be wnei di rwˆan?' holodd Gwerful o'r diwedd.

'Cysgu... ond mynd adra, beryg, mae galanas Sion gen i o hyd a'r newydd am ei farwolaeth o hefyd, fel deryn mewn caets tu mewn i mi. Mi fydd rhaid iddyn nhw gael gwybod, ac mae angen morol am unrhyw deulu oedd gan Dafydd am wn i... Rhaid mynd â'r ceffyl yn ôl i Lanfarudd, talu i'r cychwyr.'

'Fyddi di'n brysur.'

Nodiodd Adwen a gwenu'n wan.

'A wedyn?' holodd Gwerful.

Cymrodd Adwen wynt dwfn ac edrych ar y carpiau o awyr las oedd i'w gweld drwy'r to.

'Dwn im, yn ôl at borthmona am wn i? Dyna'r oll wn i, eto i gyd ar ôl hyn... fydd o ddim yr un fath.' Oedodd. 'Mi ddo'i i ben, rywsut.'

'Dyna'r oll fedri di wneud.'

Edrychodd Adwen arni ar draws y bwrdd a gwenu, 'Ia.'

Dechreuwyd ar y gwaith o glirio'r cerrig y diwrnod canlynol. Wedi tri diwrnod o gario crafwyd digon o weddillion Andras i flwch pren fel bod gan ei gyndeidiau rywbeth i'w gicio o naill ben i'r feddrod i'r llall. Cafwyd Cadell hefyd, wedi ei wasgu, a rhoddodd Maelrhys ganiatâd i rai o'i gyn-filwyr roi claddedigaeth frysiog iddo. Cadwodd Adwen olwg am unrhyw un o'r arfau newydd fyddai'n codi o'r gweddillion ac roedd hi wedi bod yn falch o weld bod pob un y llusgodd labrwyr Ferin o'r lludw i graffu a rhyfeddu arnyn nhw wedi'u difetha gan wres y fflamau.

Chafwyd, serch hynny, ddim arlliw o Wigyn. Rhywsut doedd Adwen ddim yn synnu o glywed hynny er na chymerodd hi arni. Cafwyd pen bwyell a phwt o goesyn wedi llosgi wrthi a edrychai'n debyg i'w hun nhw a chadwodd Adwen honno, rhag ofn. Roedd cloriau yr achos wedi eu cau bellach. Ond gwyddai porthmon yn well na neb bod llwybrau'n dal i allu croesi eto ar ôl gwahanu.

Y p'nawn hwnnw teimlai Adwen yn ddigon da i grwydro at y porth a arweiniai allan o Ferin. Daeth Gel hefo hi'n gwmpeini. Safodd yno rhwng rhychau annelwig olwynion trol ac edrych ar y lôn. Dod i ddiwedd taith neu gychwyn oedd hi, dybed? Am ennyd gallai weld pob tro yn y ffordd yn ymestyn yn braf o dan haul tanbaid gyda'r cloddiau'n las ac yn dew o flodau o bob math – moron gwyllt, blodau neidr, llygaid llo bach – o'i blaen roedd y lôn yn mynd a mynd a rhwydd hynt i ddewis pa ffordd y mynnai, dim ond cymryd cam oedd eisiau.

Daeth Ferin, a phopeth yn ôl iddi ar draws y llun hwnnw. Nid mater o lamu ymlaen hefo'r gwynt wrth ei chefn oedd hi beth bynnag. Ddim tro'ma. Roedd rhai teithiau yn gadael eu hôl yn waeth na'i gilydd. Byddai hi'n gloff am sbel, os nad am byth. Aeth Gel yn ei flaen rhyw fymryn a throi fel petai'n disgwyl i Adwen ei ddilyn. Pwyll. Byddai'n dechrau wrth ei thraed, fel pob porthmon.

★

Mae Ithel yn arnofio ar ddŵr a hwnnw'n boeth, boeth. Yna wrth iddyn nhw arnofio'n mhellach gan fynd yn ddwfn a bas am yn ail mae o'n oeri, yn meddalu ac yn cofleidio fel byddai rhiant yn wneud, efallai.

Wrth agor eu llygaid gwêl Ithel eu bod mewn cors a bod y gors hefyd uwch eu pen. O'u cwmpas mae llyn bas a hwnnw'n gymesur yn yr awyr a'i ochrau carpiog yn unfath. Er mai hynny sydd uwchben, rhywsut mae sêr i'w gweld yn y dŵr hefyd a sylwa Ithel eu bod hwythau i'w gweld yn y llyn yn yr awyr. Egyr y ddau Ithel eu llygaid ac edrych i'w gilydd. Caiff yr un darlun, yr un adlewyrchiad ei ailadrodd dro ar ôl tro ar ôl tro, yn anfeidrol annherfyn. Pa un yw'r Ithel o gig a gwaed? Oedd y fath beth yn bod erioed?

Am y gwelai Ithel does dim ond y gors a'r dŵr, a'r sêr sydd yn symud bellach, yn dynesu gan ganu'n ysgafn. Dyma'r gân y mae plant bach yn ei chlywed yn eu cwsg mae'n rhaid. Honno sy'n gwneud iddynt wenu wrth freuddwydio. Coda'r sêr at y wyneb ac nid sêr ydyn nhw o gwbl ond yn hytrach canhwyllau llygaid. Llygaid y rhai oddi mewn gyda Rhun, Lara, Icws, Gnaeus, Rhor, Gwidw a Badog i'w gweld. Mae rhai eraill hefyd, gyda Gwigiaid yn eu plith. Colomon, Gwrgan, Gwawl, Llithriad yr Hesg, Arthfael, Pubell Graff, Blöen y Frochell... Dana. Cwyd pob un ohonynt o'r dŵr ac nid cysgodion mo'r rhai oddi mewn erbyn hyn ond pobl o gnawd ac asgwrn sy'n sefyll ar donnau mân y llyn ac yn edrych ar Ithel.

Rhaid mai cnawd ac asgwrn yw'r Gwigiaid hefyd. Yn gyntaf yn eu dillad fel y cofia Ithel nhw ac yna'n noeth, fel hwythau. Dana ydi'r un ddaw atyn nhw gan arnofio ar wyneb y dŵr a blaenau bodiau eu traed yn codi ewyn diog. Daw atyn nhw a chyrcydu. Cwyd Ithel ar eu heistedd wrth i Dana estyn eu llaw. Mae Dana'n cyffwrdd â'u boch ac yn gwenu.

'Fe ddaethoch i wraidd y peth felly.' Ac mae'r llais hefyd yn mynd am byth ac Ithel yn ei glywed yn barhaus.

'Do... gyrhaeddoch chithau'r gors?'

Mae Dana'n gwenu sy'n gwneud i'r holl Wigiaid eraill wenu'r un pryd yn union.

'Do'.

Sylwa Ithel fod geiriau Dana'n eiriau i bawb arall hefyd, wrth i'w ceg nhw symud felly y symuda cegau'r dorf.

'Ai dyma'r diwedd i ninnau?' hola Ithel wrth i'r llygaid-sêr ddechrau pylu.

Mae Dana'n edrych yn ôl at y Gwigiaid eraill a cheisia Ithel estyn amdanyn nhw.

'Wyddon ni ddim am hynny. Chi sydd biau dweud, rydan ni'n meddwl, sy'n rhyfedd. Mi gewch ddewis. I ba gyfeiriad ewch chi dybad, y bagiach esgyrn?'

Llifa pawb yn ôl i'w dyfroedd gan adael Ithel a'r crychau am byth yn symud yn ôl a blaen rhwng eu croen a'r lan. Maen nhw'n gorwedd yn ôl yn y dŵr melys. Maen nhw'n dewis.

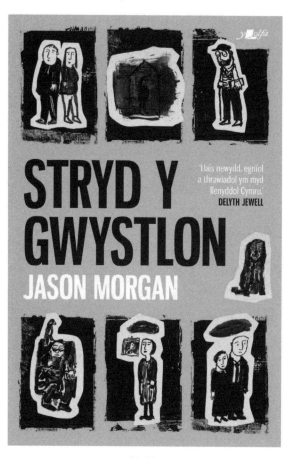

Ifan Morgan Jones

BRODORION

'Chwip o antur' **JON GOWER**

y Lolfa

£8.99

Pumed Gainc y Mabinogi

PEREDUR GLYN

y Lolfa

£8.99

ALUN DAVIES

PWY YW MOSES JOHN?

y Lolfa

£9.99